G000114892

Van Dale
Miniwoordenboek
Engels

Van Dale Miniwoordenboeken

Afrikaans

Arabisch

Chinees

Deens

Duits

Engels

Frans

Grieks

Indonesisch

Italiaans

Kroatisch

Nederlands

Noors

Pools

Portugees

Sloveens

Slowaaks

Spaans

Tsjechisch

Turks

Zweeds

van **Dale**

Miniwoordenboek

Engels – Nederlands
Nederlands – Engels

Utrecht / Antwerpen

Van Dale Miniwoordenboek Engels

eerste editie
vierde oplage 2011

ISBN 978 90 6648 327 9
D/2009/0108/724
R. 8327X04
NUR 627

Inhoud

voorwoord 7
afkortingen en tekens 9

Engels – Nederlands 13
Nederlands – Engels 227

culinaire woordenlijst 427
onregelmatige werkwoorden 449
telwoorden 457
klokkijken 459
enkele nuttige zinnen 461
maten en temperatuur 469

Voorwoord

Iedereen weet uit ervaring hoe vaak het in het buitenland voorkomt dat je op cruciale momenten een woord nodig hebt. Hoe zeg je 'reserveren'? Of 'blindedarmontsteking'? En hoe vaak komt het niet voor dat je woorden op bijvoorbeeld een menukaart wilt opzoeken?

In dit Van Dale Miniwoordenboek zijn ongeveer 10.000 trefwoorden in het Engels en in het Nederlands opgenomen. Dat is ruim voldoende voor dagelijks taalgebruik op reis, maar bijvoorbeeld ook bij het zakendoen of bij het lezen van eenvoudige teksten. U vindt in dit boekje bovendien een lijst met culinaire woorden en dranken om de menukaart te kunnen begrijpen. Er zijn overzichtjes van telwoorden, van onregelmatige werkwoorden, een lijst met handige gebruikszinnetjes en een uitleg over klokkijken. Toch is het boek klein en handzaam genoeg om overal mee naar toe te nemen.

Utrecht / Antwerpen, voorjaar 2009
Ferdi Gildemacher, uitgever

Afkortingen

bn	bijvoeglijk naamwoord
bw	bijwoord
lidw	lidwoord
telw	telwoord
vnw	voornaamwoord
vw	voegwoord
vz	voorzetsel
ww	werkwoord
Am	Amerikaans

Tekens

*	zie lijst met werkwoorden
·	scheidt verschillende betekenissen
~	vervangt het trefwoord
♦	begin voorbeeldzinnen

Engels – Nederlands

a een

AA *(Automobile Association)* Britse automobielclub

AAA *(American Automobile Association)* Amerikaanse automobielclub

the **abbey** de abdij

the **abbreviation** de afkorting

ABC *(American Broadcasting Company)* Amerikaanse radio- en televisiemaatschappij

the **aberration** de afwijking

the **ability** de bekwaamheid · het vermogen

able in staat · capabel, bekwaam ♦ *be* ~ to* in staat zijn om; kunnen

abnormal abnormaal

aboard aan boord

abolish afschaffen

the **abortion** de abortus

about¹ *bw* omstreeks, ongeveer · omheen

about² *vz* over · betreffende, omtrent · om

above¹ *bw* boven

above² *vz* boven

abroad naar het buitenland, in het buitenland

the **abscess** het abces

abseil abseilen

the **absence** de afwezigheid

absent afwezig

absolutely absoluut

abstain from zich onthouden van

abstract abstract

absurd absurd, ongerijmd

the **abundance** de overvloed

abundant overvloedig

the **abuse** het misbruik

the **abyss** de afgrond

the **academy** de academie

accelerate versnellen

the **accelerator** het gaspedaal

the **accent** het accent · de nadruk

accept aanvaarden, aannemen · accepteren

the **access** de toegang

the **accessary** de medeplichtige

accessible toegankelijk

the **accessories** het toebehoren, de accessoires

the **accident** het ongeluk, het

ongeval

accidental toevallig

accommodate onderbrengen

the **accommodation** de accommodatie, het logies, het onderdak

accompany vergezellen · begeleiden

accomplish volbrengen · bereiken

in accordance with ingevolge

according to volgens · overeenkomstig

the **account** de rekening · het verslag ♦ ~ *for* verantwoorden; *on* ~ *of* vanwege

accountable verklaarbaar

the **accountant** de accountant

accurate nauwkeurig

accuse beschuldigen · aanklagen

the **accused** de verdachte

accustom wennen ♦ ~*ed* gewoon, gewend

the **ache¹** de pijn

ache² *ww* pijn doen

achieve bereiken · presteren

the **achievement** de prestatie

the **acid** het zuur

acknowledge erkennen · toegeven · bevestigen

the **acne** de acne

the **acorn** de eikel

the **acquaintance** de bekende, de kennis

acquire verwerven

the **acquisition** de acquisitie

the **acquittal** de vrijspraak

across¹ *bw* aan de overkant

across² *vz* over · aan de andere kant van

the **act¹** de daad · het bedrijf, de akte · het nummer

act² *ww* optreden, handelen · zich gedragen · toneelspelen

the **action** de actie, de handeling

active actief · bedrijvig

the **activity** de activiteit

the **actor** de acteur, de toneelspeler

the **actress** de actrice, de toneelspeelster

actual eigenlijk, werkelijk

actually feitelijk

acute acuut

A.D. *(anno Domini)* na Christus

adapt aanpassen

add optellen · toevoegen

the **addiction** de verslaving

the **adding machine** de telmachine

the **addition** de optelling · de toevoeging

additional extra · bijkomend · bijkomstig

the **address¹** het adres

address² ww adresseren · aanspreken

the **addressee** de geadresseerde

adequate toereikend · adequaat, passend

ADHD ADHD

the **adjective** het bijvoeglijk naamwoord

adjourn uitstellen · schorsen

adjust afstellen · aanpas-

sen

administer toedienen

the **administration** de administratie · het beheer

administrative administratief · bestuurlijk ♦ ~ *law* bestuursrecht

the **admiral** de admiraal

the **admiration** de bewondering

admire bewonderen

the **admission** de toegang · de toelating

admit toelaten · toegeven, bekennen

the **admittance** de toegang ♦ *no ~* verboden toegang

the **adolescent** de puber

adopt adopteren · aannemen

ADSL ADSL

the **adult¹** de volwassene

adult² bn volwassen

the **advance¹** de vooruitgang · het voorschot ♦ *in ~* vooruit, van tevoren

advance² ww vooruitgaan · voorschieten

advanced gevorderd

the **advantage** het voordeel

advantageous voordelig

the **adventure** het avontuur

the **adverb** het bijwoord

the **advertisement** de advertentie · de annonce

the **advertising** de reclame

the **advice** het advies, de raad

advise adviseren, aanraden

the **adviser** de adviseur

the **advocate** de voorstander

the **aerial** de antenne

the **affair** de aangelegenheid · de verhouding, de affaire

affect beïnvloeden · betreffen

affected geaffecteerd

the **affection** de aandoening · de genegenheid

affectionate lief, aanhankelijk

affiliated aangesloten

affirmative bevestigend

the **affliction** het leed

afford zich veroorloven

afraid angstig, bang ♦ *be* ~* bang zijn

Africa Afrika

the **African¹** de Afrikaan

African² *bn* Afrikaans

after¹ *vz* na · achter

after² *vw* nadat

the **afternoon** de middag, de namiddag ♦ *this ~* vanmiddag

afterwards later · nadien, naderhand

again weer · opnieuw ♦ *~ and ~* telkens

against tegen

the **age** de leeftijd · de ouderdom ♦ *of ~* meerderjarig; *under ~* minderjarig

aged bejaard · oud

the **agency** het agentschap · het bureau · de vertegenwoordiging

the **agenda** de agenda

the **agent** de vertegenwoordiger, de agent

aggressive agressief

ago geleden

agrarian agrarisch, landbouw-

agree het eens zijn · toestemmen · overeenkomen

agreeable aangenaam

the **agreement** het contract ·
het akkoord, de overeen-
komst · de overeenstem-
ming

the **agriculture** de landbouw

ahead vooruit ♦ ~ *of* voor;
go* ~ doorgaan; *straight*
~ rechtuit

the **aid¹** de hulp

aid² *ww* bijstaan, helpen

AIDS aids

the **ailment** de kwaal · de
ziekte

the **aim** het doel ♦ ~ *at* richten op, mikken op; be-
ogen, nastreven

the **air¹** de lucht

air² *ww* luchten

the **airbag** de airbag

air conditioned airconditioned

the **air conditioning** de luchtverversing

the **aircraft** ~ het vliegtuig ·
het toestel

the **airfield** het vliegveld

the **air filter** het luchtfilter

the **airline** de luchtvaartmaatschappij

the **airmail** de luchtpost

the **airplane** *(Am)* het vliegtuig

the **airport** de luchthaven

the **airsickness** de luchtziekte

airtight luchtdicht

airy luchtig

the **aisle** de zijbeuk · het
gangpad

the **alarm¹** het alarm

alarm² *ww* alarmeren

the **alarm clock** de wekker

the **album** het album

the **alcohol** de alcohol

alcoholic alcoholisch

the **ale** het bier

the **algebra** de algebra

Algeria Algerije

the **Algerian¹** de Algerijn

Algerian² *bn* Algerijns

the **alien¹** de buitenlander ·
de vreemdeling

alien² *bn* buitenlands

alike eender, gelijk

the **alimony** de alimentatie

alive in leven, levend

all al ♦ ~ *in* alles inbegrepen; ~ *right!* goed!; *at* ~
helemaal

Allah Allah

the **allergy** de allergie

the **alley** de steeg

the **alliance** het bondgenootschap

the **Allies** de geallieerden

allot toewijzen

allow veroorloven, toestaan ♦ ~ to laten; be* ~ed mogen; be* ~ed to mogen

the **allowance** de toelage

all-round veelzijdig

the **almanac** de almanak

the **almond** de amandel

almost bijna · haast

alone alleen

along langs

aloud hardop

the **alphabet** het alfabet

already reeds, al

also ook · tevens, eveneens

the **altar** het altaar

alter wijzigen, veranderen

the **alteration** de wijziging, de verandering

alternate afwisselend

the **alternative** het alternatief

although ofschoon, hoewel

the **altitude** de hoogte

the **alto** ~s de alt

the **altogether¹** het totaal

altogether² bw helemaal

always altijd

am zie be

a.m. (ante meridiem (before noon)) (de tijd tussen 0 en 12 uur)

Am. (America) Amerika · (American) Amerikaans

amaze verwonderen, verbazen

the **amazement** de verbazing

the **ambassador** de ambassadeur

the **amber** het barnsteen

ambiguous dubbelzinnig · onduidelijk

ambitious ambitieus · eerzuchtig

the **ambulance** de ziekenauto, de ambulance

the **ambush** de hinderlaag

America Amerika

the **American¹** de Amerikaan

American² bn Amerikaans

the **amethyst** de amethist

amid onder · tussen, middenin, te midden van

the **ammonia** de ammonia

the **amnesty** de amnestie

among te midden van · tussen, onder ♦ ~ *other things* onder andere

the **amount** de hoeveelheid · de som, het bedrag ♦ ~ *to* bedragen

the **amplifier** de versterker

Amtrak *(American railroad corporation)* Amerikaanse spoorwegmaatschappij

amuse amuseren, vermaken

the **amusement** het amusement, het vermaak

the **amusement park** het pretpark

amusing amusant

an een

the **anaemia** de bloedarmoede

the **anaesthesia** de verdoving

the **anaesthetic** het pijnstillend middel

analyse ontleden, analyseren

the **analysis** -ses de analyse

the **analyst** de analist · de analyticus

the **anarchy** de anarchie

the **anatomy** de anatomie

the **ancestor** de voorvader

the **anchor** het anker

the **anchovy** de ansjovis

ancient oud · ouderwets, verouderd · oeroud

and en

the **angel** de engel

the **anger** de toorn, de boosheid · de woede

the **angle¹** de hoek

angle² ww hengelen

angry kwaad

the **animal** het dier

the **ankle** de enkel

the **annex¹** het bijgebouw · de bijlage

annex² ww annexeren

the **anniversary** de verjaardag

announce bekendmaken, aankondigen

the **announcement** de aankondiging, de bekendma-

king
annoy irriteren, ergeren
the **annoyance** de ergernis
annoying vervelend, hinderlijk
the **annual**¹ het jaarboek
annual² bn jaarlijks
per annum jaarlijks
anonymous anoniem
another nog een · een ander
the **answer**¹ het antwoord
answer² ww antwoorden · beantwoorden
the **ant** de mier
the **anthology** de bloemlezing
the **antibiotic** het antibioticum
anticipate verwachten, voorzien · voorkomen
the **antifreeze** de antivries
the **antipathy** de afkeer
the **antique**¹ de antiquiteit ◆ ~ *dealer* antiquair
antique² bn antiek
the **antiquity** de oudheid ◆ *antiquities* oudheden
the **antiseptic** het antiseptisch middel

the **antlers** het gewei
the **anxiety** de bezorgdheid
anxious verlangend · bezorgd
any enig
anybody wie dan ook
anyhow hoe dan ook
anyone iedereen
anything wat dan ook
anyway in elk geval
anywhere waar dan ook · overal
apart apart, afzonderlijk
◆ ~ *from* afgezien van
the **apartment** *(Am)* het appartement, de flat · de etage ◆ *(Am)* ~ *house* flatgebouw
the **aperitif** het, de aperitief
apologize zich verontschuldigen
the **apology** het excuus, de verontschuldiging
the **apparatus** het apparaat, het toestel
apparent schijnbaar · duidelijk
apparently blijkbaar · klaarblijkelijk

the **apparition** de verschijning

the **appeal** het beroep

appear lijken, schijnen · blijken · verschijnen · optreden

the **appearance** het voorkomen · de aanblik · het optreden

the **appendicitis** de blindedarmontsteking

the **appendix** *-dices, -dixes* de blindedarm

the **appetite** de trek, de eetlust

the **appetizer** het borrelhapje

appetizing smakelijk

the **applause** het applaus

the **apple** de appel

the **appliance** het toestel, het apparaat

the **application** de toepassing · de aanvraag · de sollicitatie

apply toepassen · gebruiken · solliciteren · gelden

appoint aanstellen, benoemen

the **appointment** de afspraak

· de benoeming

appreciate schatten · waarderen, op prijs stellen

the **appreciation** de schatting · de waardering

the **approach¹** de aanpak · de toegang

approach² *ww* naderen

appropriate juist, geschikt, passend

the **approval** de goedkeuring · de instemming ♦ *on* ~ op zicht

approve goedkeuren ♦ ~ *of* instemmen met

approximate bij benadering

approximately circa, ongeveer

the **apricot** de abrikoos

April april

the **apron** de, het schort

the **Arab¹** de Arabier

Arab² *bn* Arabisch

arbitrary willekeurig

the **arcade** de zuilengang, de galerij

the **arch** de boog · het gewelf

the **archaeologist** de archeoloog

the **archaeology** de oudheidkunde, de archeologie

the **archbishop** de aartsbisschop

arched boogvormig

the **architect** de architect

the **architecture** de bouwkunde, de architectuur

the **archives** het archief

are zie be

the **area** de streek · het gebied · de oppervlakte ♦ ~ *code* netnummer

Argentina Argentinië

the **Argentinian¹** de Argentijn

Argentinian² *bn* Argentijns

argue argumenteren, debatteren, discussiëren · redetwisten

the **argument** het argument · de discussie · de woordenwisseling

arid dor

arise* oprijzen, ontstaan

the **arithmetic** de rekenkunde

the **arm¹** de arm · het wapen · de leuning

arm² *ww* bewapenen

the **armchair** de fauteuil, de leunstoel

armed gewapend ♦ ~ *forces* strijdkrachten

the **armour** het harnas

the **armpit** de oksel

the **army** het leger

the **aroma** het aroma

around¹ *bw* rondom

around² *vz* om, rond

arrange rangschikken, ordenen · regelen

the **arrangement** de regeling

the **arrest¹** de aanhouding, de arrestatie

arrest² *ww* arresteren

the **arrival** de aankomst · de komst

arrive aankomen

the **arrow** de pijl

the **art** de kunst · de vaardigheid ♦ ~ *collection* kunstverzameling; ~ *exhibition* kunsttentoonstelling; ~ *gallery* kunstgalerij; ~ *history* kunstgeschiedenis; ~*s and crafts* kunstnijver-

heid; ~s school kunstaca-
demie

the **artery** de slagader

the **artichoke** de artisjok

the **article** het artikel · het lidwoord

the **artifice** de list

artificial kunstmatig

the **artist** de kunstenaar, de
kunstenares · de artiest

artistic artistiek, kunstzinnig

as als, zoals · even · aangezien, omdat ♦ *as from*
vanaf; met ingang van; *as
if* alsof

the **asbestos** het asbest

ascend omhooggaan · opstijgen · beklimmen

the **ascent** de stijging · de beklimming

ascertain constateren ·
zich vergewissen van

the **ash** de as

ashamed beschaamd ♦ *be**
~ zich schamen

ashore aan land

the **ashtray** de asbak

Asia Azië

the **Asian¹** de Aziaat

Asian² bn Aziatisch

aside opzij, terzijde

ask vragen · verzoeken ·
uitnodigen

asleep in slaap

the **asparagus** de asperge

the **aspect** het aspect

the **asphalt** het asfalt

aspire streven

the **aspirin** de aspirine

the **ass** de ezel

the **assassination** de moord

assault aanvallen · aanranden

assemble bijeenbrengen ·
in elkaar zetten, monte-
ren

the **assembly** de vergadering,
de bijeenkomst

the **assignment** de opdracht

assign to opdragen aan ·
toeschrijven aan

assist bijstaan, helpen ♦ ~
at bijwonen

the **assistance** de hulp · de
steun, de bijstand

the **assistant** de assistent

the **associate¹** de partner, de

vennoot · de bondgenoot · het lid

associate² ww associëren ♦ ~ with omgaan met

the **association** het genootschap, de vereniging

assorted geassorteerd, gemengd

the **assortment** het assortiment, de sortering

assume aannemen, veronderstellen

assure verzekeren

the **asthma** het astma

astonish verbazen

astonishing verbazend

the **astonishment** de verbazing

the **astronomy** de sterrenkunde

the **asylum** het asiel · het gesticht, het tehuis

at in, bij, op · naar

ate zie eat

the **atheist** de atheïst

the **athlete** de atleet

the **athletics** de atletiek

Atlantic Atlantische Oceaan

the **atlas** de atlas

the **ATM** (Am) de geldautomaat

the **atmosphere** de atmosfeer · de sfeer, de stemming

the **atom** het atoom

atomic atomisch · atoom-

the **atomizer** de sproeier · de spuitbus, de verstuiver

the **at sign** het apenstaartje

AT & T (American Telephone and Telegraph Company) Amerikaanse telefoon- en telegraafmaatschappij

attach hechten, vastmaken · aanhechten · bijvoegen ♦ ~ed to gehecht aan

the **attachment** de attachment

the **attack¹** de aanval · de aanslag

attack² ww aanvallen

attain bereiken

attainable haalbaar · bereikbaar

the **attempt¹** de poging · de aanslag

attempt² ww proberen,

trachten · beproeven
attend bijwonen ♦ ~ *on*
bedienen; ~ *to* passen op,
zich bezighouden met;
letten op, aandacht be-
steden aan
the **attendance** de opkomst
the **attendant** de oppasser
the **attention** de aandacht ♦
pay ~ opletten
attentive oplettend
the **attic** de zolder
the **attitude** de houding
the **attorney** de advocaat
attract aantrekken
the **attraction** de attractie · de
aantrekking, de bekoring
attractive aantrekkelijk
auburn kastanjebruin
the **auction** de veiling
audible hoorbaar
the **audience** het publiek
the **auditor** de toehoorder
the **auditorium** de aula
August augustus
the **aunt** de tante
Australia Australië
the **Australian**[1] de Australiër
Australian[2] *bn* Australisch

Austria Oostenrijk
the **Austrian**[1] de Oostenrijker
Austrian[2] *bn* Oostenrijks
authentic authentiek ·
echt
the **author** de auteur, de
schrijver
authoritarian autoritair
the **authority** het gezag · de
macht ♦ *authorities* autoriteiten, overheid
the **authorization** de machtiging · de toestemming
automatic automatisch
the **automation** de automatisering
the **automobile** de auto ♦ ~
club automobielclub
autonomous autonoom
the **autopsy** de autopsie
the **autumn** het najaar, de
herfst
available verkrijgbaar,
voorhanden, beschikbaar
the **avalanche** de lawine
avaricious gierig
Ave. *(avenue)* avenue
the **avenue** de laan
the **average**[1] het gemiddelde

♦ *on the* ~ gemiddeld
average² *bn* gemiddeld
averse afkerig
the **aversion** de tegenzin
avert afwenden
avoid vermijden · ontwijken
await wachten op, afwachten
awake¹ wakker
awake²* wekken
the **award¹** de prijs
award² *ww* toekennen
aware bewust
away weg ♦ *go** ~ weggaan
awful afschuwelijk, verschrikkelijk
awkward pijnlijk · onhandig
the **awning** het zonnescherm
the **axe** de bijl
the **axle** de as
the **baby** de baby ♦ *(Am)* ~ *carriage* kinderwagen
the **babysitter** de babysitter
the **bachelor** de vrijgezel
the **back¹** de rug
back² *bw* terug ♦ *go** ~ te-

ruggaan
the **backache** de rugpijn
the **backbone** de ruggengraat
the **background** de achtergrond · de vorming
the **backup** de back-up
backwards achteruit
the **bacon** het spek
the **bacterium** *-ria* de bacterie
bad slecht · ernstig, erg · stout · bedorven
the **bag** de zak · de tas, de handtas · de koffer
the **baggage** de bagage ♦ *(Am)* ~ *deposit office* bagagedepot; *(Am) hand* ~ handbagage
the **baguette** het stokbrood
the **bail** de borgsom
the **bailiff** de deurwaarder
the **bait** het aas
bake bakken
the **baker** de bakker
the **bakery** de bakkerij
the **balance** het evenwicht · de balans · het saldo
the **balcony** het balkon
bald kaal
the **ball** de bal · het bal

the **ballet** het ballet
the **balloon** de ballon
the **ballpoint pen** de ballpoint
the **ballroom** de danszaal
the **bamboo** ~s het bamboe
the **banana** de banaan
the **band** het orkest · de band
the **bandage** het verband
the **bandit** de bandiet
the **bangle** de armband
the **banisters** de trapleuning
the **bank¹** de oever · de bank
♦ ~ *account* bankrekening; ~ *card* pinpasje
bank² ww deponeren
the **banknote** het bankbiljet
the **bank rate** het disconto
bankrupt failliet, bankroet
the **banner** het vaandel
the **banquet** het banket
the **banqueting hall** de banketzaal
the **baptism** het doopsel, de doop
baptize dopen
the **bar** de bar · de stang · de tralie · de reep
the **barbecue** de barbecue

the **barber** de kapper
bare naakt, bloot · kaal
barely nauwelijks
the **bargain¹** het koopje
bargain² ww afdingen
the **baritone** de bariton
the **bark¹** de bast
bark² ww blaffen
the **barley** de gerst
the **barmaid** de barjuffrouw
the **barman** -*men* de barman
the **barn** de schuur
the **barometer** de barometer
baroque barok
the **barracks** de kazerne
the **barrier** de barrière · de slagboom
the **barrister** de advocaat
the **bartender** de barman
the **base¹** de basis · de grondslag
base² ww baseren
the **baseball** het honkbal
the **basement** het souterrain
basic fundamenteel
the **basil** de basilicum
the **basilica** de basiliek
the **basin** de kom, het bekken
the **basis** *bases* de grondslag,

de basis

the **basket** de mand

the **basketball** het basketbal

the **bass**¹ de bas

the **bass**² ~ de baars

the **bastard** de bastaard · de schoft

the **bat** de vleermuis

the **batch** de partij

the **bath** het bad ♦ ~ *salts* badzout; ~ *towel* badhanddoek

bathe baden, een bad nemen

the **bathing cap** de badmuts

the **bathing suit** het badpak · de zwembroek

the **bathing trunks** de zwembroek

the **bathrobe** de badjas

the **bathroom** de badkamer · het toilet

the **batter** het beslag

the **battery** de batterij · de accu

the **battery charger** de batterijoplader

the **battle**¹ de slag · de strijd, het gevecht

battle² *ww* vechten

the **bay**¹ de baai

bay² *ww* blaffen

BBC *(British Broadcasting Corporation)* Britse radio- en televisiemaatschappij

B.C. *(before Christ)* voor Christus

be* zijn

the **beach** het strand ♦ *nudist* ~ naaktstrand

the **bead** de kraal ♦ ~*s* kralensnoer; rozenkrans

the **beak** de snavel · de bek

the **beam** de straal · de balk

the **bean** de boon

the **bear**¹ de beer

bear²* dragen · dulden · verdragen

the **beard** de baard

the **bearer** de drager

the **beast** het beest ♦ ~ *of prey* roofdier

beat* slaan · verslaan

beautiful mooi

the **beauty** de schoonheid ♦ ~ *parlour* schoonheidssalon; ~ *salon* schoonheidssalon; ~ *treatment* schoonheidsbehandeling

the **beaver** de bever

because omdat · aangezien ◆ ~ *of* vanwege, wegens

become* worden · goed staan

the **bed** het bed ◆ ~ *and board* volpension, kost en inwoning; ~ *and breakfast* logies en ontbijt

the **bedding** het beddengoed

the **bedroom** de slaapkamer

the **bee** de bij

the **beech** de beuk

the **beef** het rundvlees

the **beehive** de bijenkorf

been zie be

the **beer** het bier · het pils

the **beet** de biet

the **beetle** de kever

the **beetroot** de beetwortel

be fond of* houden van

before¹ *bw* van tevoren · eerder, tevoren

before² *vz* voor

before³ *vw* voordat

beg bedelen · smeken · vragen

the **beggar** de bedelaar

begin* beginnen · aanvangen

the **beginner** de beginneling

the **beginning** het begin · de aanvang

on behalf of namens, in naam van · ten behoeve van

behave zich gedragen

the **behaviour** het gedrag

behind¹ *bw* achteraan

behind² *vz* achter

beige beige

the **being** het wezen

the **Belgian¹** de Belg

Belgian² *bn* Belgisch

Belgium België

the **belief** het geloof

believe geloven

the **bell** de klok · de bel

the **bellboy** de piccolo

the **belly** de buik

belong toebehoren

the **belongings** de bezittingen

beloved bemind

below¹ *bw* onderaan, beneden

below² *vz* onder · beneden

the **belt** de riem ♦ *(Am) garter* ~ jarretelgordel

the **bench** de bank

the **bend¹** de bocht · de kromming

bend²* buigen ♦ ~* *down* zich bukken

beneath¹ *bw* beneden

beneath² *vz* onder

the **benefit¹** de winst, de baat · het voordeel

benefit² *ww* profiteren

bent¹ *bn* krom

bent² *ww* zie bend

the **berry** de bes

the **berth** de couchette · de kooi

beside naast

besides¹ *bw* bovendien · trouwens

besides² *vz* behalve

best best

bet¹* wedden

the **bet²** de weddenschap · de inzet

betray verraden

better beter

between tussen

the **beverage** de drank

beware zich hoeden, oppassen

bewitch beheksen, betoveren

beyond¹ *bw* verder

beyond² *vz* verder dan · voorbij · behalve

the **bible** de Bijbel

the **bicycle** de fiets · het rijwiel

big groot · omvangrijk · dik · gewichtig

the **bikini** de bikini

the **bile** de gal

bilingual tweetalig

the **bill¹** de rekening · de nota

bill² *ww* factureren

the **billiards** het biljart

the **billion** het miljard

bind* binden

the **binoculars** de verrekijker · de toneelkijker

biological biologisch

the **biology** de biologie

the **birch** de berk

the **bird** de vogel

the **biro** de ballpoint

the **birth** de geboorte

the **birthday** de verjaardag

the **birthmark** de moedervlek

the **biscuit** het koekje

bisexual biseksueel

the **bishop** de bisschop

the **bit** het stukje · het beetje

the **bitch** de teef

the **bite¹** de hap · de beet · de steek

bite²* bijten

bitter bitter

bizarre bizar

black zwart ♦ ~ *market* zwarte markt

the **blackberry** de braam

the **blackbird** de merel

the **blackboard** het schoolbord

the **black currant** de zwarte bes

the **blackmail¹** de chantage

blackmail² *ww* chanteren

the **blackout** de black-out

the **blacksmith** de smid

the **bladder** de blaas

the **blade** het lemmet ♦ ~ *of grass* grasspriet

the **blame¹** de schuld · het verwijt

blame² *ww* de schuld geven aan, beschuldigen

blank blanco

the **blanket** de deken

the **blast** de explosie

the **blazer** het sportjasje, de blazer

bldg. *(building)* gebouw

bleach bleken

bleak guur

bleed* bloeden · uitzuigen

bless zegenen

the **blessing** de zegen

the **blind¹** het rolgordijn, de jaloezie

blind² *bn* blind

blind³ *ww* verblinden

the **blister** de blaar, de blaas

the **blizzard** de sneeuwstorm

the **block¹** het blok ♦ ~ *of flats* flatgebouw

block² *ww* versperren, blokkeren

the **blog** het blog

the **blonde** de blondine

the **blood** het bloed ♦ ~ *pressure* bloeddruk

the **blood group** de bloedgroep

the **blood poisoning** de bloedvergiftiging

the **blood vessel** het bloedvat

the **blot** de vlek · de smet ♦ ~*ting paper* vloeipapier

the **blouse** de blouse

the **blow¹** de klap, de slag · de windvlaag

blow²* blazen · waaien · snuiten

the **blow-dryer** de föhn

the **blowout** de bandenpech

blue blauw · neerslachtig

the **blunder** de blunder

blunt bot · stomp

blush blozen

Blvd. *(boulevard)* boulevard

the **board** de plank · het bord · het pension · het bestuur ♦ ~ *and lodging* volpension, kost en inwoning

the **boarder** de kostganger

the **boarding house** het pension

the **boarding school** het internaat

the **boast** opscheppen

the **boat** het schip, de boot

the **body** het lichaam · het lijf ♦ ~ *warmer* bodywarmer

the **bodyguard** de lijfwacht

the **bog** het moeras

the **boil¹** de steenpuist

boil² *ww* koken

bold stoutmoedig · vrijpostig, brutaal

Bolivia Bolivië

the **Bolivian¹** de Boliviaan

Bolivian² *bn* Boliviaans

the **bolt** de grendel · de bout

the **bomb¹** de bom

bomb² *ww* bombarderen

the **bond** de obligatie

the **bone¹** het been, het bot · de graat

bone² *ww* uitbenen

the **bonnet** de motorkap

the **boob** de tiet

the **book¹** het boek

book² *ww* reserveren, boeken · inschrijven

the **booking** de reservering, de bespreking

the **bookseller** de boekhandelaar

the **bookstand** het boekenstalletje

the **bookstore** de boekwinkel, de boekhandel

the **boot** de laars · de bagageruimte, de kofferbak

the **booth** de kraam · het hokje

the **border** de grens · de rand

the **bore¹** de zeurpiet

bore² ww vervelen · boren

bore³ ww zie bear

boring vervelend, saai

born geboren

borrow lenen · ontlenen

the **bosom** de borst

the **boss** de chef, de baas

the **botany** de plantkunde

both beide ◆ ~ ... and zowel ... als

the **bother¹** de last

bother² ww vervelen, hinderen · moeite doen

the **bottle** de fles ◆ ~ bank glasbak; ~ opener flesopener; hot-water ~ warmwaterkruik

the **bottleneck** de flessenhals

the **bottom¹** de bodem · het achterwerk, het zitvlak

bottom² bn onderst

the **bough** de tak

bought zie buy

the **boulder** het rotsblok

the **bound** de grens ◆ be* ~ to moeten; ~ for op weg naar

the **boundary** de grens · de landsgrens

the **bouquet** het boeket

bourgeois burgerlijk

the **boutique** de boetiek

the **bow¹** de boog ◆ ~ tie vlinderdasje, strikje

bow² ww buigen

the **bowels** de darmen, de ingewanden

the **bowl** de schaal

the **bowling** de bowling, het kegelspel ◆ ~ alley kegelbaan

the **box¹** de doos

box² ww boksen ◆ ~ing match bokswedstrijd

the **box office** het plaatskaartenbureau, de kassa

the **boy** de jongen · het joch, de knaap · de bediende ◆

~ *scout* padvinder
the **boycott** de boycot
B.R. *(British Rail)* Britse
Spoorwegen
the **bra** de beha
the **brace** de beugel
the **bracelet** de armband
the **braces** de bretels
the **brain** de hersenen · het
verstand
the **brain wave** de inval
the **brake¹** de rem ♦ ~ *drum*
remtrommel; ~ *lights*
remlichten
brake² *ww* remmen
the **branch** de tak · het filiaal
the **brand** het merk · het
brandmerk
brand new splinternieuw
the **brass** het messing · het
koper, het geelkoper ♦ ~
band fanfarekorps
the **brassiere** de beha
the **brassware** het koperwerk
brave moedig, dapper ·
flink
Brazil Brazilië
the **Brazilian¹** de Braziliaan
Brazilian² *bn* Braziliaans

the **breach** de bres
the **bread** het brood ♦ *wholemeal* ~ volkorenbrood
the **breadth** de breedte
break¹* breken ♦ ~* *down*
stukgaan; ontleden
the **break²** de breuk · de pauze
the **breakdown** de panne, de
motorpech
the **breakfast** het ontbijt
the **bream** ~ de brasem
the **breast** de borst
the **breaststroke** de schoolslag
the **breath** de adem · de lucht
breathe ademen
the **breathing** de ademhaling
the **breed¹** het ras · de, het
soort
breed²* fokken
the **breeze** de bries
the **breezer** de breezer
brew brouwen
the **brewery** de brouwerij
bribe omkopen
the **bribery** de omkoping
the **brick** de steen, de baksteen

the **bricklayer** de metselaar

the **bride** de bruid

the **bridegroom** de bruidegom

the **bridge** de brug · het bridge

brief kort · beknopt

the **briefcase** de aktetas

the **briefs** de slip, de onderbroek

bright helder · blinkend · snugger, pienter

brilliant schitterend · briljant

the **brim** de rand

bring* brengen · meebrengen ♦ ~* *back* terugbrengen; ~* *up* opvoeden, grootbrengen; ter sprake brengen

brisk levendig

Brit. *(Britain)* Groot-Brittannië · *(British)* Brits

Britain Engeland

British Brits · Engels

the **Briton** de Brit · de Engelsman

broad breed · ruim, wijd · globaal

the **broadcast¹** de uitzending

broadcast²* uitzenden

the **brochure** de brochure

broke¹ *bn* platzak, blut

broke² *ww* zie break

broken¹ *bn* stuk, kapot

broken² *ww* zie break

the **broker** de makelaar

the **bronchitis** de bronchitis

the **bronze¹** het brons

bronze² *bn* bronzen

the **brooch** de broche

the **brook** de beek

the **broom** de bezem

Bros. *(brothers)* gebroeders

the **brothel** het bordeel

the **brother** de broer · de broeder

the **brother-in-law** *brothers-* de zwager

brought zie bring

brown bruin

the **browser** de browser

the **bruise¹** de blauwe plek, de kneuzing

bruise² *ww* kneuzen

the **brunette** de brunette

the **brush¹** de borstel · de

kwast
brush² *ww* poetsen, borstelen
brutal beestachtig
the **bubble** de bel
the **bucket** de emmer
the **buckle** de gesp
the **bud** de knop
the **Buddhism** het boeddhisme
the **budget** de begroting, het budget
the **buffet** het buffet
the **bug** de wandluis · de kever · (Am) het insect
the **buggy** de wandelwagen
build* bouwen
the **building** het gebouw
the **bulb** de bol · de bloembol
  ♦ light ~ gloeilamp
Bulgaria Bulgarije
the **Bulgarian¹** de Bulgaar
Bulgarian² *bn* Bulgaars
the **bulk** de omvang · de massa · de meerderheid
bulky lijvig, omvangrijk
the **bull** de stier
the **bullet** de kogel
the **bullfight** het stierenge-

vecht
the **bullring** de arena
the **bump¹** de stoot, de bons
bump² *ww* stoten · botsen · bonzen
the **bumper** de bumper
bumpy hobbelig
the **bun** het broodje
the **bunch** de bos · de groep
the **bundle¹** de bundel
bundle² *ww* samenbinden, bundelen
the **bungalow park** het bungalowpark
the **bungee jump** het bungeejumpen
the **bunk** de kooi
the **buoy** de boei
the **burden** de last
the **bureau** ~x, ~s het bureau, de schrijftafel · (Am) de commode
the **bureaucracy** de bureaucratie
the **burglar** de inbreker
the **burglary** de inbraak
burgle inbreken
the **burial** de teraardebestelling, de begrafenis

the **burn¹** de brandwond

burn²* branden · verbranden · aanbranden

burst* barsten · breken

bury begraven · bedelven

the **bus** de bus

the **bush** de struik

the **business** de zaken, de handel · het bedrijf, de zaak · het werk · de aangelegenheid ◆ ~ *hours* openingstijden, kantooruren; ~ *trip* zakenreis; *on* ~ voor zaken

business-like zakelijk

the **businessman** -*men* de zakenman

the **bust** de buste

the **bustle** de drukte

busy bezig · druk

but¹ *vw* maar · doch

but² *vz* behalve

the **butcher** de slager

the **butter** de boter

the **butterfly** de vlinder ◆ ~ *stroke* vlinderslag

the **buttermilk** de karnemelk

the **buttock** de bil

the **button¹** de knoop

button² *ww* knopen

the **buttonhole** het knoopsgat

buy* kopen · aanschaffen

the **buyer** de koper

by door · met, per · bij

the **by-pass¹** de ringweg

by-pass² *ww* passeren

c *(cent)* 1/100 van een dollar

the **cab** de taxi

the **cabaret** het cabaret · de nachtclub

the **cabbage** de kool

the **cab driver** de taxichauffeur

the **cabin** de cabine · de hut · het kleedhokje · de kajuit

the **cabinet** het kabinet

the **cable¹** de kabel · het telegram

cable² *ww* telegraferen

the **cableway** de kabelbaan

the **cadre** het kader

the **café** het café

the **cafetaria** de cafetaria

the **caffeine** de cafeïne

the **cage** de kooi

the **cake** de cake · het gebak,

de taart, de koek

the **calamity** het onheil, de ramp

the **calcium** het calcium

calculate uitrekenen, berekenen

the **calculation** de berekening

the **calendar** de kalender

the **calf** *calves* het kalf · de kuit ♦ ~ *skin* kalfsleer

the **call¹** de roep · de visite, het bezoek · het telefoontje, de oproep

call² *ww* roepen · noemen · opbellen ♦ *be** ~*ed* heten; ~ *names* uitschelden; ~ *on* bezoeken; *(Am)* ~ *up* opbellen

the **callus** het eelt

calm rustig, kalm ♦ ~ *down* kalmeren; bedaren

the **calorie** de calorie

the **Calvinism** het calvinisme

the **camcorder** de camcorder

came zie come

the **camel** de kameel

the **cameo** ~*s* de camee

the **camera** het fototoestel · de filmcamera ♦ ~ *shop*

fotowinkel

the **camp¹** het kamp

camp² *ww* kamperen

the **campaign** de campagne

the **camp bed** het veldbed, de stretcher

the **camper** de kampeerder · de camper ♦ ~ *van* camper

the **campfire** het kampvuur

the **camping** de camping ♦ ~ *site* camping, kampeerterrein

the **camshaft** de nokkenas

the **can¹** het blik ♦ ~ *opener* blikopener

can²* kunnen

Can. *(Canada)* Canadees · *(Canadian)* Canadees

Canada Canada

the **Canadian¹** de Canadees

Canadian² *bn* Canadees

the **canal** het kanaal · de gracht, de singel

the **canary** de kanarie

cancel annuleren · afzeggen

the **cancellation** de annulering

the **cancer** de kanker

the **candelabrum** -bra de kandelaber

the **candidate** de kandidaat, de gegadigde

the **candle** de kaars

the **candy** (Am) het snoepje · het snoep, het snoepgoed ◆ (Am) ~ store snoepwinkel

the **cane** het riet · de stok

the **canister** de trommel, de bus

the **canoe** de kano

the **canteen** de kantine

the **canvas** het tentdoek

the **cap** de pet, de muts

capable kundig, bekwaam

the **capacity** de capaciteit · het vermogen · de bekwaamheid

the **cape** de cape · de kaap

the **capital¹** de hoofdstad · het kapitaal · de hoofdletter

capital² bn belangrijk

the **capitalism** het kapitalisme

the **capitulation** de capitulatie

the **cappucino** de cappuccino

the **capsule** de capsule

the **captain** de kapitein · de gezagvoerder

the **capture¹** de vangst · de inneming

capture² ww gevangennemen, vangen · innemen

the **car** de auto ◆ ~ alarm autoalarm; ~ hire autoverhuur; ~ park parkeergarage; (Am) ~ rental autoverhuur

the **carafe** de karaf

the **caramel** de karamel

the **carat** het karaat

the **caravan** de caravan · de woonwagen

the **carburettor** de carburateur

the **card** de kaart · de briefkaart

the **cardboard¹** het karton

cardboard² bn kartonnen

the **cardigan** het vest

the **cardinal¹** de kardinaal

cardinal² bn kardinaal,

hoofd-

the **cardiologist** de cardioloog

the **care** de verzorging · de zorg ♦ *about* zich bekommeren om; ~ *for* houden van; *take** ~ *of* zorgen voor, verzorgen

the **career** de loopbaan, de carrière

carefree onbezorgd

careful voorzichtig · zorgvuldig, nauwkeurig

careless achteloos, slordig

the **caretaker** de conciërge

the **cargo** ~*es* de lading, de vracht

the **carnival** het carnaval

the **carp** ~ de karper

the **carpenter** de timmerman

the **carpet** het vloerkleed, het tapijt

the **carriage** de wagon · de koets · het rijtuig

the **carriageway** de rijbaan

the **carrot** de peen, de wortel

carry dragen · voeren ♦ ~ *on* voortzetten; doorgaan; ~ *out* uitvoeren

the **carrycot** de reiswieg

the **cart** de kar, de wagen

the **cartilage** het kraakbeen

the **carton** kartonnen doos · de slof

the **cartoon** de tekenfilm

the **cartridge** de patroon

carve snijden · kerven, houtsnijden

the **carving** het houtsnijwerk

the **case** het geval · de zaak · de koffer · het etui ♦ *attaché* ~ aktetas; *in* ~ indien; *in* ~ *of* in geval van

the **cash**[1] de contanten, het contant geld ♦ ~ *card* pinpas; ~ *dispenser*, ~ *point* pinautomaat; *to get* ~ *out of a wall/ from a* ~ *point* pinnen

cash[2] *ww* verzilveren, incasseren, innen

cash[3] *bw* contant, cash

the **cashier** de kassier · de caissière

the **cashmere** het kasjmier

the **casino** ~*s* het casino

the **cask** de ton, het vat

cast[1]* gooien, werpen ♦ ~

iron gietijzer

the **cast²** de worp

the **castle** het slot, het kasteel

casual ongedwongen · terloops, toevallig

the **casualty** het slachtoffer

the **cat** de kat

the **catacomb** de catacombe

the **catalogue** de catalogus

the **catarrh** de catarre

the **catastrophe** de catastrofe

catch* vangen · grijpen · betrappen · nemen, halen

the **category** de categorie

the **cathedral** de dom, de kathedraal

catholic katholiek

the **cattle** het vee

caught zie catch

the **cauliflower** de bloemkool

the **cause¹** de oorzaak · de beweegreden, de aanleiding · de zaak

cause² *ww* veroorzaken · aanrichten ♦ ~ *to* doen

the **causeway** de opgehoogde weg (door drassig terrein)

the **caution¹** de voorzichtigheid

caution² *ww* waarschuwen

cautious bedachtzaam

the **cave** de grot · de spelonk

the **cavern** het hol

the **caviar** de kaviaar

the **cavity** de holte

CBS *(Columbia Broadcasting System)* Amerikaanse radio- en televisiemaatschappij

the **CD** de cd

cease ophouden

the **ceiling** het plafond

the **celebrate** vieren

the **celebration** de viering

the **celebrity** de roem

the **celery** de selderij

the **celibacy** het celibaat

the **cell** de cel

the **cellar** de kelder

the **cellophane** het cellofaan

the **cement** het cement

the **cemetery** de begraafplaats, het kerkhof

the **censorship** de censuur

the **cent** de cent

centigrade Celsius

the **centimetre** de centimeter
central centraal ♦ ~ *heating* centrale verwarming; ~ *station* centraal station
centralize centraliseren

the **centre** het centrum · het middelpunt

the **century** de eeuw

the **ceramics** het aardewerk, de keramiek

the **ceremony** de ceremonie

certain zeker · bepaald

the **certificate** het certificaat · het attest, de akte, het diploma, het getuigschrift

the **chain** de keten, de ketting

the **chair** de stoel · de zetel

the **chairman** -men de voorzitter

the **chalet** het chalet

the **chalk** het krijt

the **challenge¹** de uitdaging
challenge² ww uitdagen

the **chamber** de kamer

the **chambermaid** het kamermeisje

the **champagne** de champagne

the **champion** de kampioen ·

de voorvechter

the **chance** het toeval · de kans, de gelegenheid · het risico · de gok ♦ by ~ toevallig

the **change¹** de wijziging, de verandering · het wisselgeld, het kleingeld
change² ww wijzigen, veranderen · wisselen · zich verkleden · overstappen

the **channel** het kanaal ♦ *English Channel* het Kanaal

the **chaos** de chaos
chaotic chaotisch

the **chap** de vent

the **chapel** de kerk, de kapel

the **chaplain** de kapelaan

the **character** het karakter

the **characteristic¹** het kenmerk · de karaktertrek
characteristic² bn kenmerkend, karakteristiek
characterize kenmerken

the **charcoal** de houtskool

the **charge¹** de prijs · de belasting, de lading, de last · de aanklacht · het proces-verbaal ◆ *free of* ~ kosteloos; *in* ~ *of* belast met; *take* of* op zich nemen

charge² *ww* berekenen · belasten · aanklagen · laden

the **charge card** *(Am)* de creditcard

the **charger** de oplader

the **charity** de liefdadigheid

the **charm** de bekoring, de charme · de amulet

charming charmant

the **chart** de tabel · de grafiek · de zeekaart ◆ *conversion* ~ omrekentabel

the **chase¹** de jacht

chase² *ww* najagen · verdrijven, verjagen

the **chasm** de kloof

the **chassis** ~ het chassis

chaste kuis

the **chat¹** het babbeltje, het praatje, het geklets

chat² *ww* kletsen, babbelen · chatten

the **chatterbox** de babbelkous

the **chauffeur** de chauffeur

cheap goedkoop · voordelig

cheat bedriegen · oplichten

the **check¹** de ruit · *(Am)* de rekening · de cheque

check² *ww* controleren, nakijken ◆ ~! schaak!; ~ *in* zich inschrijven

the **checkbook** *(Am)* het chequeboekje

the **checkerboard** *(Am)* het schaakbord

the **checkers** het damspel

the **checkroom** *(Am)* de garderobe

the **check-up** het onderzoek

the **cheek** de wang

the **cheekbone** het jukbeen

cheerful opgewekt, vrolijk

cheers proost

cheer up opvrolijken

the **cheese** de kaas

the **chef** de chef-kok

chemical scheikundig, chemisch

the **chemist** de apotheker ◆ ~'s apotheek; drogisterij

the **chemistry** de scheikunde,

de chemie
the **cheque** de cheque
the **chequebook** het chequeboekje
chequered geruit, ge-
blokt
the **cherry** de kers
the **chess** het schaakspel
the **chest** de borst · de borstkas · de kist ♦ ~ *of drawers*
ladekast
the **chestnut** de kastanje
chew kauwen
the **chewing gum** de, het
kauwgom
the **chicken** de kip · het kuiken
the **chickenpox** de waterpokken
the **chief¹** de chef
chief² *bn* hoofd-, voornaamst
the **chieftain** het opperhoofd
the **child** ~*ren* het kind
the **childbirth** de bevalling
the **childhood** de jeugd
Chile Chili
the **Chilean¹** de Chileen
Chilean² *bn* Chileens

the **chill** de rilling
chilly kil
the **chimes** het carillon
the **chimney** de schoorsteen
the **chin** de kin
the **china** het porselein
China China
the **Chinese¹** de Chinees
Chinese² *bn* Chinees
the **chink** de kier
the **chip¹** de schilfer · de chip ·
de fiche
chip² *ww* afsnijden, afbreken
the **chips** de patat (frites)
the **chiropodist** de pedicure
the **chisel** de beitel
the **chives** het bieslook
the **chlorine** het chloor
chock-full afgeladen,
stampvol
the **chocolate** de chocola · de
bonbon · de chocolade-
melk
the **choice** de keuze · de keus
the **choir** het koor
the **choke¹** de choke
choke² *ww* zich verslikken · stikken · wurgen

the **cholesterol** het cholesterol

choose* kiezen

the **chop¹** de kotelet, de karbonade

chop² *ww* hakken

Christ Christus

christen dopen

the **christening** de doop

the **Christian¹** de christen

Christian² *bn* christelijk ♦ ~ *name* voornaam

the **Christianity** het christendom

Christmas Kerstmis

the **chromium** het chroom

chronic chronisch

chronological chronologisch

chuckle grinniken

the **chunk** het stuk

the **church** de kerk

the **churchyard** het kerkhof

CID *(Criminal Investigation Department)* afdeling criminele recherche van Scotland Yard

the **cider** de cider

the **cigar** de sigaar ♦ ~ *shop*

sigarenwinkel

the **cigarette** de sigaret ♦ ~ *tobacco* shag

the **cigarette case** de sigarettenkoker

the **cigarette holder** het sigarettenpijpje

the **cigarette lighter** de aansteker

the **cinema** de bioscoop

the **cinnamon** de kaneel

the **circle¹** de cirkel · de kring · het balkon

circle² *ww* omringen, omgeven

the **circuit** het circuit

the **circulation** de circulatie · de bloedsomloop · de omloop

the **circumstance** de omstandigheid

the **circus** het circus

the **citizen** de burger

the **citizenship** het staatsburgerschap

the **city** de stad

civic burger

civil civiel · beleefd ♦ ~ *law* burgerlijk recht; ~

servant ambtenaar

the **civilian¹** de burger

civilian² bn burger-

the **civilization** de beschaving

civilized beschaafd

the **claim¹** de eis, de aanspraak

claim² ww vorderen, opeisen · beweren

the **clamp** de klem · de klemschroef

clap applaudisseren, klappen

clarify ophelderen, verduidelijken

the **class** de rang, de klasse · de klas

classical klassiek

classify indelen

the **classmate** de klasgenoot

the **classroom** het leslokaal

the **clause** de clausule

the **claw** de klauw

the **clay** de klei

clean¹ bn zuiver, schoon

clean² ww schoonmaken, reinigen

the **cleaning** de schoonmaak, de reiniging ♦ ~ *fluid* rei-

nigingsmiddel; ~ *fluid for contact lenses* contactlenzenvloeistof

clear¹ bn helder · duidelijk

clear² ww opruimen

the **clearing** de open plaats

the **cleft** de kloof

the **clergyman** -men de dominee, de predikant · de geestelijke

the **clerk** de kantoorbediende, de beambte · de klerk · de secretaris

clever intelligent · slim, pienter, knap

the **client** de klant · de cliënt

the **cliff** de rots, de klip

the **climate** het klimaat

the **climb¹** de stijging

climb² ww klimmen · stijgen

the **clinic** de kliniek

the **cloak** de mantel

the **cloakroom** de garderobe

the **clock** de klok ♦ *at ... o'clock* om ... uur

the **cloister** het klooster

close¹ bn nabij

close² ww sluiten

closed toe, dicht, gesloten

the **closet** de kast · *(Am)* de kleerkast

the **cloth** de stof · de doek

the **clothes** de kleding, de kleren

the **clothes brush** de kleerborstel

the **clothes-peg** de wasknijper

the **clothing** de kleding

the **cloud** de wolk ♦ ~s bewolking

the **cloudburst** de wolkbreuk

cloudy betrokken, bewolkt

the **clover** de klaver

the **clown** de clown

the **club** de club · de sociëteit, de vereniging · de knots, de knuppel

clumsy onhandig

the **clutch** de koppeling · de greep

CNR *(Canadian National Railway)* Canadese Nationale Spoorwegen

c/o *((in) care of)* per adres

Co. *(company)* maatschappij

the **coach** de bus · het rijtuig · de koets · de trainer

the **coachwork** de carrosserie

coagulate stollen

the **coal** de kolen

coarse grof

the **coast** de kust

the **coat** de mantel, de jas

the **coat hanger** de kleerhanger

the **cobweb** het spinnenweb

the **cocaine** de cocaïne

the **cock** de haan

the **cocktail** de cocktail

the **coconut** de kokosnoot

the **cod** ~ de kabeljauw

the **code** de code

the **coffee** de koffie

the **cognac** de cognac

the **coherence** de samenhang

the **coin** de munt · het geldstuk, het muntstuk

coincide samenvallen

the **coke** de cola

the **cold**[1] de kou · de verkoudheid ♦ *catch a* ~ kouvatten

cold[2] *bn* koud

collapse bezwijken, instorten

the **collar** de halsband · het, de boord, de kraag ♦ ~ *stud* boordenknoopje

the **collarbone** het sleutelbeen

the **colleague** de collega

collect verzamelen · ophalen, afhalen · collecteren

the **collection** de collectie, de verzameling · de lichting

collective collectief

the **collector** de verzamelaar · de collectant

the **college** instelling voor hoger onderwijs · de school

collide botsen

the **collision** de aanrijding, de botsing · de aanvaring

Colombia Colombia

the **Colombian¹** de Colombiaan

Colombian² *bn* Colombiaans

the **colonel** de kolonel

the **colony** de kolonie

the **colour¹** de kleur ♦ ~ *film* kleurenfilm

colour² ww kleuren

the **colourant** de kleurstof

colour-blind kleurenblind

coloured gekleurd

colourful bont, kleurrijk

the **column** de pilaar, de zuil · de kolom · de rubriek · de colonne

the **coma** het coma

the **comb¹** de kam

comb² ww kammen

the **combat¹** de strijd, het gevecht

combat² ww bestrijden, vechten

the **combination** de combinatie

combine combineren · samenbrengen

come komen ♦ ~ *across* tegenkomen; vinden

the **comedian** de toneelspeler · de komiek

the **comedy** het blijspel, de komedie ♦ *musical* ~ musical

the **comfort¹** het gemak, het

comfort, het gerief · de troost
comfort² ww troosten
comfortable geriefelijk, comfortabel
comic komisch
the **comics** het stripverhaal
the **coming** de komst
the **comma** de komma
the **command¹** het bevel
command² ww bevelen
the **commander** de bevelhebber
the **commemoration** de herdenking
commence beginnen
the **comment¹** het commentaar
comment² ww aanmerken
the **commerce** de handel
the **commercial¹** de reclamespot
commercial² bn handels-, commercieel ♦ ~ law handelsrecht
the **commission** de commissie
commit toevertrouwen · plegen, begaan
the **committee** de commissie,

het comité
common gemeenschappelijk · gebruikelijk, gewoon · ordinair
the **commune** de commune
communicate meedelen, mededelen
the **communication** de communicatie · de mededeling
the **communiqué** het communiqué
the **communism** het communisme
the **communist** de communist
the **community** de samenleving, de gemeenschap
the **commuter** de forens
compact compact
the **companion** de metgezel
the **company** het gezelschap · de maatschappij · de firma, de onderneming
comparative relatief
compare vergelijken
the **comparison** de vergelijking
the **compartment** de coupé

the **compass** het kompas
compel dwingen
compensate compenseren
the **compensation** de compensatie · de schadevergoeding
compete wedijveren
the **competition** de wedstrijd · de prijsvraag · de concurrentie
the **competitor** de concurrent
compile samenstellen
complain klagen
the **complaint** de klacht ◆ ~s book klachtenboek
complete¹ bn compleet, volledig
complete² ww voltooien
completely helemaal, volkomen, geheel
the **complex¹** het complex
complex² bn ingewikkeld
the **complexion** de teint
complicated gecompliceerd, ingewikkeld
the **compliment¹** het compliment
compliment² ww gelukwensen, feliciteren
compose samenstellen
the **composer** de componist
the **composition** de compositie · de samenstelling
comprehensive uitgebreid
comprise omvatten
the **compromise** het compromis
compulsory verplicht
the **computer** de computer
the **comrade** de kameraad
conceal verbergen
conceited verwaand
conceive opvatten · zich voorstellen
concentrate concentreren
the **concentration** de concentratie
the **conception** het begrip · de conceptie
the **concern¹** de zorg · de aangelegenheid · het bedrijf, de onderneming
concern² ww aangaan, betreffen
concerned bezorgd · betrokken

concerning omtrent, betreffende

the **concert** het concert ◆ ~ *hall* concertzaal

the **concession** de concessie · de tegemoetkoming

the **concierge** de conciërge

concise beknopt, summier

the **conclusion** de gevolgtrekking, de conclusie

the **concrete**[1] het beton

concrete[2] *bn* concreet

the **concurrence** de samenloop

the **concussion** de hersenschudding

the **condition** de voorwaarde · de toestand, de conditie · de omstandigheid

conditional voorwaardelijk

the **condom** het condoom

the **conduct**[1] het gedrag

conduct[2] *ww* leiden · begeleiden · dirigeren

the **conductor** de conducteur · de dirigent

the **confectioner** de banketbakker

the **conference** de conferentie

confess bekennen · biechten · belijden

the **confession** de bekentenis · de biecht

the **confidence** het vertrouwen

confident gerust · zelfverzekerd

confidential vertrouwelijk

confirm bevestigen

the **confirmation** de bevestiging

confiscate vorderen, beslag leggen op

the **conflict** het conflict

confuse verwarren

the **confusion** de verwarring

congratulate feliciteren, gelukwensen

the **congratulation** de felicitatie, de gelukwens

the **congregation** de gemeente · de orde, de congregatie

the **congress** het congres · de

bijeenkomst

connect verbinden · aansluiten

the **connection** de relatie · het verband · de aansluiting, de verbinding

the **connoisseur** de kenner

the **connotation** de bijbetekenis

conquer veroveren · overwinnen

the **conqueror** de veroveraar

the **conquest** de verovering

the **conscience** het geweten

conscious bewust

the **consciousness** het bewustzijn

the **conscript** de dienstplichtige

the **consent¹** de instemming, de toestemming

consent² ww toestemmen · instemmen

the **consequence** de consequentie, het gevolg

consequently bijgevolg

conservative behoudend, conservatief

consider beschouwen ·

overwegen · menen, vinden

considerable aanzienlijk · flink, aanmerkelijk

considerate attent

the **consideration** de overweging · de consideratie, de aandacht

considering gezien

the **consignment** de zending

consist of bestaan uit

the **consonant** de medeklinker

conspire samenzweren

constant aanhoudend

the **constipation** de obstipatie, de constipatie

the **constituency** het kiesdistrict

the **constitution** de grondwet

construct bouwen · opbouwen, construeren

the **construction** de constructie · de opbouw · het gebouw, de bouw

the **consul** de consul

the **consulate** het consulaat

consult raadplegen

the **consultation** de raadpleging · het consult ♦ ~ *hours* spreekuur

the **consumer** de verbruiker, de consument

the **contact¹** het contact · de aanraking ♦ ~ *lenses* contactlenzen

contact² ww zich in verbinding stellen met

contagious aanstekelijk, besmettelijk

contain bevatten · inhouden

the **container** het reservoir · de container

the **contemporary¹** de tijdgenoot

contemporary² bn eigentijds · toenmalig · hedendaags

the **contempt** de verachting, de minachting

content tevreden

the **contents** de inhoud

the **contest** de strijd · de wedstrijd

the **continent** het continent, het werelddeel · het vasteland

continental continentaal

continual voortdurend

continually steeds

continue voortzetten, vervolgen · voortgaan, doorgaan

continuous voortdurend, doorlopend, onafgebroken

the **contour** de omtrek

the **contraceptive** het voorbehoedmiddel

the **contract¹** het contract

contract² ww oplopen

the **contractor** de aannemer

contradict tegenspreken

contradictory tegenstrijdig

the **contrary¹** het tegendeel ♦ *on the* ~ integendeel

contrary² bn tegengesteld

the **contrast** het contrast · het verschil, de tegenstelling

the **contribution** de bijdrage

the **control¹** de controle

control² ww controleren

controversial controversieel, omstreden

the **convenience** het gemak

convenient geriefelijk · geschikt, passend, gemakkelijk

the **convent** het klooster

the **conversation** de conversatie, het gesprek

convert bekeren · omrekenen

the **convict¹** de veroordeelde

convict² *ww* schuldig bevinden

the **conviction** de overtuiging · de veroordeling

convince overtuigen

the **convulsion** de kramp

the **cook¹** de kok

cook² *ww* koken · bereiden, klaarmaken

the **cookbook** *(Am)* het kookboek

the **cooker** het fornuis ♦ *gas ~* gasfornuis

the **cookery book** het kookboek

the **cookie** *(Am)* het biscuit

cool¹ *bn* koel ♦ *~ing system* koelsysteem

cool² *bw* cool

cooperate samenwerken

the **co-operation** de samenwerking · de medewerking

the **co-operative¹** de coöperatie

co-operative² *bn* coöperatief · gewillig, bereidwillig

co-ordinate coördineren

the **co-ordination** de coördinatie

the **copper** het roodkoper, het koper

the **copy¹** de kopie · het afschrift · het exemplaar ♦ *carbon ~* doorslag

copy² *ww* kopiëren · namaken

the **coral** de koraal

the **cord** het koord · het snoer

cordial hartelijk

the **corduroy** het ribfluweel

the **core** de kern · het klokhuis

the **cork** de kurk · de stop

the **corkscrew** de kurkentrekker

the **corn** de korrel · het graan, het koren · het eksteroog, de likdoorn ♦ *~ on the cob* maiskolf

the **corner** de hoek

the **cornfield** het korenveld

the **coronary** het hartinfarct

Corp. *(corporation)* vennootschap

the **corpse** het lijk

corpulent corpulent · gezet, dik

correct¹ bn goed, correct, juist

correct² ww corrigeren, verbeteren

the **correction** de correctie · de verbetering

the **correctness** de juistheid

correspond corresponderen · overeenkomen

the **correspondence** de briefwisseling, de correspondentie

the **correspondent** de correspondent

the **corridor** de gang

corrupt¹ bn corrupt

corrupt² ww omkopen

the **corruption** de omkoping

the **corset** het korset

the **cosmetics** de cosmetica,

de schoonheidsmiddelen

the **cost¹** de kosten · de prijs

cost²* kosten

cosy knus, gezellig

the **cot** het ledikantje · *(Am)* de stretcher

the **cottage** het buitenhuis

the **cotton** het, de katoen · katoenen

the **cotton wool** de watten

the **couch** de divan

the **cough¹** de hoest

cough² ww hoesten

could zie can

the **council** de raad

the **councillor** het raadslid

the **counsel** de raad

the **counsellor** de raadsman

the **count¹** de graaf

count² ww tellen · optellen · meetellen · achten

the **counter** de toonbank · de balie

counterfeit vervalsen

the **counterfoil** de controlestrook

the **countess** de gravin

the **country** het land · het platteland · de streek ♦ ~

house landhuis

the **countryman** -men de landgenoot

the **countryside** het platteland

the **county** het graafschap

the **couple** het paar

the **coupon** de coupon, de bon

the **courage** de dapperheid, de moed

courageous dapper, moedig

the **courgette** de courgette

the **course** de koers · de gang · de loop · de cursus ◆ *intensive* ~ spoedcursus; *of* ~ uiteraard, natuurlijk

the **court** de rechtbank · het hof

courteous hoffelijk

the **courtship** de verkering

the **cousin** de nicht, de neef

the **cover¹** de schuilplaats, de beschutting · het deksel · de, het omslag

cover² *ww* bedekken

the **cow** de koe · de trut

the **coward** de lafaard

cowardly laf

the **cowhide** de koeienhuid

CPR *(Canadian Pacific Railways)* Canadese spoorwegmaatschappij

the **crab** de krab

the **crack¹** het gekraak · de barst

crack² *ww* kraken · breken, barsten

the **cracker** *(Am)* het koekje

the **cradle** de wieg · de bakermat

the **cramp** de kramp

the **crane** de hijskraan

the **crankcase** het carter

the **crankshaft** de krukas

the **crap** de poep

the **crash¹** de botsing

crash² *ww* botsen · neerstorten

the **crash barrier** de vangrail

the **crate** het krat

the **crater** de krater

the **crawl¹** de crawl

crawl² *ww* kruipen

the **craze** de rage

crazy gek · dwaas, krankzinnig

creak kraken

the **cream¹** de crème · de room

cream² bn roomkleurig

creamy romig

the **crease¹** de vouw · de plooi

crease² ww kreuken

create scheppen · creëren

the **creature** het schepsel · het wezen

credible geloofwaardig

the **credit¹** het krediet ♦ ~ card creditcard

credit² ww crediteren

the **creditor** de schuldeiser

credulous goedgelovig

the **creek** de inham, de kreek

creep* kruipen

creepy eng, griezelig

cremate cremeren

the **cremation** de crematie

the **crew** de bemanning

the **cricket** het cricket · de krekel

the **crime** de misdaad

the **criminal¹** de delinquent, de misdadiger

criminal² bn crimineel, misdadig ♦ ~ law strafrecht

the **criminality** de criminaliteit

crimson vuurrood

crippled kreupel

the **crisis** crises de crisis

crisp krokant, knapperig

the **crisps** de chips

criss-cross kriskras

the **critic** de criticus

critical kritisch · kritiek, hachelijk, zorgwekkend

the **criticism** de kritiek

criticize bekritiseren

crochet haken

the **crockery** het aardewerk, het vaatwerk

the **crocodile** de krokodil

the **croissant** de croissant

crooked verdraaid, krom · oneerlijk

the **crop** de oogst

the **cross¹** het kruis

cross² bn kwaad, boos

cross³ ww oversteken

cross-eyed scheel

the **crossing** de overtocht · de kruising · de oversteekplaats · de overweg

the **crossroads** het kruispunt

the **crosswalk** *(Am)* het zebra-pad

the **crow** de kraai

the **crowbar** het breekijzer

the **crowd** de massa, de menigte

crowded druk · overvol

the **crown¹** de kroon

crown² *ww* kronen · bekronen

the **crucifix** het kruisbeeld

the **crucifixion** de kruisiging

crucify kruisigen

cruel wreed

the **cruise** de boottocht, de cruise

the **crumb** de kruimel

the **crusade** de kruistocht

the **crust** de korst

the **crutch** de kruk

the **cry¹** de kreet, de schreeuw · de roep

cry² *ww* huilen · schreeuwen · roepen

the **crystal¹** het kristal

crystal² *bn* kristallen

Cuba Cuba

the **Cuban¹** de Cubaan

Cuban² *bn* Cubaans

the **cube** de kubus · het blokje

the **cuckoo** de koekoek

the **cucumber** de komkommer

cuddle knuffelen

the **cudgel** de knuppel

the **cuff** de manchet

the **cufflinks** de manchetknopen

the **cul-de-sac** de doodlopende weg

cultivate bebouwen · verbouwen, kweken

the **culture** de cultuur · de beschaving

cultured beschaafd

cunning sluw

the **cunt** de kut ♦ *kut!* fuck!

the **cup** het kopje · de beker

the **cupboard** de kast

the **curb¹** de stoeprand

curb² *ww* beteugelen

the **cure¹** de kuur · de genezing

cure² *ww* genezen

the **curio** ~s de rariteit

the **curiosity** de nieuwsgierigheid

curious benieuwd, nieuwsgierig · raar

the **curl**[1] de krul

curl[2] *ww* krullen

the **curler** de krulspeld

the **curling tongs** de krultang

curly krullend

the **currant** de krent · de bes

the **currency** de valuta ♦ *foreign* ~ buitenlands geld

the **current**[1] de stroming · de stroom ♦ *alternating* ~ wisselstroom; *direct* ~ gelijkstroom

current[2] *bn* gangbaar, huidig

the **curry** de kerrie

curse[1] de vloek

curse[2] *ww* vloeken · vervloeken

the **cursor** de cursor

the **curtain** het gordijn · het doek

the **curve** de kromming · de bocht

curved krom, gebogen

the **cushion** het kussen

the **custodian** de suppoost

the **custody** de hechtenis · de hoede · de voogdij

the **custom** de gewoonte · het gebruik

customary gebruikelijk, gewoon, gewoonlijk

the **customer** de klant · de client

the **customs** de douane ♦ ~ *duty* accijns; ~ *officer* douanebeambte

cut[1]* snijden · knippen · verlagen ♦ ~* *off* afsnijden; afknippen; afsluiten

the **cut**[2] de snee · de snijwond

the **cutlery** het bestek

the **cutlet** de karbonade

the **cv** het cv

the **cycle** de fiets · het rijwiel · de kringloop, de cyclus

the **cyclist** de fietser · de wielrijder

the **cylinder** de cilinder ♦ ~ *head* cilinderkop

the **cystitis** de blaasontsteking

the **Czech**[1] de Tsjech

Czech[2] *bn* Tsjechisch

Czech Republic Tsjechië

the **dad** de vader

the **daddy** de papa

the **daffodil** de narcis

the **daily**[1] het dagblad

daily[2] bn dagelijks

the **dairy** de zuivelwinkel

the **dam** de dam · de dijk

the **damage**[1] de schade

damage[2] ww beschadigen

the **damages** het smartengeld

the **damp**[1] het vocht

damp[2] bn vochtig · nat

damp[3] ww bevochtigen

the **dance**[1] de dans

dance[2] ww dansen

the **dandelion** de paardenbloem

the **dandruff** de roos

the **Dane** de Deen

the **danger** het gevaar

dangerous gevaarlijk

Danish Deens

dare wagen, durven · uitdagen

daring gedurfd

the **dark**[1] de duisternis

dark[2] bn duister, donker

the **darling** de schat, de lieveling

darn stoppen

the **darts** de darts

the **dash**[1] het gedachtestreepje · de scheut

dash[2] ww snellen

the **dashboard** het dashboard

the **date**[1] de datum · de afspraak · het gegeven, de
data · de dadel ♦ out of ~
ouderwets

date[2] ww dateren

the **daughter** de dochter

the **dawn** de ochtendschemering · de dageraad

the **day** de dag ♦ by ~ overdag; ~ trip excursie; per ~
per dag; the ~ before yesterday eergisteren

the **daybreak** de dageraad

the **daylight** het daglicht

the **day off** de snipperdag

D.C. (District of Columbia)
district in de VS waarin
de hoofdstad Washington
ligt

DDS (Doctor of Dental Science) doctor in de tand-
heelkunde

dead dood · gestorven

deaf doof

deafening oorverdovend

deal[1]* uitdelen ♦ ~* *with* te maken hebben met; zaken doen met

the **deal**[2] de transactie, de affaire

the **dealer** de koopman, de handelaar

dear lief · duur · dierbaar

the **death** de dood ♦ ~ *penalty* doodstraf

the **debate** het debat

the **debit** het debet

the **debt** de schuld

the **decaf** de decafé

decaffeinated cafeïnevrij

the **deceit** het bedrog

deceive bedriegen

December december

the **decency** het fatsoen

decent fatsoenlijk

decide beslissen, besluiten

the **decision** de beslissing, het besluit

the **deck** het dek ♦ ~ *cabin* dekhut; ~ *chair* ligstoel

the **declaration** de verklaring · de aangifte

declare verklaren · opgeven · aangeven

the **decoration** de versiering

the **decrease**[1] de vermindering

decrease[2] ww verminderen · afnemen

dedicate toewijden

deduce afleiden

deduct aftrekken

the **deed** de handeling, de daad

the **deejay** de deejay

deep diep

the **deep freeze** de diepvrieskast

the **deer** ~ het hert

the **defeat**[1] de nederlaag

defeat[2] ww verslaan

the **defect** het mankement

defective gebrekkig, defect

the **defence** de verdediging · de defensie

defend verdedigen

the **deficiency** het gebrek

the **deficit** het tekort

define omschrijven, bepalen, definiëren

definite bepaald · vastomlijnd

the **definition** de bepaling, de definitie

deformed misvormd, mismaakt

the **degree** de graad · de titel

dehydrate uitdrogen

the **delay**[1] het oponthoud, de vertraging · het uitstel

delay[2] *ww* vertragen · uitstellen

the **delegate** de gedelegeerde

the **delegation** de delegatie, de afvaardiging

deliberate[1] *bn* opzettelijk

deliberate[2] *ww* beraadslagen, overleggen

deliberately expres

the **deliberation** het beraad, het overleg

the **delicacy** de lekkernij

delicate fijn · teder · delicaat

the **delicatessen** de delicatessen · de delicatessenwinkel

delicious lekker, heerlijk

the **delight**[1] het genot, de verrukking

delight[2] *ww* in verrukking brengen ♦ *~ed* opgetogen

delightful heerlijk, verrukkelijk

deliver afleveren, bezorgen · verlossen

the **delivery** de levering, de bezorging · de bevalling · de verlossing ♦ *~ van* bestelauto

the **demand**[1] de eis · de navraag

demand[2] *ww* vereisen, eisen

demented dement

the **democracy** de democratie

democratic democratisch

demolish slopen

the **demolition** de afbraak

demonstrate aantonen · demonstreren, betogen · voordoen

the **demonstration** de demonstratie · de betoging

the **den** het hol

Denmark Denemarken

the **denomination** de benaming · munteenheid
dense dicht

the **dent** de deuk

the **dentist** de tandarts

the **denture** het kunstgebit

the **dentures** de prothese
deny ontkennen · onthouden, weigeren, ontzeggen

the **deodorant** de deodorant
depart heengaan, vertrekken · overlijden

the **department** het departement, de afdeling ◆ ~ *store* warenhuis

the **departure** het vertrek
dependent afhankelijk
depend on afhangen van

the **deposit¹** de storting · het statiegeld · het bezinksel, de afzetting
deposit² ww storten

the **depository** de bergplaats

the **depot** de opslagplaats · *(Am)* het station
depress deprimeren
depressed neerslachtig
depressing triest

the **depression** de neerslach-

tigheid · de depressie · de teruggang
deprive of ontnemen
dept. *(department)* departement, afdeling

the **depth** de diepte

the **deputy** de afgevaardigde · de plaatsvervanger
descend dalen

the **descendant** de afstammeling

the **descent** de afdaling
describe beschrijven

the **description** de beschrijving · het signalement

the **desert¹** de woestijn
desert² bn woest, verlaten
desert³ ww deserteren · verlaten
deserve verdienen

the **design¹** het ontwerp · het doel
design² ww ontwerpen
designate aanwijzen
desirable begeerlijk, wenselijk

the **desire¹** de wens · de zin, de begeerte

desire² *ww* begeren, verlangen, wensen

the **desk** het bureau · de lessenaar · de schoolbank

despair¹ de wanhoop

despair² *ww* wanhopen

despatch verzenden

desperate wanhopig

despise verachten

despite ondanks

the **dessert** het dessert

the **destination** de bestemming

destine bestemmen

the **destiny** het noodlot, het lot

destroy vernielen, vernietigen

the **destruction** de vernietiging · de ondergang

detach losmaken

the **detail** de bijzonderheid, het detail

detailed uitvoerig, gedetailleerd

detect ontdekken

the **detective** de detective ♦ ~ *story* detectiveroman

the **detergent** het wasmiddel

determine vaststellen, bepalen

determined vastbesloten

the **detour** de omweg · de omleiding

the **devaluation** de devaluatie

devalue devalueren

develop ontwikkelen

the **development** de ontwikkeling

deviate afwijken

the **devil** de duivel

devise beramen

devote wijden

the **dew** de dauw

the **diabetes** de diabetes, de suikerziekte

the **diabetic** de suikerzieke, de diabeticus

the **diaeresis** het trema

diagnose een diagnose stellen · constateren

the **diagnosis** *-ses* de diagnose

the **diagonal¹** de diagonaal

diagonal² *bn* diagonaal

the **diagram** het schema · de figuur, de grafiek

the **dialect** het dialect

the **diamond** de diamant

the **diaper** *(Am)* de luier

the **diaphragm** het tussen-schot

the **diarrhoea** de diarree

the **diary** de agenda · het dag-boek

dictate dicteren

the **dictation** het dictaat · het dictee

the **dictator** de dictator

the **dictionary** het woorden-boek

did zie do

die sterven · overlijden

the **diesel** de diesel

the **diet¹** het dieet

diet² *bn* light

differ verschillen

the **difference** het verschil · het onderscheid

different verschillend · ander

difficult moeilijk · lastig

the **difficulty** de moeilijkheid · de moeite

dig* graven · delven

digest verteren

digestible verteerbaar

the **digestion** de spijsverte-ring

the **digit** het cijfer

digital digitaal

dignified waardig

the **dike** de dijk · de dam

dilapidated bouwvallig

the **diligence** de vlijt, de ijver

diligent vlijtig, ijverig

dilute aanlengen, verdun-nen

dim dof, mat · donker, zwak, vaag

dine warm eten, dineren

the **dinghy** het bootje

the **dining car** de restauratie-wagen

the **dining room** de eetkamer · de eetzaal

the **dinner** warme maaltijd · het avondeten, het mid-dageten

the **dinner jacket** de smoking

the **dinner service** het eetser-vies

the **diphtheria** de difterie

the **diploma** het diploma

the **diplomat** de diplomaat

direct¹ *bn* rechtstreeks, direct

direct² *ww* richten · wijzen · leiden · regisseren

the **direction** de richting · de instructie · de regie · het bestuur ♦ *(Am)* ~*al signal* richtingaanwijzer; ~*s for use* gebruiksaanwijzing

the **directive** de richtlijn

the **director** de directeur · de regisseur

the **dirt** het vuil

dirty smerig, vies, vuil

disabled gehandicapt, invalide

the **disadvantage** het nadeel

disagree het oneens zijn, van mening verschillen

disagreeable onaangenaam

disappear verdwijnen

disappoint teleurstellen ♦ *be* ~ing* tegenvallen

the **disappointment** de teleurstelling

disapprove afkeuren

the **disaster** de ramp · de catastrofe, het onheil

disastrous rampzalig

the **disc** de schijf ♦ *slipped* ~

hernia

discard afdanken

discharge lossen, uitladen ♦ ~ *of* ontheffen van

the **discipline** de discipline

the **disc jockey** de diskjockey

the **disco** de disco

discolour verkleuren

disconnect ontkoppelen · uitschakelen

discontented ontevreden

discontinue opheffen, staken

the **discount** de korting, de reductie

discover ontdekken

the **discovery** de ontdekking

discuss bespreken · discussiëren

the **discussion** de discussie · het gesprek, de bespreking, het debat

the **disease** de ziekte

disembark van boord gaan, ontschepen

the **disgrace** de schande

the **disguise¹** de vermomming

disguise² *ww* zich vermommen

disgusting misselijk, walgelijk

the **dish** het bord · de schotel, de schaal · het gerecht ♦ ~*washer* afwasmachine

dishonest oneerlijk

disinfect ontsmetten

the **disinfectant** het ontsmettingsmiddel

the **disk** de disk

the **dislike¹** de afkeer, de hekel, de antipathie

dislike² ww een hekel hebben aan, niet houden van

dislocated ontwricht

dismiss wegzenden · ontslaan

the **disorder** de wanorde

dispatch versturen, verzenden

the **display¹** de tentoonstelling, de expositie · de display

display² ww vertonen · tonen

displease ontstemmen, mishagen

disposable wegwerp-

the **disposal** de beschikking

dispose of beschikken over

the **dispute¹** de onenigheid · de ruzie, het geschil

dispute² ww twisten, betwisten

dissatisfied ontevreden

dissolve oplossen · ontbinden

dissuade from afraden

the **distance** de afstand ♦ ~ *in kilometres* kilometertal

distant ver

distinct duidelijk · verschillend

the **distinction** het onderscheid, het verschil

distinguish onderscheid maken, onderscheiden

distinguished voornaam

the **distress** de nood ♦ ~ *signal* noodsein

distribute uitdelen

the **distributor** de agent · de stroomverdeler

the **district** het district · de streek · de wijk

disturb storen, verstoren

the **disturbance** de storing · de verwarring

the **ditch** de greppel, de sloot

dive duiken ♦ *diving equipment, diving gear* duikuitrusting

the **diversion** de wegomlegging · de afleiding

divide delen · verdelen · scheiden

divine goddelijk

the **division** de deling · de scheiding · de afdeling

the **divorce¹** de echtscheiding

divorce² ww scheiden

the **dizziness** de duizeligheid

dizzy duizelig

the **DNA** het DNA

do* doen · voldoende zijn

the **dock¹** het dok · de kade

dock² ww aanleggen

the **docker** de havenarbeider

the **doctor** de arts, de dokter · de doctor

the **document** het document

the **dog** de hond

dogged hardnekkig

the **doll** de pop

the **dollar** de dollar

the **dolphin** de dolfijn

the **dome** de koepel

the **domestic¹** de bediende

domestic² bn huiselijk · binnenlands

the **domicile** de woonplaats

the **domination** de overheersing

the **dominion** de heerschappij

donate schenken

the **donation** de schenking, de gift

done zie do

the **donkey** de ezel

the **donor** de donateur

the **door** de deur ♦ *revolving ~* draaideur; *sliding ~* schuifdeur

the **doorbell** de deurbel

the **doorkeeper** de portier

the **doorman** -men de portier

the **dormitory** de slaapzaal

the **dose** de dosis

the **dot** de punt

double dubbel

double-click dubbelklikken

the **doubt¹** de twijfel ♦ *with-*

out ~ zonder twijfel

doubt² *ww* betwijfelen, twijfelen

doubtful twijfelachtig · onzeker

the **dough** het deeg

down¹ het dons

down² *bn* neerslachtig

down³ *bw* neer · omlaag, naar beneden, omver

down⁴ *vz* langs, van ... af

download downloaden

the **down payment** de aanbetaling

the **downpour** de stortbui

downstairs naar beneden, beneden

downstream stroomafwaarts

down-to-earth nuchter

downwards neer, naar beneden

the **dozen** ~, ~s het dozijn

the **draft** de wissel

drag slepen

the **dragon** de draak

the **drain¹** de afvoer

drain² *ww* droogleggen · afwateren

the **drama** het drama · het treurspel · het toneel

dramatic dramatisch

the **dramatist** de toneelschrijver

drank zie drink

the **draper** de manufacturier

the **drapery** de stoffen

the **draught** de tocht · de teug

the **draught board** het dambord

the **draughts** het damspel

the **draw¹** de trekking

draw²* tekenen · trekken · opnemen ♦ ~* *up* opstellen

the **drawbridge** de ophaalbrug

the **drawer** de la, de lade ♦ ~*s* onderbroek

the **drawing** de tekening

the **drawing pin** de punaise

the **drawing room** de salon

the **dread¹** de vrees

dread² *ww* vrezen

dreadful vreselijk, ontzettend

the **dream¹** de droom

dream²* dromen

the **dress¹** de japon, de jurk

dress² ww aankleden · zich kleden, zich aankleden · verbinden

the **dressing gown** de kamerjas

the **dressing room** de kleedkamer

the **dressing table** de toilettafel

the **dressmaker** de naaister

the **drill¹** de boor

drill² ww boren · trainen

the **drink¹** de borrel, de drank

drink²* drinken

the **drinking water** het drinkwater

the **drip** het infuus

drip-dry zelfstrijkend

the **drive¹** de rijweg · de oprit · de autorit

drive²* rijden · besturen

the **driver** de chauffeur

the **drizzle** de motregen

the **drop¹** de druppel

drop² ww laten vallen

the **drought** de droogte

drown verdrinken ◆ be* ~ed verdrinken

the **drug** het verdovend middel · het geneesmiddel · de doping

the **drugstore** (Am) de drogisterij, de apotheek · het warenhuis

the **drum** de trommel

drunk¹ bn dronken

drunk² ww zie drink

dry¹ bn droog

dry² ww drogen · afdrogen

dry-clean chemisch reinigen

the **dry-cleaner's** de stomerij

the **dryer** de centrifuge

dub nasynchroniseren

the **duchess** de hertogin

the **duck** de eend

due verwacht · verschuldigd · vervallen

the **dues** de schulden

dug zie dig

the **duke** de hertog

dull vervelend, saai · flets, mat · bot

dumb stom · suf, dom

the **dune** het duin

the **dung** de mest

the **dunghill** de mesthoop

the **duplicate** het duplicaat

the **duration** de duur

during gedurende, tijdens

the **dusk** de avondscheme-ring

the **dust** het stof

the **dustbin** de vuilnisbak

dusty stoffig

Dutch Nederlands, Hollands

the **Dutchman** -men de Nederlander, de Hollander

dutiable belastbaar

the **duty** de plicht · de taak · het invoerrecht ♦ *customs* ~ accijns

duty-free belastingvrij

the **DVD** de dvd

the **DVD player** de dvd-speler

the **dwarf** de dwerg

the **dye¹** de verf

dye² ww verven

the **dynamo** ~s de dynamo

the **dysentery** de dysenterie

each elk, ieder ♦ ~ *other* elkaar

eager verlangend, ongeduldig

the **eagle** de arend

the **ear** het oor

the **earache** de oorpijn

the **eardrum** het trommel-vlies

the **earl** de graaf

early vroeg

earn verdienen

the **earnest** de ernst

the **earnings** de inkomsten, de verdiensten

the **earring** de oorbel

the **earth** de aarde · de grond

the **earthenware** het aarde-werk

the **earthquake** de aardbe-ving

the **ease** de ongedwongen-heid, het gemak

the **east** de oost, het oosten

Easter Pasen

easterly oostelijk

eastern oost-, oostelijk

easy gemakkelijk · geriefelijk ♦ ~ *chair* leunstoel

easy-going ontspannen

eat* eten

eavesdrop afluisteren

the **ebony** het ebbenhout

eccentric excentriek

the **echo** ~*es* de weerklank, de echo

the **eclipse** de verduistering

economic economisch

economical spaarzaam, zuinig

the **economist** de econoom

economize sparen

the **economy** de economie

the **ecstasy** de extase ♦ ~ *pill* xtc-pil

Ecuador Ecuador

the **Ecuadorian** de Ecuadoriaan

the **eczema** het eczeem

the **edge** de kant, de rand

edible eetbaar

the **edition** de editie, de uitgave ♦ *morning* ~ ochtendeditie

the **editor** de redacteur

educate opleiden, opvoeden

the **education** het onderwijs · de opvoeding

the **eel** de aal, de paling

the **effect¹** het gevolg, het effect ♦ *in* ~ feitelijk

effect² *ww* teweegbrengen

effective doeltreffend, effectief

efficient efficiënt, doelmatig

the **effort** de inspanning · de poging

e.g. *(for instance)* bijvoorbeeld

the **egg** het ei

the **egg cup** het eierdopje

the **eggplant** de aubergine

the **egg yolk** de eierdooier

egoistic zelfzuchtig

Egypt Egypte

the **Egyptian¹** de Egyptenaar

Egyptian² *bn* Egyptisch

the **eiderdown** het donzen dekbed

eight acht

eighteen achttien

eighteenth achttiende

eighth achtste

eighty tachtig

either een van beide ♦ ~ ... *or* hetzij ... hetzij, of ... of

elaborate uitwerken

elastic elastisch · rekbaar

· het elastiek
the **elasticity** de rek
the **elbow** de elleboog
elder ouder
elderly bejaard
eldest oudst
elect kiezen, verkiezen
the **election** de verkiezing
electric elektrisch ♦ ~ *razor* scheerapparaat; ~ *cord* snoer
the **electrician** de elektricien
the **electricity** de elektriciteit
electronic elektronisch
the **elegance** de elegantie
elegant elegant
the **element** het bestanddeel, het element
the **elephant** de olifant
the **elevator** *(Am)* de lift
eleven elf
eleventh elfde
the **elf** *elves* de elf
eliminate elimineren
the **elm** de iep
else anders
elsewhere elders
elucidate toelichten
the **e-mail¹** de e-mail

e-mail² *ww* e-mailen
the **emancipation** de emancipatie
the **embankment** de kade
the **embargo** ~*es* het embargo
embark inschepen · instappen
the **embarkation** de inscheping
embarrass in verwarring brengen · in verlegenheid brengen · hinderen ♦ ~*ed* verlegen, gegeneerd; ~*ing* pijnlijk
the **embassy** de ambassade
the **emblem** het embleem
the **embrace¹** de omhelzing
embrace² *ww* omhelzen
embroider borduren
the **embroidery** het borduurwerk
the **emerald** het smaragd
the **emergency** het spoedgeval, het noodgeval · de noodtoestand ♦ ~ *exit* nooduitgang; ~ *number* alarmnummer
the **emigrant** de emigrant

emigrate emigreren

the **emigration** de emigratie

the **emotion** de ontroering, de emotie

the **emperor** de keizer

emphasize benadrukken

the **empire** het keizerrijk, het rijk

employ tewerkstellen · gebruiken

the **employee** de werknemer, de employé

the **employer** de werkgever

the **employment** de tewerkstelling, het werk ♦ ~ *exchange* arbeidsbureau

the **empress** de keizerin

empty¹ *bn* leeg

empty² *ww* ledigen

enable in staat stellen

the **enamel** het email

enamelled geëmailleerd

enchanting prachtig, betoverend

encircle omcirkelen, omringen · insluiten

enclose bijsluiten, insluiten

the **enclosure** de bijlage

the **encounter¹** de ontmoeting

encounter² *ww* ontmoeten

encourage aanmoedigen

the **encyclopaedia** de encyclopedie

the **end¹** het einde · het slot

end² *ww* beëindigen · aflopen

the **ending** het einde

endless oneindig

endorse aftekenen, endosseren

endure verdragen

the **enemy** de vijand

energetic energiek

the **energy** de energie · de kracht

Eng. *(England)* Engeland · *(English)* Engels

engage in dienst nemen · bespreken · zich verbinden ♦ ~d verloofd; bezig, bezet

the **engagement** de verloving · de verplichting · de afspraak ♦ ~ *ring* verlovingsring the **engine** de machine, de motor · de locomotief

the **engineer** de ingenieur

England Engeland

English Engels

the **Englishman** -men de Engelsman

engrave graveren

the **engraver** de graveur

the **engraving** de prent · de gravure

the **enigma** het raadsel

enjoy genieten van

enjoyable fijn, prettig, leuk · lekker

the **enjoyment** het genot

enlarge vergroten · uitbreiden

the **enlargement** de vergroting

enormous reusachtig, enorm

enough voldoende · genoeg

enquire informeren · onderzoeken

the **enquiry** de informatie · het onderzoek · de enquête

enter betreden, binnen gaan · inschrijven

the **enterprise** de onderneming

entertain vermaken, onderhouden · ontvangen

the **entertainer** de conferencier

entertaining vermakelijk, amusant

the **entertainment** het vermaak, het amusement

the **enthusiasm** het enthousiasme

enthusiastic enthousiast

entire heel, geheel

entirely helemaal

the **entrance** de ingang · de toegang · de binnenkomst

the **entrance fee** de entree

the **entrecôte** de entrecote

the **entry** de ingang, de entree · de toegang · de post

♦ *no ~* verboden toegang

the **envelope** de envelop

envious afgunstig, jaloers

the **environment** het milieu · de omgeving

the **envoy** de gezant

the **envy¹** de afgunst
envy² *ww* benijden
the **epic¹** het epos
epic² *bn* episch
the **epidemic** de epidemie
the **epilepsy** de epilepsie
the **epilogue** de epiloog
the **episode** de episode
equal¹ *bn* gelijk
equal² *ww* evenaren
the **equality** de gelijkheid
equalize gelijkmaken
equally even
the **equator** de evenaar
equip uitrusten
the **equipment** de uitrusting
equivalent equivalent, gelijkwaardig
the **eraser** de, het gom
erect¹ *bn* overeind, rechtopstaand
erect² *ww* opbouwen, oprichten
erotic erotisch
err zich vergissen · dwalen
the **errand** de boodschap
the **error** de fout, de vergissing

the **escalator** de roltrap
the **escape¹** de ontsnapping
escape² *ww* ontsnappen · vluchten, ontvluchten, ontgaan
the **escort¹** het escorte
escort² *ww* escorteren
especially voornamelijk, vooral
the **esplanade** de promenade
the **essay** het essay · de verhandeling, het opstel
the **essence** de essentie · de kern, het wezen
essential onontbeerlijk · wezenlijk, essentieel
essentially vooral
establish vestigen · vaststellen
the **estate** het landgoed
the **esteem¹** het respect, de achting
esteem² *ww* achten
the **estimate¹** de schatting
estimate² *ww* taxeren, schatten
the **estuary** de riviermonding
etcetera enzovoort
the **etching** de ets

eternal eeuwig

the **eternity** de eeuwigheid

the **ether** de ether

Ethiopia Ethiopië

the **Ethiopian**[1] de Ethiopiër

Ethiopian[2] *bn* Ethiopisch

EU *(European Union)* EU, Europese Unie

the **euro** de euro

the **Eurocheque** de eurocheque

Europa Europa

the **European**[1] de Europeaan

European[2] *bn* Europees

evacuate evacueren

evaluate schatten

evaporate verdampen

even[1] *bn* effen, plat, gelijk · constant · even

even[2] *bw* zelfs

the **evening** de avond ♦ ~ *dress* avondkleding

the **event** de gebeurtenis · het geval

eventual eventueel · uiteindelijk

ever ooit · altijd

every ieder, elk

everybody iedereen

everyday alledaags

everyone ieder, iedereen

everything alles

everywhere overal

the **evidence** het bewijs

evident duidelijk

the **evil**[1] het kwaad

evil[2] *bn* slecht

the **evolution** de evolutie

exact nauwkeurig, precies

exactly precies

exaggerate overdrijven

the **examination** het examen · onderzoek

examine onderzoeken

the **example** het voorbeeld ♦ *for ~* bijvoorbeeld

the **excavation** de opgraving

exceed overschrijden · overtreffen

excel uitblinken

excellent voortreffelijk, uitstekend

except uitgezonderd, behalve

the **exception** de uitzondering

exceptional buitengewoon, uitzonderlijk

the **excerpt** de passage

the **excess** het exces

excessive buitensporig

the **exchange¹** de ruil · de beurs ♦ ~ *office* wisselkantoor; ~ *rate* koers

exchange² ww uitwisselen, wisselen, ruilen

excite opwinden

excited opgewonden

the **excitement** de drukte, de opwinding

exciting spannend

excl. *(excluding)* exclusief · *(exclusive)* exclusief

exclaim uitroepen

the **exclamation** de uitroep

the **exclamation mark** het uitroepteken

exclude uitsluiten

exclusive exclusief

exclusively uitsluitend

the **excursion** het uitstapje, de excursie

the **excuse¹** het excuus

excuse² ww verontschuldigen, excuseren

execute uitvoeren

the **execution** de terechtstelling

the **executioner** de beul

the **executive¹** uitvoerende macht · de directeur

executive² bn uitvoerend

exempt¹ bn vrijgesteld

exempt² ww ontheffen, vrijstellen

the **exemption** de vrijstelling

the **exercise¹** de oefening · het thema

exercise² ww oefenen · uitoefenen

exhale uitademen

the **exhaust¹** de uitlaatpijp, de uitlaat ♦ ~ *gases* uitlaatgassen

exhaust² ww uitputten

exhausted uitgeput

exhibit tentoonstellen · vertonen

the **exhibition** de expositie, de tentoonstelling

the **exile** de ballingschap · de balling

exist bestaan

the **existence** het bestaan

the **exit** de uitgang · de uitrit,

de afrit, de afslag
exotic exotisch
expand uitbreiden · uitspreiden · ontplooien
expect verwachten
the **expectation** de verwachting
the **expedition** de verzending · de expeditie
expel uitwijzen
the **expenditure** de kosten, de uitgave
the **expense** de uitgave ♦ ~s onkosten
expensive prijzig, duur · kostbaar
the **experience**[1] de ervaring
experience[2] ww ervaren, ondervinden, beleven
experienced ervaren
the **experiment**[1] de proef, het experiment
experiment[2] ww experimenteren
the **expert**[1] de deskundige, de vakman, de expert
expert[2] bn deskundig
expire vervallen, aflopen, verstrijken · uitademen

expired vervallen
the **expiry** de vervaldag, de afloop
explain verklaren, uitleggen
the **explanation** de toelichting, de uitleg, de verklaring
explicit uitdrukkelijk, expliciet
explode ontploffen
exploit uitbuiten, exploiteren
explore verkennen, onderzoeken
the **explosion** de explosie
the **explosive**[1] de springstof
explosive[2] bn explosief
the **export**[1] de export
export[2] ww uitvoeren, exporteren
the **exports** de export
the **exposition** de tentoonstelling
the **exposure** de blootstelling · de belichting ♦ ~ meter belichtingsmeter
express[1] bn expresse- · uitdrukkelijk ♦ ~ train

sneltrein

express² *ww* uitdrukken · betuigen, uiten

the **expression** de uitdrukking · de uiting

exquisite voortreffelijk

extend verlengen · uitbreiden · verlenen

the **extension** de verlenging · de uitbreiding · het toestel ◆ ~ *cord* verlengsnoer

extensive omvangrijk · veelomvattend, uitgebreid

the **extent** de omvang

the **exterior¹** de buitenkant

exterior² *bn* uiterlijk

external uiterlijk, uitwendig

extinguish blussen, doven

extort afdwingen

the **extortion** de afpersing

extra extra

the **extract¹** het fragment

extract² *ww* uittrekken, trekken

extradite uitleveren

extraordinary buitengewoon

extravagant overdreven, extravagant

the **extreme¹** het uiterste

extreme² *bn* extreem · hoogst, uiterst

exuberant uitbundig

the **eye** het oog

the **eyebrow** de wenkbrauw

the **eyelash** de wimper

the **eyelid** het ooglid

the **eye pencil** de wenkbrauwpotlood

the **eyeshadow** de oogschaduw

the **eyewitness** de ooggetuige

the **fable** de fabel

the **fabric** de stof · de structuur

the **facade** de gevel

the **face¹** het gezicht

face² *ww* het hoofd bieden aan ◆ *facing* tegenover

the **face cloth** het washandje

the **face cream** de gezichtscrème

the **face-lifting** de facelift

the **face massage** de gezichtsmassage

the **face pack** het schoonheidsmasker

the **face powder** het, de gezichtspoeder

the **facility** de faciliteit

the **fact** het feit ♦ *in* ~ in feite

the **factor** de factor

the **factory** de fabriek

factual feitelijk

the **faculty** het vermogen · de gave, het talent, de bekwaamheid · de faculteit

the **fad** de gril

fade verkleuren, verschieten

the **faience** het aardewerk

fail falen · tekortschieten · ontbreken · nalaten · zakken ♦ *without* ~ beslist

the **failure** de mislukking · het fiasco

faint¹ bn zwak, vaag, flauw

faint² ww flauwvallen

the **fair¹** de kermis · de beurs

fair² bn billijk, eerlijk · blond · mooi

fairly vrij, nogal, tamelijk

the **fairy** de fee

the **fairytale** het sprookje

the **faith** het geloof · het vertrouwen

faithful trouw

the **fake** de vervalsing, de nep

the **fall¹** de val · *(Am)* de herfst

fall²* vallen

false vals · verkeerd, onwaar, onecht ♦ ~ *teeth* kunstgebit

falter wankelen · stamelen

the **fame** de faam, de roem · de reputatie

familiar vertrouwd · familiaar

the **family** het gezin · de familie ♦ ~ *name* achternaam

famous beroemd

the **fan** de ventilator · de waaier · de fan ♦ ~ *belt* ventilatorriem

fanatical fanatiek

the **fancy¹** de gril · de fantasie

fancy² ww lusten, zin hebben in · zich verbeel-

den, zich voorstellen
fantastic fantastisch
the **fantasy** de fantasie
far¹ *bn* ver
far² *bw* veel ♦ *by* ~ verre-weg; *so* ~ tot nu toe
faraway ver
the **farce** de klucht, de farce
the **fare** de reiskosten, het ta-rief · de kost, het voedsel
the **farm** de boerderij
the **farmer** de boer ♦ ~'s *wife* boerin
the **farmhouse** de boerderij
far-off afgelegen
the **fart** de scheet
fascinate boeien
the **fascism** het fascisme
the **fascist¹** de fascist
fascist² *bn* fascistisch
the **fashion** de mode · de ma-nier
fashionable modieus
fast vlug, snel · vast
fast-dyed wasecht, kleur-echt
fasten vastmaken, beves-tigen · sluiten
the **fastener** de sluiting

the **fat¹** het vet
fat² *bn* vet, dik
fatal fataal, dodelijk, noodlottig
the **fate** het lot, het noodlot
the **father** de vader · de pater
the **father-in-law** *fathers-* de schoonvader
the **fatherland** het vaderland
the **fatness** de dikte
fatty vettig
the **faucet** *(Am)* de kraan
the **fault** de schuld · de fout, het defect, het gebrek
faultless foutloos · feilloos
faulty gebrekkig, defect
the **fauna** de fauna
favorite lievelings-
the **favour¹** de gunst
favour² *ww* begunstigen, bevoorrechten
favourable gunstig
the **favourite** de lieveling, de favoriet
the **fawn¹** het reekalf
fawn² *bn* lichtbruin
the **fax** de fax
the **fear¹** de vrees, de angst
fear² *ww* vrezen

feasible uitvoerbaar

the **feast¹** het feest

feast² *ww* smullen

the **feat** de prestatie

the **feather** de veer

the **feature** het kenmerk · de gelaatstrek

February februari

federal federaal

the **federation** de federatie · de bond

the **fee** het honorarium

feeble zwak

feed* voeden ♦ *fed up with* beu

feel* voelen · betasten ♦ ~* *like* zin hebben in

the **feeling** het gevoel

fell zie fall

the **fellow** de kerel

the **felt¹** het vilt

felt² *ww* zie feel

the **felt-tip** de stift

female vrouwelijk

feminine vrouwelijk

the **feminism** het feminisme

the **fence¹** de omheining · het hek

fence² *ww* schermen

the **fender** de bumper

ferment gisten

the **Ferris wheel** het reuzenrad

the **ferry boat** de veerboot

fertile vruchtbaar

the **festival** het festival

festive feestelijk

fetch halen · afhalen

feudal feodaal

the **fever** de koorts ♦ *scarlet* ~ roodvonk

feverish koortsig

few weinig

the **fiancé** de verloofde

the **fiancée** de verloofde

the **fibre** de vezel

the **fiction** de fictie, het verzinsel

the **field** de akker, het veld · het gebied ♦ ~ *glasses* veldkijker

fierce wild · woest, fel

fifteen vijftien

fifteenth vijftiende

fifth vijfde

fifty vijftig

the **fig** de vijg

the **fight¹** de strijd, het ge-

vecht
fight²* strijden, vechten
the **figure** de gestalte, de figuur · het cijfer
the **file** de vijl · het dossier · de rij
the **Filipino** de Filippijn
fill vullen ♦ ~ *in* invullen; *(Am)* ~ *out* invullen; ~ *up* opvullen, bijvullen
the **fillet** de filet
the **filling** de vulling
the **filling station** het benzinestation
the **film¹** de film
film² ww filmen
the **filter** het filter
filthy smerig, vuil
the **final¹** de finale
final² bn laatst
finance financieren
the **finances** de financiën
financial financieel
the **finch** de vink
find* vinden
the **fine¹** de boete
fine² bn fijn · mooi · uitstekend, prachtig ♦ ~ *arts* schone kunsten

the **finger** de vinger ♦ *little* ~ pink
the **fingerprint** de vingerafdruk
the **finish¹** het einde · de eindstreep, de finish
finish² ww afmaken, beëindigen · eindigen · opmaken ♦ ~*ed* af; op
Finland Finland
the **Finn** de Fin
Finnish Fins
the **fire¹** het vuur · de brand
fire² ww schieten · ontslaan
the **fire alarm** het brandalarm
the **firearm** het vuurwapen
the **fire brigade** de brandweer
the **fire escape** de brandtrap
the **fire extinguisher** het brandblusapparaat
the **fireplace** de haard
fireproof brandvrij · vuurvast
the **firework** het vuurwerk
the **firm¹** de firma
firm² bn vast · stevig
first eerst ♦ *at* ~ eerst;

aanvankelijk; ~ *name* voornaam

the **first aid** eerste hulp ♦ ~ *kit* verbandkist; ~ *post* eerstehulppost

first-class eersteklas

first-rate eersterangs, prima

the **fir tree** de dennenboom, de den

the **fish¹** ~, ~*es* de vis ♦ ~ *shop* viswinkel

fish² *ww* vissen · hengelen ♦ ~*ing gear* vistuig; ~*ing hook* vishaak; ~*ing industry* visserij; ~*ing licence* visakte; ~*ing line* vislijn; ~*ing net* visnet; ~*ing rod* hengel; ~*ing tackle* vistuig

the **fishbone** de graat, de visgraat

the **fisherman** -*men* de visser

the **fist** de vuist

the **fit¹** de aanval

fit² *bn* geschikt

fit³ *ww* passen ♦ ~*ting room* paskamer

five vijf

fix repareren

fixed vast

the **fizz** de prik

the **fjord** de fjord

the **flag** de vlag

the **flame** de vlam

the **flamingo** ~*s*, ~*es* de flamingo

the **flannel** het flanel

the **flash** de flits

the **flashbulb** het flitslampje

the **flashlight** de zaklantaarn

the **flask** de flacon ♦ *thermos* ~ thermosfles

the **flat¹** de flat

flat² *bn* vlak, plat ♦ ~ *tyre* lekke band

the **flavour¹** de smaak

flavour² *ww* kruiden

the **flea** de vlo

the **flea market** de rommelmarkt

the **fleece** de fleece

the **fleet** de vloot

the **Flemish¹** het Vlaams

Flemish² *bn* Vlaams

the **flesh** het vlees

flew zie fly

the **flex** het snoer

flexible buigbaar · soepel

the **flight** de vlucht ♦ *charter* ~ chartervlucht

the **flint** de vuursteen

the **flipper** het zwemvlies

flirt flirten

float¹ de vlotter

float² ww drijven

the **flock** de kudde

the **flood** de overstroming · de vloed

the **floor** de vloer · de etage, de verdieping ♦ ~ *show* floorshow

the **flora** de flora

the **florist** de bloemist

the **flour** de bloem, het meel

flow vloeien, stromen

the **flower** de bloem

the **flowerbed** het bloemperk

the **flower shop** de bloemenwinkel

flown zie fly

the **flu** de griep

fluent vloeiend

the **fluid¹** de vloeistof

fluid² bn vloeibaar

the **flute** de fluit

fly¹* vliegen

the **fly²** de heg · de gulp

the **foam¹** het schuim

foam² ww schuimen

the **foam rubber** het schuimrubber

the **focus** het brandpunt

the **fog** de mist

foggy mistig

the **fog lamp** de mistlamp

the **fold¹** de vouw

fold² ww vouwen · opvouwen

the **folk** het volk ♦ ~ *song* volkslied

the **folk dance** de volksdans

the **folklore** de folklore

follow volgen

following eerstvolgend, volgend

the **fondue** de fondue

the **food** het voedsel · het eten, de kost ♦ ~ *poisoning* voedselvergiftiging

the **foodstuffs** de levensmiddelen

the **fool¹** de gek, de dwaas

fool² ww foppen

foolish mal, dwaas

the **foot** *feet* de voet ♦ ~ *pow-*

der voetpoeder; *on* ~ te voet

the **football** de voetbal ♦ ~ *match* voetbalwedstrijd

the **foot brake** de voetrem

the **footpath** het voetpad

the **footstep** de voetstap

the **footwear** het schoeisel

for¹ *vz* voor · gedurende · naar · vanwege, wegens, uit

for² *vw* want

forbid* verbieden

the **force¹** de macht, de kracht · het geweld ♦ *by* ~ noodgedwongen; *driving* ~ drijfkracht

force² *ww* noodzaken, dwingen · forceren

the **ford** de doorwaadbare plaats

the **forecast¹** de voorspelling

forecast² *ww* voorspellen

the **foreground** de voorgrond

the **forehead** het voorhoofd

foreign buitenlands · vreemd

the **foreigner** de buitenlander · de vreemdeling

the **foreman** *-men* de voorman

foremost hoogst

the **foresail** de fok

the **forest** het woud, het bos

the **forester** de boswachter

forge vervalsen

forget* vergeten

forgetful vergeetachtig

forgive* vergeven

the **fork¹** de vork · de tweesprong

fork² *ww* zich splitsen

the **form¹** de vorm · het formulier · de klas

form² *ww* vormen

formal formeel

the **formality** de formaliteit

former voormalig · vroeger ♦ ~*ly* voorheen, vroeger

the **formula 1** de formule 1

the **formule** *-a,* ~*s* de formule

the **fort** het fort

the **fortnight** veertien dagen

the **fortress** de vesting

fortunate gelukkig

the **fortune** het fortuin · het lot, het geluk

forty veertig
forward¹ *bn* vooruit, voorwaarts
forward² *ww* nazenden
the **foster parents** de pleegouders
fought zie fight
foul smerig · gemeen
found¹ *ww* oprichten, stichten
found² *ww* zie find
the **foundation** de stichting ♦ ~ *cream* basiscrème
the **fountain** de fontein · de bron
the **fountain pen** de vulpen
four vier
fourteen veertien
fourteenth veertiende
fourth vierde
the **fowl** ~s het gevogelte
the **fox** de vos
the **foyer** de foyer
the **fraction** de fractie
the **fracture¹** de breuk
fracture² *ww* breken
fragile breekbaar · broos
the **fragment** het fragment · het stuk, de scherf

the **frame** de lijst · het montuur
France Frankrijk
the **franchise** het kiesrecht
the **fraternity** de broederschap
the **fraud** de fraude, het bedrog
fray rafelen
free vrij · gratis ♦ ~ *of charge* gratis; ~ *ticket* vrijkaart
the **freedom** de vrijheid
freelance freelance
freeze* vriezen · bevriezen
freezing ijskoud
the **freezing point** het vriespunt
the **freight** de lading, de vracht
the **freight train** (*Am*) de goederentrein
French Frans
the **French fries** de patat
the **Frenchman** -*men* de Fransman
the **frequency** de frequentie
frequent veelvuldig, fre-

quent ♦ ~*ly* dikwijls
fresh vers · fris ♦ ~ *water*
zoet water
the **friction** de wrijving
the **Friday** de vrijdag
the **fridge** de koelkast, de ijskast
the **friend** de vriend · de
vriendin
friendly vriendelijk · amicaal, vriendschappelijk
the **friendship** de vriendschap
the **fright** de angst, de schrik
frighten doen schrikken
frightened bang ♦ *be** ~
schrikken
frightful verschrikkelijk,
vreselijk
the **fringe** de franje
the **frock** de jurk
the **frog** de kikker
from van · uit · vanaf
the **front** de voorkant ♦ *in* ~
of voor
the **frontier** de grens
the **frost** de vorst
the **froth** het schuim
frozen bevroren ♦ ~ *food*
diepvriesproducten

the **fruit** het fruit · de vrucht
fry bakken · braden
the **frying pan** de koekenpan
ft. *(foot/feet)* voet
fuck neuken
the **fuel** de brandstof · de
benzine ♦ *(Am)* ~ *pump*
benzinepomp
full vol ♦ ~ *board* volpension; ~ *stop* punt; ~ *up*
vol
full-time fulltime
the **fun** het plezier, de pret ·
de lol
the **function** de functie
the **fund** het fonds
fundamental fundamen-
teel
the **funeral** de begrafenis
the **funnel** de trechter
funny leuk, grappig · zonderling
the **fur** de pels ♦ ~ *coat* bontjas; ~*s* bont
furious razend, woedend
the **furnace** de oven
furnish leveren, verschaffen · inrichten, meubile-
ren ♦ *with* voorzien van

the **furniture** het meubilair

the **furrier** de bontwerker

further verder · nader

furthermore bovendien

furthest verst

the **fuse** de zekering · de lont

the **fuss** de drukte · de ophef, de herrie

the **future¹** de toekomst

future² bn toekomstig

the **gable** de geveltop

the **gadget** het technisch snufje

the **gaiety** de vrolijkheid, de pret

the **gain¹** de winst

gain² ww winnen

the **gait** de gang, de loop

the **gall** de storm · de gal ♦ ~ *bladder* galblaas

the **gallery** de galerij

the **gallop** de galop

the **gallows** de galg

the **gallstone** de galsteen

gamble gokken

the **game** het spel · het wild ♦ ~ *reserve* wildpark

the **gang** de bende · de ploeg

the **gangway** de loopplank

the **gap** de bres

the **garage¹** de garage

garage² ww stallen

the **garbage** het vuilnis, het afval

the **garden** de tuin ♦ *public* ~ plantsoen; *zoological* ~s dierentuin

the **gardener** de tuinman

gargle gorgelen

the **garlic** het, de knoflook

the **gas** het gas · *(Am)* de benzine ♦ ~ *cooker* gasstel; *(Am)* ~ *pump* benzinepomp; *(Am)* ~ *station* benzinestation; ~ *stove* gaskachel

the **gasoline** *(Am)* de benzine

gastric maag- ♦ ~ *ulcer* maagzweer

the **gasworks** de gasfabriek

the **gate** de poort · het bek

gather verzamelen · bijeenkomen · oogsten

the **gauge** de meter

the **gauze** het gaas

gave zie give

the **gay¹** de homo

gay² bn vrolijk · bont

gaze staren

GB *(Great Britain)* Groot-Brittannië

the **gear** de versnelling · de uitrusting ♦ *change ~* schakelen; *~ lever* versnellingspook

the **gearbox** de versnellingsbak

the **gel** de gel

the **gem** het juweel, de edelsteen · het kleinood

the **gender** het geslacht

the **general**[1] de generaal

general[2] *bn* algemeen ♦ *~ practitioner* huisarts; *in ~* in het algemeen

generate verwekken

the **generation** de generatie

the **generator** de generator

the **generosity** de edelmoedigheid

generous gul, royaal

genetic genetisch

genital geslachtelijk

the **genius** het genie

gentle zacht · teer, licht · voorzichtig

the **gentleman** *-men* de heer

genuine echt

the **geography** de aardrijkskunde

the **geology** de geologie

the **geometry** de meetkunde

the **germ** de bacil · de kiem

the **German**[1] de Duitser

German[2] *bn* Duits

Germany Duitsland

gesticulate gebaren

get* krijgen · halen · worden ♦ *~** *back* teruggaan; *~** *off* uitstappen; *~** *on* instappen; vorderen; *~** *up* opstaan

the **ghost** het spook · de geest

the **giant** de reus

the **giddiness** de duizeligheid

giddy duizelig

the **gift** het geschenk, het cadeau · de gave

gifted begaafd

gigantic reusachtig

giggle giechelen

the **gill** de kieuw

gilt verguld

the **ginger** de gember

the **gipsy** de zigeuner

the **girl** het meisje ♦ *~ guide*

padvindster
give* geven · aangeven ♦
~* *away* verklappen; ~*
in toegeven; ~* *up* opgeven
the **glacier** de gletsjer
glad verheugd, blij ♦ ~*ly*
graag, gaarne
the **gladness** de vreugde
glamorous betoverend,
fascinerend
the **glamour** de charme
the **glance¹** de blik
glance² ww een blik werpen
the **gland** de klier
the **glare** scherp licht · de
schittering
glaring verblindend
the **glass** het glas · glazen ♦
~*es* bril; *magnifying* ~
vergrootglas
glaze emailleren
the **glen** de bergkloof
glide glijden
the **glider** het zweefvliegtuig
the **glimpse¹** de blik · de
glimp
glimpse² ww even zien

global wereldomvattend
the **globe** de wereldbol, de
aardbol
the **gloom** het duister
gloomy somber
glorious prachtig
the **glory** de glorie, de roem ·
de eer, de lof
the **gloss** de glans
glossy glanzend
the **glove** de handschoen
the **glow¹** de gloed
glow² ww gloeien
the **glue** de lijm
the **gluten** het gluten
go* gaan · lopen · worden
♦ *go* ahead* doorgaan; *go**
away weggaan; *go* back*
teruggaan; *go* home* naar
huis gaan; *go* in* binnengaan; *go* on* doorgaan; *go**
out uitgaan; *go**
through meemaken, door-
maken
the **goal** het doel · het doelpunt
the **goalkeeper** de doelman
the **goat** de bok, de geit
the **god** de god

God God

the **goddess** de godin

the **godfather** de peetvader

the **goggles** de duikbril

the **gold** het goud ◆ ~ *leaf* bladgoud

golden gouden

the **gold mine** de goudmijn

the **goldsmith** de goudsmid

the **golf** het golf

the **golf club** de golfclub

the **golf course** de golfbaan

the **golf links** de golfbaan

the **gondola** de gondel

gone¹ *bn* weg

gone² *ww* zie go

good goed · lekker · zoet, braaf

good bye! dag!

good-humoured opgeruimd

good-looking knap

good-natured goedhartig

goodnight welterusten

the **goods** de waren, de goederen ◆ ~ *train* goederentrein

good-tempered goedgestemd

the **goodwill** de welwillendheid

the **goose** *geese* de gans

the **gooseberry** de kruisbes

the **gooseflesh** het kippenvel

the **gorge** het ravijn

gorgeous prachtig

the **gospel** het evangelie

the **gossip¹** het geroddel

gossip² *ww* roddelen

got zie get

the **gourmet** de fijnproever

the **gout** de jicht

govern regeren

the **government** het bewind, de regering

the **governor** de gouverneur

the **gown** de japon

the **gps** het gps

the **grace** de gratie · de genade

graceful bevallig

the **grade¹** de graad

grade² *ww* rangschikken

the **gradient** de helling

gradual geleidelijk

gradually langzamerhand

graduate een diploma behalen

the **grain** de korrel, het graan, het koren

the **gram** het gram

the **grammar** de grammatica

grammatical grammaticaal

grand groots

the **granddad** de opa

the **granddaughter** de kleindochter

the **grandfather** de grootvader · de opa

the **grandmother** de grootmoeder · de oma ♦ *grandparents* grootouders

the **grandson** de kleinzoon

the **granite** het graniet

the **grant¹** de toelage, de beurs

grant² *ww* gunnen, verlenen · inwilligen

the **grapefruit** de grapefruit

the **grapes** de druiven

the **graph** de grafiek

graphic grafisch

the **grasp¹** de greep

grasp² *ww* grijpen

the **grass** het gras

the **grasshopper** de sprinkhaan

the **grate¹** het rooster

grate² *ww* raspen

grateful erkentelijk, dankbaar

the **grater** de rasp

gratis gratis

the **gratitude** de dankbaarheid

the **gratuity** de fooi

the **grave¹** het graf

grave² *bn* ernstig

the **gravel** de kiezel, het grind

the **gravestone** de grafsteen

the **graveyard** het kerkhof

the **gravity** de zwaartekracht · de ernst

the **gravy** de jus

the **graze¹** de schaafwond

graze² *ww* grazen

the **grease¹** het vet

grease² *ww* smeren

greasy vet, vettig

great groot ♦ *Great Britain* Groot-Brittannië

Greece Griekenland

the **greed** de hebzucht

greedy hebzuchtig · gulzig

the **Greek¹** de Griek
Greek² *bn* Grieks
green groen ♦ ~ *card*
groene kaart
the **greengrocer** de groenteboer
the **greenhouse** de broeikas,
de kas
the **greens** de groente
greet groeten
the **greeting** de groet
grey grijs · grauw
the **greyhound** de hazewind
the **grief** het verdriet · de bedroefdheid, de smart
grieve treuren
the **grill¹** de grill
grill² *ww* roosteren
the **grill room** de grillroom
the **grin¹** de grijns
grin² *ww* grijnzen
grind* malen · fijnmalen
the **grip¹** het houvast, de
greep · (*Am*) het handkoffertje
grip² *ww* grijpen
the **grit** het gruis
groan kreunen
the **grocer** de kruidenier ♦ ~'s

kruidenierswinkel
the **groceries** de kruidenierswaren
the **groin** de lies
the **groove** de groef
the **gross¹** ~ het gros
gross² *bn* grof · bruto
the **grotto** ~*es*, ~*s* de grot
the **ground¹** de bodem, de
grond ♦ ~ *floor* begane
grond; ~*s* terrein
ground² *ww* zie grind
the **group** de groep
the **grouse** ~ het korhoen
the **grove** het bosje
grow groeien · kweken ·
worden
growl grommen
the **grown-up¹** de volwassene
grown-up² *bn* volwassen
the **growth** de groei · het gezwel
grow up opgroeien
grudge misgunnen
grumble mopperen
the **GSM** de gsm
the **guarantee¹** de garantie ·
de waarborg
guarantee² *ww* garande-

ren

the **guarantee card** het giropasje

the **guaranteed Giro cheque** de girobetaalkaart

the **guarantor** de borg

guard¹ de bewaker

guard² ww bewaken

the **guardian** de voogd

the **guess¹** de gissing

guess² ww raden · denken, gissen

the **guest** de logé, de gast

the **guest house** het pension

the **guest room** de logeerkamer

the **guide¹** de gids

guide² ww leiden

the **guidebook** de gids

the **guide dog** de geleidehond

the **guilt** de schuld

guilty schuldig

the **guinea pig** de cavia

the **guitar** de gitaar

the **gulf** de golf

the **gull** de meeuw

the **gullet** de slokdarm

the **gum** het tandvlees · de gom · de lijm

the **gun** het geweer, de revolver · het kanon

the **gunpowder** het kruit

the **gust** de windstoot

gusty winderig

the **gut** de darm ♦ ~s lef

the **gutter** de goot

the **guy** de vent

the **gymnasium** ~s, -sia de gymnastiekzaal

the **gymnast** de gymnast

the **gymnastics** de gymnastiek

the **gynaecologist** de gynaecoloog, de vrouwenarts

the **haberdashery** de garen-en-bandwinkel

the **habit** de gewoonte

habitable bewoonbaar

habitual gewoon

had zie have

the **haddock** ~ de schelvis

the **haemorrhage** de bloeding

the **haemorrhoids** de aambeien

the **hail** de hagel

the **hailstone** de hagelsteen

the **hair** het haar ♦ ~ cream haarcrème; ~ piece haarstukje; ~ *tonic* haartonic

the **hairbrush** de haarborstel

the **hairdo** het kapsel, de coiffure

the **hairdresser** de kapper

the **hairdryer** de haardroger

the **hairgrip** de haarspeld

the **hairnet** het haarnetje

hair oil de haarolie

the **hairpin** de haarspeld

the **hairspray** de haarlak

hairy harig

halal halal

the **half¹** *halves* de helft

half² *bn* half

the **half-time** de rust

halfway halverwege

the **halibut** ~ de heilbot

the **hall** de hal · de zaal

halt stoppen

halve halveren

the **ham** de ham

the **hamburger** de hamburger

the **hamlet** het gehucht

the **hammer** de hamer

the **hammock** de hangmat

the **hamper** de mand

the **hand¹** de hand ◆ ~ *cream* handcrème

hand² *ww* aangeven

the **handbag** de handtas

the **handbook** het handboek

the **handbrake** de handrem

the **handcuffs** de handboeien

the **handful** de handvol

the **handicraft** de handenarbeid · het handwerk

the **handkerchief** de zakdoek

the **handle¹** de steel, het handvat

handle² *ww* hanteren · behandelen

hand-made met de hand gemaakt

the **handshake** de handdruk

handsome knap

the **handwork** het handwerk

the **handwriting** het handschrift

handy handig

hang* ophangen · hangen

the **hanger** de kleerhanger

the **hangover** de kater

happen voorkomen, gebeuren

the **happening** de gebeurtenis

the **happiness** het geluk

happy blij, gelukkig

the **harbour** de haven

hard hard · moeilijk ◆ ~*ly* nauwelijks

the **hard disk** de harddisk

the **hard shoulder** de vluchtstrook

the **hardware** de ijzerwaren · de hardware ◆ ~ *store* handel in ijzerwaren

the **hare** de haas

the **harm¹** de schade · het kwaad

harm² ww schaden

harmful nadelig, schadelijk

harmless onschadelijk

the **harmony** de harmonie

the **harp** de harp

the **harpsichord** de klavecimbel

harsh ruw · streng · wreed

the **harvest** de oogst

has zie have

the **hash** de hasj

the **haste** de spoed, de haast

hasten zich haasten

hasty haastig

the **hat** de hoed ◆ ~ *rack* kapstok

the **hatch** het luik

the **hate¹** de haat

hate² ww een hekel hebben aan · haten

the **hatred** de haat

haughty hooghartig

haul slepen

have* hebben · laten ◆ ~* *to* moeten

the **haversack** de broodzak

the **hawk** de havik · de valk

the **hay** het hooi ◆ ~ *fever* hooikoorts

the **hazard** het risico

the **haze** de nevel · het waas

the **hazelnut** de hazelnoot

hazy heiig · wazig

he hij

H.E. *(His/Her Excellency)* Zijne/Hare Excellentie

the **head¹** het hoofd · de kop · de schuimkraag ◆ ~ *of state* staatshoofd; ~ *teacher* schoolhoofd, hoofdonderwijzer

head² ww leiden

the **headache** de hoofdpijn

the **heading** de titel

the **headlamp** de koplamp

the **headland** de landtong

the **headlight** de koplamp

the **headline** de kop

the **headmaster** het schoolhoofd · de rector, de directeur

the **headquarters** het hoofdkwartier

head-strong koppig

the **head waiter** de maître d'hôtel

heal genezen

the **health** de gezondheid ♦ ~ *centre* consultatiebureau; ~ *certificate* gezondheidsattest

healthy gezond

the **heap** de stapel, de hoop

hear horen

the **hearing** het gehoor

the **heart** het hart · de kern ♦ *by* ~ uit het hoofd; ~ *attack* hartaanval

the **heartburn** het maagzuur

the **hearth** de haard

heartless harteloos

hearty hartelijk

the **heat¹** de warmte, de hitte

heat² *ww* verwarmen ♦ ~*ing pad* elektrisch kussen

the **heater** de kachel ♦ *immersion* ~ dompelaar

the **heath** de heide

the **heather** de heide

the **heating** de verwarming

the **heatwave** de hittegolf

the **heaven** de hemel

heavy zwaar

the **Hebrew** het Hebreeuws

the **hedge** de heg

the **hedgehog** de egel

the **heel** de hiel · de hak

the **height** de hoogte · het toppunt, het hoogtepunt

the **helicopter** de helikopter

the **hell** de hel

hello hallo

hello! hallo! · dag!

the **helm** het roer

the **helmet** de helm

the **helmsman** de stuurman

the **help¹** de hulp

help² *ww* helpen

the **helper** de helper

helpful hulpvaardig

the **helping** de portie

the **hem** de zoom

the **hemp** de hennep

the **hen** de hen · de kip

henceforth voortaan

her haar

the **herb** het kruid

the **herd** de kudde

here hier ♦ ~ *you are* alstublieft

hereditary erfelijk

the **hernia** de breuk

the **hero** ~*es* de held

the **heroin** de heroïne

the **heron** de reiger

the **herring** ~, ~*s* de haring

herself zich · zelf

hesitate aarzelen

heterosexual heteroseksueel

H.H. *(His Holiness)* Zijne Heiligheid

hi hoi

the **hiccup** de hik

the **hide¹** de huid

hide²* verbergen · verstoppen

hideous afschuwelijk

the **hierarchy** de hiërarchie

high hoog

the **highway** de hoofdweg · *(Am)* de autoweg

hijack kapen

the **hijacker** de kaper

hike trekken

the **hill** de heuvel

the **hillock** het lage heuvel

the **hillside** de helling

the **hilltop** de heuveltop

hilly heuvelachtig

him hem

himself zich · zelf

hinder hinderen

the **Hinduism** het hindoeïsme

the **hinge** het scharnier

the **hip** de heup

hire huren ♦ *for* ~ te huur

the **hire purchase** de huurkoop

his zijn

the **historian** de geschiedkundige

historic historisch

historical geschiedkundig

the **history** de geschiedenis

the **hit¹** de hit

hit²* slaan · raken, treffen

hitchhike liften

the **hitchhiker** de lifter

HIV hiv

HIV-positive seropositief

H.M. *(His/Her Majesty)* Zijne/Hare Majesteit

H.M.S. *(Her Majesty's ship)* Hare Majesteits schip (Brits oorlogsschip)

hoarse schor, hees

the **hobby** de liefhebberij, de hobby

the **hobby horse** het stokpaardje

the **hockey** het hockey

hoist hijsen

the **hold¹** het ruim

hold² ww vasthouden, houden ♦ ~ *on* zich vasthouden; ~ *up* ondersteunen

the **hold-up** de overval

the **hole** de kuil, het gat

the **holiday** de vakantie · de feestdag ♦ ~ *camp* vakantiekamp; ~ *resort* vakantieoord; *on* ~ met vakantie

Holland Holland

hollow hol

holy heilig

the **homage** de hulde

the **home¹** het thuis · het tehuis, het huis

home² bn thuis, naar huis ♦ *at* ~ thuis

home-made eigengemaakt

the **homesickness** het heimwee

homoeopathic homeopathisch

homosexual homoseksueel

honest eerlijk · oprecht

the **honesty** de eerlijkheid

the **honey** de honing

the **honeymoon** de huwelijksreis, de wittebroodsweken

honk *(Am)* claxonneren

the **honour¹** de eer

honour² ww eren, huldigen

honourable eervol, eerzaam · rechtschapen

the **hood** de kap · *(Am)* de motorkap

the **hoof** de hoef

the **hook** de haak

hoot claxonneren

the **hooter** de claxon

hoover stofzuigen

the **hop¹** de hop · de sprong

hop² ww huppelen

the **hope¹** de hoop

hope² ww hopen

hopeful hoopvol

hopeless hopeloos

the **horizon** de kim, de horizon

horizontal horizontaal

the **horn** de hoorn · de claxon

horrible vreselijk · verschrikkelijk, gruwelijk, afschuwelijk

the **horror** het afgrijzen, de afschuw

the **hors-d'oeuvre** de hors-d'oeuvre, het voorgerecht

the **horse** het paard

the **horseman** -men de ruiter

the **horsepower** de paardenkracht

the **horserace** de harddraverij

the **horseradish** de mierikswortel

the **horseshoe** het hoefijzer

the **horticulture** de tuinbouw

the **hosiery** de tricotgoederen

hospitable gastvrij

the **hospital** het hospitaal, het ziekenhuis

the **hospitality** de gastvrijheid

the **host** de gastheer

the **hostage** de gijzelaar

the **hostel** de herberg

the **hostess** de gastvrouw

hostile vijandig

hot warm, heet · gekruid

the **hotel** het hotel ♦ ~ *voucher* hotelbon

hot-tempered driftig

the **hour** het uur

hourly uur

the **house** het huis · de woning · het pand ♦ ~ *agent* makelaar; *(Am)* ~ *block* huizenblok; *public* ~ kroeg

the **houseboat** de woonboot

the **household** het huishouden

the **housekeeper** de huishoudster

the **housekeeping** het huishouden

the **housemaid** de dienstmeisje

the **housewife** de huisvrouw

the **housework** het huishouden

the **hovercraft** de hovercraft

how hoe · wat ♦ ~ *many*
hoeveel; ~ *much* hoeveel

however evenwel, echter

hp *(horsepower)* paardenkracht

the **hug¹** de omhelzing

hug² *ww* omhelzen

huge geweldig, enorm,
reusachtig

hum neuriën

human menselijk ♦ ~ *being* menselijk wezen

the **humanity** de mensheid

humble nederig

humid vochtig

the **humidity** de vochtigheid

humorous grappig, geestig, humoristisch

the **humour** de humor

hundred honderd

the **Hungarian¹** de Hongaar

Hungarian² *bn* Hongaars

Hungary Hongarije

the **hunger** de honger

hungry hongerig

the **hunt¹** de jacht

hunt² *ww* jagen ♦ ~ *for*
zoeken

the **hunter** de jager

the **hurricane** de orkaan ♦ ~
lamp stormlamp

the **hurry¹** de haast ♦ *in a* ~
haastig

hurry² *ww* opschieten,
zich haasten

hurt* pijn doen, bezeren ·
kwetsen

hurtful schadelijk

the **husband** de echtgenoot,
de man

the **hut** de hut

Hwy *(highway)* autoweg

the **hydrogen** de waterstof

the **hygiene** de hygiëne

hygienic hygiënisch

the **hymn** het gezang

the **hyperventilation** de hyperventilatie

the **hyphen** het koppelteken

the **hypocrisy** de huichelarij

the **hypocrite** de huichelaar

hypocritical huichelachtig, hypocriet, schijnheilig

hysterical hysterisch

I ik

the **ice** het ijs ♦ *black* ~ ijzel

the **ice bag** de koeltas

the **ice cream** het ijs, het ijsje

Iceland IJsland

the **Icelander** de IJslander

Icelandic IJslands

the **icon** de icoon

ICT ICT

the **idea** het, de idee · de inval, de gedachte · het denkbeeld, het begrip

the **ideal¹** het ideaal

ideal² *bn* ideaal

identical identiek

the **identification** de identificatie

identify identificeren

the **identity** de identiteit ♦ *card* identiteitskaart

the **idiom** het idioom

idiomatic idiomatisch

the **idiot** de idioot

idiotic idioot

idle werkeloos · lui · ijdel

the **idol** de afgod · het idool

i.e. *(that is to say)* d.w.z., dat wil zeggen

if als · indien

the **ignition** de ontsteking ♦ ~ *coil* ontsteking

ignorant onwetend

ignore negeren

ill ziek · slecht · kwaad

illegal illegaal, onwettig

illegible onleesbaar

the **illiterate** de analfabeet

the **illness** de ziekte

illuminate verlichten

the **illumination** de verlichting

the **illusion** de illusie · het droombeeld

illustrate illustreren

the **illustration** de illustratie

the **image** het beeld

imaginary denkbeeldig

the **imagination** de verbeelding

imagine zich voorstellen · zich verbeelden · zich indenken

the **imam** de imam

imitate nabootsen, imiteren

the **imitation** de namaak, de imitatie

immediate onmiddellijk

immediately meteen, dadelijk, onmiddellijk

immense oneindig, reusachtig, onmetelijk

the **immigrant** de immigrant, de allochtoon

immigrate immigreren

the **immigration** de immigratie

immodest onbescheiden

the **immunity** de immuniteit

immunize immuun maken

impartial onpartijdig

impassable onbegaanbaar

impatient ongeduldig

impede belemmeren

the **impediment** het beletsel

imperfect onvolmaakt

imperial keizerlijk · rijks-

impersonal onpersoonlijk

the **impertinence** de onbeschaamdheid

impertinent brutaal, on-

beschoft, onbeschaamd

the **implement**[1] het werktuig, het gereedschap

implement[2] ww uitvoeren

imply impliceren · inhouden

impolite onbeleefd

the **import**[1] de import, de invoer ♦ ~ *duty* invoerrecht

import[2] ww invoeren, importeren

the **importance** het belang

important gewichtig, belangrijk

the **importer** de importeur

imposing indrukwekkend

impossible onmogelijk

the **impotence** de impotentie

impotent impotent

impound beslag leggen op

impress imponeren, indruk maken op

the **impression** de indruk

impressive indrukwekkend

imprison gevangenzetten

the **imprisonment** de gevangenschap

improbable onwaarschijnlijk

improper ongepast

improve verbeteren

the **improvement** de verbetering

improvise improviseren

impudent onbeschaamd

the **impulse** de impuls · prikkel

impulsive impulsief

in. *(inch)* duim (2,54 cm)

in¹ *bn* binnen

in² *vz* in · over, op

inaccessible ontoegankelijk

inaccurate onnauwkeurig

inadequate onvoldoende

Inc. *(incorporated)* naamloze vennootschap

incapable onbekwaam

the **incense** de wierook

the **incident** het incident

incidental toevallig

incite aansporen

incl. *(including, inclusive)* inclusief

the **inclination** de neiging

the **incline** de helling

inclined genegen, geneigd ♦ *be** ~ *to* neigen

include bevatten, insluiten ♦ ~*d* inbegrepen

inclusive inclusief

the **income** het inkomen

the **income tax** de inkomstenbelasting

incompetent onbekwaam

incomplete onvolledig, incompleet

inconceivable ondenkbaar

inconspicuous onopvallend

the **inconvenience** het ongemak, het ongerief

inconvenient ongelegen · lastig

incorrect onnauwkeurig, onjuist

the **increase¹** de toename · de verhoging

increase² *ww* vermeerderen · oplopen, toenemen

incredible ongelofelijk

incurable ongeneeslijk

indecent onfatsoenlijk

indeed inderdaad

indefinite onbepaald

the **indemnity** de schadeloosstelling, de schadevergoeding

the **independence** de onafhankelijkheid

independent onafhankelijk • zelfstandig

the **index** het register, de index ♦ ~ *finger* wijsvinger

India India

the **Indian¹** de indiaan

Indian² *bn* indiaans

indicate aangeven, aanduiden

the **indication** het teken, de aanwijzing

the **indicator** de richtingaanwijzer

indifferent onverschillig

the **indigestion** de indigestie

the **indignation** de verontwaardiging

indirect indirect

the **individual¹** de enkeling, het individu

individual² *bn* afzonderlijk, individueel

Indonesia Indonesië

the **Indonesian¹** de Indonesiër

Indonesian² *bn* Indonesisch

indoor binnen

indoors binnen

indulge toegeven

industrial industrieel ♦ ~ *area* industriegebied

industrious vlijtig

the **industry** de industrie

inedible oneetbaar

inefficient ondoeltreffend

inevitable onvermijdelijk

inexpensive goedkoop

inexperienced onervaren

the **infant** de zuigeling

the **infantry** de infanterie

the **infarct** de infarct

infect besmetten, aansteken

the **infection** de infectie

infectious besmettelijk

infer afleiden

inferior inferieur, minderwaardig • lager

infinite oneindig

the **infinitive** de onbepaalde wijs

the **infirmary** de ziekenzaal
inflammable ontvlambaar
the **inflammation** de ontsteking
inflatable opblaasbaar
inflate opblazen
the **inflation** de inflatie
the **influence¹** de invloed
influence² ww beïnvloeden
influential invloedrijk
the **influenza** de griep
inform informeren · inlichten, mededelen
informal informeel
the **information** de informatie · de inlichting, de mededeling ♦ ~ *bureau* inlichtingenkantoor
infrared infrarood
infrequent zeldzaam
the **ingredient** het ingrediënt, het bestanddeel
inhabit bewonen
inhabitable bewoonbaar
the **inhabitant** de inwoner · de bewoner
inhale inademen
inherit erven

the **inheritance** de erfenis
the **initial¹** de voorletter
initial² bn begin-, eerst
initial³ ww paraferen
the **initiative** het initiatief
inject inspuiten
the **injection** de injectie
injure verwonden, kwetsen · krenken
injured gewond
the **injury** de verwonding · het letsel, de blessure
the **injustice** het onrecht
the **ink** de inkt
the **inlet** de inham
the **inn** de herberg
inner inwendig ♦ ~ *tube* binnenband
the **inn keeper** de herbergier
the **innocence** de onschuld
innocent onschuldig
inoculate inenten
the **inoculation** de inenting
inquire navragen, informatie inwinnen
the **inquiry** de vraag, de navraag · het onderzoek ♦ ~ *office* informatiebureau
inquisitive nieuwsgierig

insane krankzinnig

the **inscription** de inscriptie

the **insect** het insect ◆ ~ *repellent* insectenwerend middel

the **insecticide** de insecticide

insensitive ongevoelig

insert invoegen

the **inside¹** de binnenkant

inside² *bn* binnenst · binnen · vanbinnen ◆ ~ *out* binnenstebuiten

inside³ *vz* in, binnen

the **insides** de ingewanden

the **insight** het inzicht

insignificant onbelangrijk · onbeduidend, nietsbetekenend · nietig

insist aandringen · aanhouden, volhouden

the **insolence** de onbeschaamdheid

insolent brutaal, onbeschaamd

the **insomnia** de slapeloosheid

inspect inspecteren

the **inspection** de inspectie · de controle

the **inspector** de inspecteur

inspire bezielen

install installeren

the **installation** de installatie

the **instalment** de afbetaling

the **instance** het voorbeeld · het geval ◆ *for* ~ bijvoorbeeld

the **instant** het ogenblik

instantly ogenblikkelijk, onmiddellijk, meteen

instead of in plaats van

the **instinct** het instinct

the **institute¹** het instituut · de instelling

institute² *ww* instellen

the **institution** de inrichting, de instelling

instruct onderrichten

the **instruction** het onderwijs

instructive leerzaam

the **instructor** de leraar

the **instrument** het instrument ◆ *musical* ~ muziekinstrument

insufficient onvoldoende

insulate isoleren

the **insulation** de isolatie

the **insulator** de isolator

the **insulin** de insuline

the **insult¹** de belediging

insult² ww beledigen

the **insurance** de assurantie, de verzekering ♦ ~ *policy* verzekeringspolis

insure verzekeren

intact intact

the **intellect** het intellect

intellectual intellectueel

the **intelligence** de intelligentie

intelligent intelligent

intend van plan zijn, bedoelen

intense intens · hevig

the **intensive care** de intensive care

the **intention** de bedoeling

intentional opzettelijk

interactive interactief

the **intercity** de intercity

the **intercourse** de omgang

the **interest¹** de interesse, de belangstelling · het belang · de rente

interest² ww interesseren ♦ ~*ed* geïnteresseerd, belangstellend

interesting interessant

interfere tussenbeide komen ♦ ~ *with* zich bemoeien met

the **interference** de inmenging

the **interim** de tussentijd

the **interior** de binnenkant

the **interlude** het intermezzo

the **intermediary** de tussenpersoon

the **intermission** de pauze

internal intern, inwendig

international internationaal

the **Internet** het internet ♦ *surf the Net* op het internet surfen

interpret tolken · vertolken

the **interpreter** de tolk

interrogate ondervragen

the **interrogation** het verhoor

interrogative vragend

interrupt onderbreken

the **interruption** de onderbreking

the **intersection** het kruispunt

the **interval** de pauze · de tussenpoos

intervene ingrijpen

the **interview** het interview, het vraaggesprek

the **intestine** de darm ♦ ~s ingewanden

intimate intiem

into in

intolerable onuitstaanbaar

intoxicated dronken

the **intrigue** het complot

introduce introduceren, voorstellen · inleiden · invoeren

the **introduction** de inleiding

invade binnenvallen

the **invalid¹** de invalide

invalid² bn ongeldig · invalide

the **invasion** de inval, de invasie

invent uitvinden · verzinnen

the **invention** de uitvinding

inventive vindingrijk

the **inventor** de uitvinder

the **inventory** de inventaris

invert omdraaien

invest investeren · beleggen

investigate onderzoeken

the **investigation** het onderzoek

the **investment** de investering · de belegging, de geldbelegging

the **investor** de investeerder

invisible onzichtbaar

the **invitation** de uitnodiging

invite inviteren, uitnodigen

the **invoice** de factuur

involve impliceren ♦ ~d betrokken

inwards naar binnen

the **iodine** het jodium

the **IQ** het IQ

Iran Iran

the **Iranian¹** de Iraniër

Iranian² bn Iraans

Iraq Irak

the **Iraqi¹** de Irakees

Iraqi² bn Iraaks

irascible driftig

Ireland Ierland

Irish Iers

the **Irishman** -*men* de Ier

the **iron¹** het ijzer · het strijk-ijzer · ijzeren

iron² *ww* strijken

ironic ironisch

the **ironworks** de hoogovens

the **irony** de ironie

irregular onregelmatig

irreparable onherstelbaar

irrevocable onherroepe-lijk

irritable prikkelbaar

irritate prikkelen, irrite-ren

irritating irritant

is zie be

the **Islam** de islam

Islamic islamitisch

the **island** het eiland

isolate isoleren

the **isolation** het isolement · de isolatie

Israel Israël

the **Israeli¹** de Israëliër

Israeli² *bn* Israëlisch

the **issue¹** de uitgifte, de op-lage, de uitgave · de kwestie, het punt · de uit-komst, het resultaat, het gevolg, het slot, het ein-de · de uitgang

issue² *ww* uitgeven

the **isthmus** de landengte

it het

the **Italian¹** de Italiaan

Italian² *bn* Italiaans

the **italics** het cursiefschrift

Italy Italië

the **itch¹** de jeuk · de kriebel

itch² *ww* jeuken

the **item** het artikel · het punt

itinerant rondreizend

the **itinerary** het reisplan, de reisroute

the **ivory** het ivoor

the **ivy** de klimop

the **jack** de krik

the **jacket** het jasje, de col-bert, het vest · de, het omslag

the **jacuzzi** het bubbelbad

the **jade** het, de jade

the **jail** de gevangenis

the **jailer** de cipier

the **jam** de jam · de verkeers-opstopping

the **janitor** de conciërge

January januari

Japan Japan

the **Japanese¹** de Japanner

Japanese² *bn* Japans

the **jar** de pot

the **jaundice** de geelzucht

the **jaw** de kaak

jealous jaloers

the **jealousy** de jaloezie

the **jeans** de spijkerbroek

the **jeep** de jeep

the **jelly** de gelei

the **jellyfish** de kwal

the **jet** de straal · het straalvliegtuig

the **jet lag** de jetlag

the **jet-ski** de jetski

the **jetty** de pier

the **Jew** de jood

the **jewel** het juweel

the **jeweller** de juwelier

the **jewellery** juwelen · de bijouterie

Jewish joods

the **job** het karwei · de betrekking, de baan

the **jockey** de jockey

join verbinden · zich voegen bij, zich aansluiten
bij · samenvoegen, verenigen

the **joint¹** het gewricht · de
las

joint² *bn* verenigd, gezamenlijk

jointly gezamenlijk

the **joke** de mop, de grap

jolly leuk

Jordan Jordanië

the **Jordanian¹** de Jordaniër

Jordanian² *bn* Jordaans

the **journal** het tijdschrift

the **journalism** de journalistiek

the **journalist** de journalist

the **journey** de reis

the **joy** het genot, de vreugde

joyful blij, vrolijk

the **jubilee** het jubileum

the **judge** de rechter · oordelen · beoordelen

the **judgment** het oordeel · de
beoordeling

the **judo** het judo

the **jug** de kan

the **juice** het sap

juicy sappig

July juli

the **jump¹** de sprong

jump² *ww* springen

the **jumper** de trui

the **junction** de kruising · het knooppunt

June juni

the **jungle** het oerwoud, de jungle

junior jonger

the **junk** de rommel

the **jury** de jury

just¹ *bn* terecht, rechtvaardig · juist

just² *bw* pas, zojuist · precies

the **justice** het recht · de gerechtigheid, de rechtvaardigheid

juvenile jeugdig

the **kangaroo** de kangoeroe

the **kayak** de kajak

the **keel** de kiel

keen enthousiast · scherp

keep* houden · bewaren · blijven ♦ ~* *away from* niet betreden; ~* *off* afblijven; ~* *on* doorgaan met; ~* *quiet* zwijgen; ~* *up* volhouden; ~* *up with* bijhouden

the **keg** het vaatje

Kenya Kenia

the **kerosene** de kerosine, de petroleum

the **kettle** de ketel

the **key** de sleutel

the **keyboard** het toetsenbord

the **keycard** de keycard

the **keyhole** het sleutelgat

the **khaki** het kaki

the **kick¹** de trap, de schop

kick² *ww* trappen, schoppen

the **kick-off** de aftrap

the **kid¹** het kind · het geitenleer

kid² *ww* beetnemen

the **kidney** de nier

kill ombrengen, doden

the **kilogram** het kilo

the **kilometre** de kilometer

the **kind¹** de, het soort

kind² *bn* aardig, vriendelijk · goed

the **kindergarten** de kleuterschool

the **king** de koning

the **kingdom** het koninkrijk · het rijk

the **kiosk** de kiosk

the **kiss¹** de zoen, de kus

kiss² ww kussen

the **kit** de uitrusting

the **kitchen** de keuken ♦ ~ *garden* moestuin

kite surf kitesurfen

the **kleenex** de papieren zakdoek

the **knapsack** de knapzak

the **knee** de knie

the **kneecap** de knieschijf

kneel* knielen

knew zie know

the **knickers** de onderbroek

the **knife** *knives* het mes

the **knight** de ridder

knit* breien

the **knob** de knop

the **knock¹** de klop

knock² ww kloppen ♦ ~ *against* stoten tegen; ~ *down* neerslaan

the **knot¹** de knoop

knot² ww knopen

know* weten, kennen

the **knowledge** de kennis

the **knuckle** de knokkel

the **Koran** de Koran

L.A. *(Los Angeles)* Los Angeles

the **label¹** het etiket

label² ww etiketteren

the **laboratory** het laboratorium

the **labour¹** het werk, de arbeid · weeën ♦ *(Am) labor permit* werkvergunning

labour² ww zwoegen

the **labourer** de arbeider

labour-saving arbeidbesparend

the **labyrinth** het doolhof

the **lace** het kant · de veter

the **lack¹** het gemis, het gebrek

lack² ww missen

the **lacquer** de lak

the **lad** de jongen, het joch

the **ladder** de ladder

the **lady** de dame ♦ *ladies' room* damestoilet

the **lagoon** de lagune

the **lake** het meer

the **lamb** het lam · het lamsvlees

lame lam, mank, kreupel

lamentable erbarmelijk

the **lamp** de lamp

the **lamp post** de lantaarn-paal

the **lampshade** de lampenkap

the **land**¹ het land

land² ww landen · aan land gaan

the **landing** de landing

the **landlady** de hospita

the **landlord** de huisbaas · de hospes

the **landmark** het baken · de mijlpaal

the **landscape** het landschap

the **lane** de steeg, het pad · de rijstrook

the **language** de taal ♦ ~ *laboratory* talenpracticum

the **lantern** de lantaarn

the **lapel** de revers

the **laptop** de laptop

the **larder** de provisiekast

large groot · ruim

the **lark** de leeuwerik

the **laryngitis** de keelontsteking

the **laser** de laser

last¹ bn laatst · vorig ♦ *at* ~ eindelijk; tenslotte, uit-

eindelijk

last² ww duren

lasting blijvend, duurzaam

the **latchkey** de huissleutel

late laat · te laat

lately de laatste tijd, onlangs, laatst

the **lather** het schuim

the **Latin** het Latijn

Latin America Latijns-Amerika

Latin American Latijns-Amerikaans

the **latitude** de breedtegraad

the **laugh**¹ de lach

laugh² ww lachen

the **laughter** het gelach

the **launch**¹ het motorschip

launch² ww inzetten · lanceren

the **launching** de tewaterlating

the **launderette** de wasserette

the **laundry** de wasserij · de was

the **lava** de lava

the **lavatory** het toilet

lavish kwistig

the **law** de wet · het recht ♦ ~ *court* gerecht

lawful wettig

the **lawn** het grasveld, het gazon

the **lawsuit** het proces, het geding

the **lawyer** de advocaat · de jurist

the **laxative** het laxeermiddel

lay* plaatsen, zetten, leggen ♦ ~* *bricks* metselen

the **layer** de laag

the **layman** de leek

lazy lui

the **lead¹** het lood

the **lead²** de voorsprong · de leiding · de riem

lead³* leiden

the **leader** de aanvoerder, de leider

the **leadership** het leiderschap

lead-free loodvrij

leading vooraanstaand, voornaamst

the **leaf** *leaves* het blad

the **leaflet** de folder

the **league** de bond

the **leak¹** het lek · de lekkage

leak² *ww* lekken

the **leakage** de lekkage

leaky lek

lean¹ mager

lean²* leunen

the **leap¹** de sprong

leap²* springen

the **leap year** het schrikkeljaar

learn* leren

the **learner** de beginneling, de beginner

the **lease¹** het huurcontract · de pacht

lease² *ww* verpachten, verhuren · huren

the **leash** de lijn

least geringst, minst · kleinst ♦ *at* ~ minstens; tenminste

the **leather** het leer · lederen, leren

leave¹* vertrekken, verlaten · laten ♦ ~* *behind* achterlaten; *out* weglaten

the **leave²** het verlof

the **Lebanese¹** de Libanees

Lebanese² *bn* Libanees
Lebanon Libanon
the **lecture** het college, de lezing
left¹ *bn* links
left² *ww* zie leave
left-hand links
left-handed linkshandig
the **leg** de poot, het been
the **legacy** de erfenis
legal wettig, wettelijk · juridisch
the **legalization** de legalisatie
the **legation** de legatie
legible leesbaar
the **Legionella** de legionella
legitimate wettig
legitimize legitimeren
the **leisure** vrije tijd · het gemak
the **lemon** de citroen
the **lemonade** de limonade
lend* lenen, uitlenen
the **length** de lengte
lengthen verlengen
lengthways in de lengte
the **lens** de lens ◆ *telephoto ~* telelens; *zoom ~* zoomlens

the **leprosy** de lepra
the **lesbian¹** de lesbienne
lesbian² *bn* lesbisch
less minder
lessen verminderen
the **lesson** de les
let* laten · verhuren ◆ *~* down* teleurstellen
the **letter** de brief · de letter ◆ *~ of credit* kredietbrief; *~ of recommendation* aanbevelingsbrief
the **letter box** de brievenbus
the **lettuce** de sla
the **level¹** het peil, het niveau · de waterpas
level² *bn* egaal · plat, vlak, effen, gelijk · gelijkvloers ◆ *~ crossing* overweg
level³ *ww* egaliseren, nivelleren
the **lever** de hefboom, de hendel
the **Levis** de jeans
the **levy** de heffing
the **liability** de aansprakelijkheid
liable aansprakelijk ◆ *~ to* onderhevig aan

liberal liberaal · mild, royaal, vrijgevig
the **liberation** de bevrijding
Liberia Liberia
the **Liberian¹** de Liberiaan
Liberian² bn Liberiaans
the **liberty** de vrijheid
the **library** de bibliotheek
the **licence** de licentie · de vergunning ♦ driving ~ rijbewijs; (Am) ~ number kenteken; (Am) ~ plate nummerbord
license een vergunning verlenen
lick likken
the **lid** het deksel
the **lie¹** de leugen
lie² ww liegen · liggen ♦ ~ down gaan liggen
the **life** lives het leven ♦ ~ insurance levensverzekering
the **lifebelt** de reddingsgordel
the **lifetime** het leven
the **lift¹** de lift
lift² ww optillen
the **light¹** het licht ♦ ~ bulb peer

light² bn licht
light³* aansteken
the **lighter** de aansteker
the **lighthouse** de vuurtoren
the **lighting** de verlichting
the **lightning** de bliksem
like¹ bn gelijk
like² ww houden van · mogen, lusten
like³ vz als
like⁴ vw zoals
likely waarschijnlijk
like-minded gelijkgezind
likewise evenzo, eveneens
liking de voorliefde, de voorkeur
the **lily** de lelie
the **limb** de ledemaat
the **lime** de kalk · de linde · de limoen
the **limetree** de linde
the **limit¹** de limiet
limit² ww beperken
limp¹ bn slap
limp² ww hinken
the **line** de regel · de streep · het snoer · de lijn · de rij ♦ (Am) stand in ~ in de rij

staan

the **linen** het linnen · het linnengoed

the **liner** de lijnboot

the **lingerie** de lingerie

the **lining** de voering

the **link¹** de verbinding · de schakel

link² ww verbinden

the **lion** de leeuw

the **lip** de lip

the **lipsalve** de lippenboter

the **lipstick** de lippenstift

the **liqueur** de likeur

the **liquid¹** de vloeistof

liquid² bn vloeibaar

the **liquor** de sterkedrank

the **liquorice** de drop

the **list¹** de lijst

list² ww noteren

listen aanhoren, luisteren

the **listener** de luisteraar

listless sloom

lite light

literary letterkundig, literair

the **literature** de literatuur

the **litre** de liter

the **litter** het afval · de rom-

mel · het nest

little klein · weinig

live¹ bn levend · live

live² ww leven · wonen

the **livelihood** de kost · het levensonderhoud

lively levendig

the **liver** de lever

the **living room** de huiskamer, de woonkamer

the **load¹** de lading · de last

load² ww laden

the **loaf** loaves het brood

the **loan** de lening

the **lobby** de hal · de foyer

the **lobster** de kreeft

local lokaal, plaatselijk ◆ ~ call lokaal gesprek; ~ train stoptrein

the **locality** de plaats

locate plaatsen

the **location** de ligging

the **lock¹** het slot · de sluis

lock² ww op slot doen ◆ ~ up opsluiten

the **locomotive** de locomotief

the **lodge¹** het jachthuis

lodge² ww herbergen

the **lodger** de kamerbewoner

the **lodgings** het logies
the **log** het houtblok
the **logic** de logica
logical logisch
log in inloggen
log off uitloggen
log on inloggen
lonely eenzaam
long lang · langdurig ♦ ~ *for* verlangen naar; *no ~er* niet meer
the **longing** het verlangen
the **longitude** de lengtegraad
the **look¹** het kijkje, de blik · het uiterlijk, het voorkomen
look² ww kijken · lijken, eruitzien ♦ ~ *after* verzorgen, zorgen voor, passen op; ~ *at* aankijken, kijken naar; ~ *for* zoeken; ~ *out* uitkijken, oppassen; ~ *up* opzoeken
the **looking glass** de spiegel
the **loop** de lus
loose los
loosen losmaken
the **lord** de lord
the **lorry** de vrachtwagen

lose* kwijtraken, verliezen
the **loss** het verlies
lost verdwaald · weg ♦ ~ *and found* gevonden voorwerpen; ~ *property office* bureau voor gevonden voorwerpen
the **lot** het lot · de hoop, de boel
the **lotion** de lotion ♦ *aftershave* ~ aftershave
the **lottery** de loterij
loud hard, luid
the **loudspeaker** de luidspreker
the **lounge** de salon
the **louse** *lice* de luis
the **love¹** de liefde ♦ *in* ~ verliefd
love² ww houden van, liefhebben
lovely heerlijk, prachtig, mooi
the **lover** de minnaar
the **love story** de liefdesgeschiedenis
low laag · diep · neerslachtig ♦ ~ *tide* eb

lower¹ bn onderst, lager

lower² ww neerlaten · verlagen · strijken

the **lowlands** het laagland

low-salt zoutarm

loyal loyaal

LPG lpg

Ltd. *(limited)* naamloze vennootschap

lubricate oliën, smeren

the **lubrication** de smering ◆ ~ *oil* smeerolie; ~ *system* smeersysteem

the **luck** het geluk · het toeval ◆ *bad* ~ pech

the **lucky charm** de amulet

ludicrous belachelijk, bespottelijk

the **luggage** de bagage ◆ *hand* ~ handbagage; *left* ~ *office* bagagedepot; ~ *rack* bagagerek, bagagenet; ~ *van* bagagewagen

lukewarm lauw

the **lumbago** het spit

luminous lichtgevend

the **lump** het brok, de klont, het stuk · de bult ◆ ~ *of sugar* suikerklontje; ~ *sum* ronde som

lumpy klonterig

the **lunacy** de krankzinnigheid

the **lunatic¹** de krankzinnige

lunatic² bn krankzinnig

the **lunch** de lunch, het middageten

the **lung** de long

the **lust** de wellust

luxurious luxueus

the **luxury** de luxe

the **machine** het apparaat, de machine

the **machinery** de machinerie · het mechanisme

the **mackerel** ~ de makreel

the **mackintosh** de regenjas

mad krankzinnig, waanzinnig, gek · kwaad

madam mevrouw

the **madness** de waanzin

the **magazine** het blad

the **magic¹** de toverkunst, de magie

magic² bn tover-

the **magician** de goochelaar

the **magistrate** de magistraat

the **magnet** ~*s* de magneet

magnetic magnetisch

magnificent prachtig · groots, luisterrijk

the **magpie** de ekster

the **maid** het dienstmeisje

the **maiden name** de meisjesnaam

the **mail**¹ de post · de mail ♦ *(Am)* ~ *order* postwissel

mail² *ww* posten

the **mailbox** *(Am)* de brievenbus

main hoofd-, voornaamst · grootst ♦ ~ *deck* bovendek; ~ *line* hoofdlijn; ~ *road* hoofdweg; ~ *street* hoofdstraat

the **mainland** het vasteland

mainly hoofdzakelijk

the **mains** de hoofdleiding

maintain handhaven

the **maintenance** het onderhoud

the **maize** de mais

the **major**¹ de majoor

major² *bn* groter · grootst

the **majority** de meerderheid

make maken · verdienen · halen ♦ ~ *do with* zich behelpen met; ~ *good* vergoeden; ~ *up* opstellen

the **make-up** de make-up

the **malaria** de malaria

the **Malay** het Maleis

Malaysia Maleisië

Malaysian Maleisisch

male mannelijk

malicious boosaardig

malignant kwaadaardig

the **mallet** de houten hamer

the **malnutrition** de ondervoeding

the **mammal** het zoogdier

the **mammoth** de mammoet

the **man** *men* de man · de mens ♦ *men's room* herentoilet

manage beheren · slagen

manageable hanteerbaar

the **management** de directie · het beheer

the **manager** de chef, de directeur

mand herstellen, repareren

the **mandarin** de mandarijn

the **mandate** het mandaat

the **manger** de kribbe

the **manicure¹** de manicure

manicure² ww manicuren

the **mankind** de mensheid

the **mannequin** de mannequin

the **manner** de wijze, de manier ♦ ~s manieren

the **man-of-war** het oorlogsschip

the **manor house** het herenhuis

the **mansion** het herenhuis

the **manual** het handboek

manufacture vervaardigen, fabriceren

the **manufacturer** de fabrikant

the **manure** de mest

the **manuscript** het manuscript

many veel

the **map** de kaart · de landkaart · de plattegrond

the **maple** de esdoorn

the **marble** het marmer · de
knikker

March maart

the **march¹** de mars

march² ww marcheren

the **mare** de merrie

the **margarine** de margarine

the **margin** de kantlijn, de
marge

maritime maritiem

the **mark¹** het merkteken · het
cijfer · de schietschijf

mark² ww aankruisen ·
merken · kenmerken

the **market** de markt

the **market place** het marktplein

the **marmalade** de marmelade

the **marriage** het huwelijk

the **marrow** het merg

marry huwen, trouwen ♦
married couple echtpaar

the **marsh** het moeras

marshy moerassig

the **martyr** de martelaar

the **marvel¹** het wonder

marvel² ww zich verbazen

marvellous prachtig

the **mascara** de mascara

masculine mannelijk

mash fijnstampen

the **mask** het masker

the **mass** de mis · de massa ♦

~ *production* massaproductie

the **massage¹** de massage

massage² *ww* masseren

the **masseur** de masseur

massive massief

the **mast** de mast

the **Master** de master

the **master¹** de meester · de baas · de leraar, de onderwijzer

master² *ww* beheersen

the **masterpiece** het meesterwerk

the **mat¹** de mat · de onderzetter

mat² *bn* mat, dof

the **match¹** de lucifer · de wedstrijd

match² *ww* passen bij

the **match box** het lucifersdoosje

the **material¹** het materiaal · de stof

material² *bn* stoffelijk, materieel

mathematical wiskundig

the **mathematics** de wiskunde

matrimonial echtelijk

the **matrimony** de echt

the **matter¹** de stof, de materie · de aangelegenheid, de kwestie, de zaak ♦ *as a ~ of fact* feitelijk, eigenlijk

matter² *ww* van belang zijn

matter-of-fact nuchter

the **mattress** de matras

mature volgroeid

the **maturity** de rijpheid

the **mausoleum** het mausoleum

mauve lichtpaars

the **maximum¹** het maximum

maximum² *bn* maximaal

may* kunnen · mogen

May mei

maybe misschien

the **mayonnaise** de mayonaise

the **mayor** de burgemeester

the **maze** het doolhof

M.D. *(Doctor of Medicine)* arts

me me, mij

the **meadow** de wei

the **meal** de maaltijd, het

maal

the **mean¹** het gemiddelde

mean² *bn* gemeen

mean³ *ww* betekenen · bedoelen · menen

the **meaning** de betekenis

meaningless nietszeggend

the **means** het middel ◆ *by no* ~ zeker niet, geenszins

in the meantime inmiddels, ondertussen

meanwhile intussen, ondertussen

the **measles** de mazelen

the **measure¹** de maat · de maatregel

measure² *ww* meten

the **meat** het vlees

the **mechanic** de monteur

mechanical mechanisch

the **mechanism** het mechanisme

the **medal** de medaille

mediate bemiddelen

the **mediator** de bemiddelaar

medical geneeskundig, medisch

the **medicine** het geneesmiddel · de geneeskunde

medieval middeleeuws

meditate mediteren

Mediterranean Middellandse Zee

medium middelmatig, gemiddeld, midden

meet* ontmoeten · tegenkomen · kennismaken

the **meeting** de vergadering, de bijeenkomst · de ontmoeting

the **meeting place** het trefpunt

the **melancholy** de weemoed

mellow zacht

the **melodrama** het melodrama

the **melody** de melodie

the **melon** de meloen

melt smelten

the **member** het lid ◆ *Member of Parliament* kamerlid

the **membership** het lidmaatschap

the **memo** ~*s* het memorandum

memorable gedenkwaardig

the **memorial** het gedenkteken

memorize uit het hoofd leren

the **memory** het geheugen · de herinnering · de nagedachtenis

the **meningitis** de hersenvliesontsteking

the **menstruation** de menstruatie

mental geestelijk

the **mention¹** de melding, de vermelding

mention² ww noemen, vermelden

the **menu** de menukaart

the **merchandise** de handelswaar, de koopwaar

the **merchant** de handelaar, de koopman

merciful barmhartig

the **mercury** het kwik

the **mercy** de genade, de clementie

mere louter

merely slechts

the **merger** de fusie

the **merit¹** de verdienste

merit² ww verdienen

the **mermaid** de zeemeermin

merry vrolijk

the **merry-go-round** de draaimolen

the **mesh** de maas

the **mess** de rommel, de warboel ♦ ~ up bederven

the **message** de boodschap, het bericht

the **messenger** de bode

the **metabolism** de stofwisseling

the **metal** het metaal · metalen

the **meter** de meter

the **method** de aanpak, de methode · de orde

methodical methodisch

the **methylated spirits** de brandspiritus

the **metre** de meter

metric metrisch

the **Mexican¹** de Mexicaan

Mexican² bn Mexicaans

Mexico Mexico

the **mezzanine** de entresol

the **microphone** de microfoon

the **microwave** de magnetron

the **midday** de middag

the **middle**[1] het midden

middle[2] bn middelst ◆ *Middle Ages* middeleeuwen

middle-class burgerlijk

the **midnight** de middernacht

the **midst** het midden

the **midsummer** de midzomer

the **midwife** *-wives* de vroedvrouw

might[1]* kunnen

the **might**[2] de macht

mighty machtig

the **migraine** de migraine

mild zacht

the **mildew** de schimmel

the **mile** de mijl

the **mileage** de afstand in mijlen

the **milepost** de wegwijzer

the **milestone** de mijlpaal

the **milieu** het milieu

military militair ◆ *~ force* krijgsmacht

the **milk** de melk

the **milkman** *-men* de melkboer

the **milk shake** de milkshake

the **mill** de molen · de fabriek

the **miller** de molenaar

the **milliner** de modiste

the **million** het miljoen

the **millionaire** de miljonair

mince fijnhakken

the **mincemeat** het gehakt

the **mind**[1] de geest

mind[2] ww bezwaar hebben tegen · letten op, geven om

the **mine** de mijn

the **miner** de mijnwerker

the **mineral** de delfstof, het mineraal ◆ *~ water* mineraalwater

the **miniature** de miniatuur

minimal minimaal

the **minimum** het minimum

the **mining** de mijnbouw

the **minister** de minister · de predikant ◆ *Prime Minister* premier

the **ministry** het ministerie

the **mink** het nerts

the **minor**[1] de minderjarige

minor[2] bn klein, gering, kleiner · ondergeschikt

the **minority** de minderheid

the **mint** de munt

minus min

the **minute¹** de minuut ◆ ~s notulen

minute² bn minuscuul

the **miracle** het wonder

miraculous wonderbaarlijk

the **mirror** de spiegel

misbehave zich misdragen

the **miscarriage** de miskraam

miscellaneous gemengd

the **mischief** het kattenkwaad · het onheil, de schade, het kwaad

mischievous ondeugend

miserable beroerd, ellendig

the **misery** de narigheid, de ellende · de nood

the **misfortune** de tegenslag, het ongeluk

mislay* kwijtraken

misplaced misplaatst

mispronounce verkeerd uitspreken

miss missen

missing ontbrekend ◆ ~

person vermiste

the **mist** de nevel, de mist

the **mistake¹** het abuis, de vergissing, de fout

mistake²* verwarren

mistaken fout ◆ *be** ~ zich vergissen

mister meneer, mijnheer

the **mistress** vrouw des huizes · de meesteres · de maîtresse

mistrust wantrouwen

misty mistig

misunderstand* misverstaan

the **misunderstanding** het misverstand

the **misuse** het misbruik

the **mittens** de wanten

mix mengen ◆ ~ *with* omgaan met

mixed gemêleerd, gemengd

the **mixer** de mixer

the **mixture** het mengsel

moan kreunen, mopperen, zeuren

the **moat** de gracht

the **mobile¹** het mobieltje, de

gsm
mobile² *bn* beweeglijk, mobiel

the **mocha coffee** de mokka

mock bespotten

the **mockery** de spot

the **model¹** het model · de mannequin

model² *ww* modelleren, boetseren

moderate gematigd, matig · middelmatig

modern modern

modest discreet, bescheiden

the **modesty** de bescheidenheid

modify wijzigen

the **mohair** het mohair

moist nat, vochtig

moisten bevochtigen

the **moisture** de vochtigheid ◆ *moisturizing cream* vochtinbrengende crème

the **molar** de kies

the **mole** de mol

the **moment** het moment, het ogenblik

momentary kortstondig

the **monarch** de vorst

the **monarchy** de monarchie

the **monastery** het klooster

the **Monday** de maandag

monetary monetair ◆ ~ *unit* munteenheid

the **money** het geld ◆ ~ *exchange* wisselkantoor; ~ *order* overschrijving

the **monk** de monnik

the **monkey** de aap

the **monologue** de monoloog

the **monopoly** het monopolie

monotonous eentonig

the **month** de maand

monthly maandelijks ◆ ~ *magazine* maandblad

the **monument** het gedenkteken, het monument

the **mood** het humeur, de stemming

the **moon** de maan

the **moonlight** het maanlicht

the **moor** de heide, het veen

the **moose** ~, ~s de eland

the **moped** de bromfiets

the **moral¹** de moraal ◆ ~*s* zeden

moral² *bn* zedelijk, moreel

the **morality** de moraliteit
more meer ♦ *once* ~ nogmaals
moreover voorts, bovendien
the **morning** de ochtend, de morgen ♦ ~ *paper* ochtendblad; *this* ~ vanmorgen
the **morning-after pill** de morning-afterpil
the **Moroccan**[1] de Marokkaan
Moroccan[2] *bn* Marokkaans
Morocco Marokko
the **morphine** de morfine
the **morsel** het brok
mortal dodelijk, sterfelijk
the **mortgage** de hypotheek
the **mosaic** het mozaïek
the **moslima** de moslima
the **mosque** de moskee
the **mosquito** ~*es* de mug · de muskiet
the **mosquito net** het muskietennet
the **moss** het mos
most meest ♦ *at* ~ hoogstens, hooguit; ~ *of all*

vooral
mostly meestal
the **motel** het motel
the **moth** de mot
the **mother** de moeder ♦ *tongue* moedertaal
the **mother-in-law** *mothers-* de schoonmoeder
the **mother-of-pearl** het paarlemoer
the **motion** de beweging · de motie
the **motive** het motief
the **motor**[1] de motor ♦ *(Am)* ~ *body* carrosserie; *starter* ~ startmotor
motor[2] *ww* autorijden
the **motorbike** de motorfiets · de brommer
the **motorboat** de motorboot
the **motorcar** de auto
the **motorcycle** de motorfiets
the **motoring** het automobilisme
the **motorist** de automobilist
the **motorway** de snelweg
the **motto** ~*es*, ~*s* het devies
mouldy beschimmeld
the **mound** de heuvel

the **mount¹** de berg
mount² ww bestijgen

the **mountain** de berg ♦ ~ *bike* mountainbike; ~ *pass* bergpas; ~ *range* bergketen

the **mountaineering** de bergsport

mountainous bergachtig

the **mourning** de rouw

the **mouse** *mice* de muis

the **moustache** de snor

the **mouth** de mond · de muil, de bek · de monding

the **mouthwash** de mondspoeling

movable roerend

the **move¹** de zet, de stap · de verhuizing
move² ww bewegen · verplaatsen · verhuizen · ontroeren

the **movement** de beweging

the **movie** de film ♦ *(Am)* ~*s* bioscoop; *(Am)* ~ *theater* bioscoop

M.P. *(Member of Parliament)* lid van het Lagerhuis (Engeland)

mph *(miles per hour)* (Engelse) mijl per uur

Mr. *(Mister)* meneer

Mrs. *(Missis)* mevrouw

Ms. *(Missis/Miss)* mevrouw/mejuffrouw

much veel ♦ *as* ~ evenveel; evenzeer

the **muck** de drek

the **mucus** het slijm

the **mud** de modder

the **muddle¹** de wirwar, de warboel
muddle² ww verknoeien
muddy modderig

the **mudguard** het spatbord

the **muesli** de muesli

the **muffler** *(Am)* de knalpot

the **mug** de beker, de kroes

the **mulberry** de moerbei

the **mule** het muildier, de muilezel

the **mullet** de mul

the **multiplication** de vermenigvuldiging

multiply vermenigvuldigen

the **mumps** de bof

municipal gemeentelijk

the **municipality** het gemeentebestuur

the **murder**[1] de moord

murder[2] *ww* vermoorden

the **murderer** de moordenaar

the **muscle** de spier

muscular gespierd

the **museum** het museum

the **mushroom** de champignon · de paddenstoel

the **music** de muziek ◆ ~ *academy* conservatorium

the **musical**[1] de musical

musical[2] *bn* muzikaal

the **music hall** het variététheater

the **musician** de musicus

the **Muslim** de moslim

the **mussel** de mossel

must* moeten

the **mustard** de mosterd

mute stom

the **mutiny** de muiterij

the **mutton** het schapenvlees

mutual onderling, wederzijds

my mijn

myself me · zelf

mysterious mysterieus,

geheimzinnig

the **mystery** het raadsel, het mysterie

the **myth** de mythe

the **nail** de nagel · de spijker

the **nailbrush** de nagelborstel

the **nailfile** de nagelvijl

the **nail polish** de nagellak

the **nail scissors** de nagelschaar

naive naïef

naked bloot, naakt · kaal

the **name**[1] de naam ◆ *in the* ~ *of* namens

name[2] *ww* noemen

namely namelijk

the **nap** het dutje

the **napkin** het servet

the **nappy** de luier

the **narcosis** *-ses* de narcose

the **narcotic** het narcoticum

narrow eng, smal, nauw

narrow-minded bekrompen

nasty naar, akelig

nat. *(national)* nationaal

the **nation** de natie · het volk

national nationaal · volks-
· staats- ◆ ~ *anthem* volks-

lied; ~ *dress* nationale klederdracht; ~ *park* natuurreservaat

the **nationality** de nationaliteit

nationalize nationaliseren

the **native¹** de inboorling

native² *bn* inheems ♦ ~ *country* vaderland, geboorteland; ~ *language* moedertaal

natural natuurlijk • aangeboren

naturally natuurlijk, uiteraard

the **nature** de natuur • de aard

naughty ondeugend, stout

the **nausea** de misselijkheid

naval marine-

the **navel** de navel

navigable bevaarbaar

navigate varen • sturen

the **navigation** de navigatie • de scheepvaart

the **navy** de marine

NBC *(National Broadcasting Company)* Amerikaanse radio- en televisiemaatschappij

near¹ *bn* nabij, dichtbij

near² *vz* bij

nearby nabijzijnd

nearly haast, bijna

neat keurig, net • puur

necessary nodig, noodzakelijk

the **necessity** de noodzaak

the **neck** de hals ♦ *nape of the* ~ nek

the **necklace** de halsketting

the **necktie** de das

the **need¹** de nood, de behoefte • de noodzaak

need² *ww* hoeven, behoeven, nodig hebben ♦ ~ *to* moeten

the **needle** de naald

the **needlework** het handwerk

the **negative¹** het negatief

negative² *bn* ontkennend, negatief

the **neglect¹** de verwaarlozing

neglect² *ww* verwaarlozen

the **negligee** het negligé

negligent nalatig

negotiate onderhandelen

the **negotiation** de onderhandeling

the **neighbour** de buur, de buurman

the **neighbourhood** de buurt

neighbouring aangrenzend, naburig

neither geen van beide ◆ ~ ... *nor* noch ... noch

the **neon** het neon

the **nephew** de neef

the **nerve** de zenuw · de durf

nervous nerveus, zenuwachtig

the **nest** het nest

the **net¹** het net

net² *bn* netto

the **Netherlands** Nederland

the **network** het netwerk

the **neuralgia** de zenuwpijn

the **neurosis** de neurose

neuter onzijdig

neutral neutraal

never nimmer, nooit

nevertheless niettemin

new nieuw ◆ *New Year*

nieuwjaar

the **news** de nieuwsberichten, het nieuws · het journaal

the **newsagent** de krantenverkoper

the **newspaper** de krant

the **newsreel** het filmjournaal

the **newsstand** de krantenkiosk

New Zealand Nieuw-Zeeland

next volgend ◆ ~ *to* naast

nice aardig, mooi, prettig · lekker · sympathiek

the **nickel** het nikkel

the **nickname** de bijnaam

the **nicotine** de nicotine

the **niece** de nicht

Nigeria Nigeria

the **Nigerian¹** de Nigeriaan

Nigerian² *bn* Nigeriaans

the **night** de nacht · de avond ◆ *by* ~ 's nachts; ~ *flight* nachtvlucht; ~ *rate* nachttarief; ~ *train* nachttrein

the **nightclub** de nachtclub

the **night cream** de nachtcrème

the **nightdress** de nachtjapon

the **nightingale** de nachtegaal

the **nightmare** de nachtmerrie

night-time nachtelijk

nil niets

nine negen

nineteen negentien

nineteenth negentiende

ninety negentig

ninth negende

the **nipple** de tepel

the **nitrogen** de stikstof

No. *(number)* nummer

no¹ *bn* geen ♦ *no one* niemand

no² *bw* nee

the **nobility** de adel

noble adellijk · edel

nobody niemand

the **nod¹** de knik

nod² *ww* knikken

the **noise** het geluid · de herrie, het rumoer, het lawaai

noisy lawaaierig · gehorig

nominal nominaal

nominate benoemen

the **nomination** de nominatie

· de benoeming

none geen

the **nonsense** de onzin

the **noon** de middag

normal gewoon, normaal

the **north¹** het noorden · de noord

north² *bn* noordelijk ♦ *North Pole* noordpool

the **north-east** het noordoosten

northerly noordelijk

northern noordelijk

the **north-west** het noordwesten

Norway Noorwegen

the **Norwegian¹** de Noor

Norwegian² *bn* Noors

the **nose** de neus

the **nosebleed** de neusbloeding

the **nostril** het neusgat

not niet

the **nota¹** de aantekening, de notitie · de noot · de toon

nota² *ww* noteren · opmerken, constateren

the **notary** de notaris

the **notebook** het notitieboek

noted befaamd

the **notepaper** het schrijfpapier, het briefpapier

nothing niks, niets

the **notice¹** de aankondiging, het bericht · de notitie, de aandacht

notice² *ww* bemerken, merken, opmerken · zien

noticeable merkbaar · opmerkelijk

notify mededelen · waarschuwen

the **notion** het begrip, de notie

notorious berucht

the **nougat** de noga

the **nought** de nul

the **noun** het zelfstandig naamwoord

nourishing voedzaam

the **novel** de roman

the **novelist** de romanschrijver

November november

now nu · thans ♦ ~ *and then* nu en dan

nowadays tegenwoordig

nowhere nergens

the **nozzle** de tuit

the **nuance** de nuance

nuclear kern-, nucleair ♦ ~ *energy* kernenergie

the **nucleus** de kern

the **nude¹** het naakt

nude² *bn* naakt

the **nuisance** de last

numb gevoelloos · verstijfd

the **number** het nummer · het cijfer, het getal · het aantal

the **numeral** het telwoord

numerous talrijk

the **nun** de non

the **nunnery** het nonnenklooster

the **nurse¹** de zuster, de verpleegster · de kinderjuffrouw

nurse² *ww* verplegen · zogen

the **nursery** de kinderkamer · de crèche · de boomkwekerij

the **nut** de noot · de moer

the **nutcrackers** de notenkraker

the **nutmeg** de nootmuskaat

nutritious voedzaam

the **nutshell** de notendop

N.Y.C. *(New York City)* New York City

the **oak** de eik

the **oar** de roeiriem

the **oasis** oases de oase

the **oath** de eed

the **oats** de haver

O.B.E. *(Officer (of the Order) of the British Empire)* Officier in de Orde van het Britse Imperium

the **obedience** de gehoorzaamheid

obedient gehoorzaam

obey gehoorzamen

the **object¹** het object · het voorwerp · het doel

object² ww tegenwerpen

◆ ~ to bezwaar hebben tegen

the **objection** het bezwaar, de tegenwerping

the **objective¹** het doel

objective² bn objectief

obligatory verplicht

oblige verplichten ◆ be*

~d to verplicht zijn om; moeten

obliging voorkomend

the **oblong¹** de rechthoek

oblong² bn langwerpig

obscene obsceen

obscure obscuur, duister

the **observation** de observatie, de waarneming

the **observatory** het observatorium

observe observeren, waarnemen

the **obsession** de obsessie

the **obstacle** de hindernis

obstinate koppig · hardnekkig

obtain behalen, verkrijgen

obtainable verkrijgbaar

obvious duidelijk

the **occasion** de gelegenheid · de aanleiding

occasionally af en toe, nu en dan

the **occupant** de bewoner

the **occupation** het werk · de bezetting

occupied bezet

occupy innemen, bezetten

occur gebeuren, voorkomen, zich voordoen

the **occurrence** de gebeurtenis

the **ocean** de oceaan

October oktober

the **octopus** de octopus

the **oculist** de oogarts

odd raar, vreemd · oneven

the **odour** de geur

of van

off¹ bn bedorven

off² bw af · weg

off³ vz van

the **offence** de overtreding · de belediging, de aanstoot

offend krenken, beledigen · overtreden

the **offensive¹** het offensief

offensive² bn offensief · beledigend, aanstootgevend

the **offer¹** de aanbieding, het aanbod

offer² ww aanbieden · bieden

the **office** het bureau, het kantoor · het ambt ♦ ~ hours kantooruren

the **officer** de officier

official officieel

the **off-licence** de slijterij

often vaak, dikwijls

the **oil** de olie ♦ fuel ~ stookolie; ~ filter oliefilter; ~ pressure oliedruk

the **oil painting** het olieverfschilderij

the **oil refinery** de olieraffinaderij

the **oil well** de oliebron

oily olieachtig

the **ointment** de zalf

okay! in orde!

old oud ♦ ~ age ouderdom

old-fashioned ouderwets

the **olive** de olijf ♦ ~ oil olijfolie

the **omelette** de omelet

ominous onheilspellend

omit weglaten

omnipotent almachtig

on op · aan

once eenmaal, eens ♦ at ~ meteen, dadelijk; ~ more

nog eens
oncoming tegemoetkomend, naderend • tegenliggend
one¹ *vnw* men
one² *telw* een
oneself zelf
one-sided eenzijdig
the **onion** de ui
only¹ *bn* enig
only² *bw* slechts, alleen, maar
only³ *vw* maar
onwards voorwaarts
the **onyx** het onyx
the **opal** de opaal
open¹ *bn* open • openhartig
open² *ww* openen
the **opening** de opening
the **opera** de opera ♦ ~ *house* opera
operate opereren, werken
the **operation** de werking • de operatie
the **operator** de telefoniste
the **operette** de operette
the **opinion** de opinie, de mening

the **opponent** de tegenstander
the **opportunity** de gelegenheid, de kans
oppose zich verzetten
opposite¹ *bn* tegengesteld
opposite² *vz* tegenover
the **opposition** de oppositie
oppress beklemmen, verdrukken
the **optician** de opticien
the **optimism** het optimisme
the **optimist** de optimist
optimistic optimistisch
the **option** de optie
optional facultatief
or of
oral mondeling
the **orange¹** de sinaasappel
orange² *bn* oranje
the **orchard** de boomgaard
the **orchestra** het orkest ♦ *(Am)* ~ *seat* stalles
the **order¹** de volgorde, de orde • de opdracht, het bevel • de bestelling ♦ *in* ~ in orde; *in* ~ *to* om te; *made to* ~ op maat gemaakt; *out of* ~ buiten

werking; *postal* ~ post-
wissel

order² *ww* bevelen · bestellen

the **order form** het bestelformulier

ordinary alledaags, gewoon

the **ore** het erts

the **organ** het orgaan · het orgel

organic organisch

the **organization** de organisatie

organize organiseren

the **Orient** het Oosten

oriental oosters

orientate zich oriënteren

the **origin** de origine, de oorsprong · de afstamming, de herkomst

original oorspronkelijk, origineel

originally aanvankelijk

the **Orlon** het orlon

the **ornament** het versiersel

ornamental ornamenteel

the **orphan** de wees

orthodox orthodox

the **ostrich** de struisvogel

other ander

otherwise anders

ought to* moeten

our ons

ourselves onszelf

out buiten, uit ♦ ~ *of* buiten, uit

the **outbreak** de uitbarsting

the **outcome** het resultaat

outdo* overtreffen

outdoors buiten

outer buitenst

the **outfit** de uitrusting

the **outline¹** de omtrek

outline² *ww* schetsen

the **outlook** de verwachting · de zienswijze

the **output** de productie

the **outrage** de gewelddaad

the **outside¹** het uiterlijk, de buitenkant

outside² *bw* buiten

outside³ *vz* buiten

the **outsize** de extra grote maat

the **outskirts** de buitenwijk

outstanding eminent, vooraanstaand

outward uiterlijk

outwards naar buiten

oval ovaal

the **oven** de oven

over¹ bn voorbij ♦ ~ *there* ginds

over² bw over • omver

over³ vz boven, over • meer dan

overall totaal

the **overalls** de overall

overboard overboord

overcast betrokken

the **overcoat** de overjas

overcome* overwinnen

the **overdose** de overdosis

overdue te laat • achterstallig

overestimate overschatten

overgrown begroeid

overhaul reviseren

overlook over het hoofd zien

overnight 's nachts

overseas overzees

the **oversight** de vergissing

oversleep* zich verslapen

overstrung overspannen

overtake* inhalen ♦ *no overtaking* inhalen verboden

over-tired oververmoeid

the **overture** de ouverture

the **overweight** het overgewicht • het bagageoverschot

overwhelm onthutsen, overweldigen

overwork zich overwerken

owe verschuldigd zijn, schuldig zijn • te danken hebben aan ♦ *owing to* vanwege, ten gevolge van

the **owl** de uil

own¹ bn eigen

own² ww bezitten

the **owner** de bezitter, de eigenaar

the **ox** oxen de os

the **oxygen** de zuurstof

the **oyster** de oester

P. *(page)* bladzijde • *(penny/pence)* 1/100 van een pond

p.a. *(per annum)* per jaar

the **pace** de gang · de schrede, de stap · het tempo

the **pacemaker** de pacemaker

Pacific Ocean Stille Oceaan

the **pacifism** het pacifisme

the **pacifist** de pacifist · pacifistisch

pack inpakken ♦ ~ *up* inpakken

the **package** het pak

the **packet** het pakje

the **packing** de verpakking

the **pad** het kussentje · de
blocnote

the **paddle¹** de peddel

paddle² ww pootjebaden

the **padlock** het hangslot

the **paedophile** de pedofiel

the **page** de pagina, de bladzijde

the **page boy** de piccolo

the **pail** de emmer

the **pain** de pijn ♦ ~s moeite

painful pijnlijk

the **painkiller** de pijnstiller

painless pijnloos

the **paint¹** de verf

paint² ww schilderen ·

verven

the **paint box** de verfdoos

the **paint brush** het penseel

the **painter** de schilder

the **painting** het schilderij

the **pair** het paar

Pakistan Pakistan

the **Pakistani¹** de Pakistaan

Pakistani² bn Pakistaans

the **palace** het paleis

pale bleek · licht

the **palm** de palm · de handpalm

palpable tastbaar

the **palpitation** de hartklopping

the **pan** de pan

the **pancake** de pannenkoek

the **pane** de ruit

the **panel** het paneel

the **panelling** de lambrisering

the **panic** de paniek

pant hijgen

the **panties** de onderbroek, de
slip

the **pants** de onderbroek ·
(Am) de broek

the **pant suit** het broekpak

the **panty hose** de panty

the **papa** de papa

the **paper** het papier · de krant · papieren ♦ *carbon* ~ carbonpapier; ~ *bag* papieren zak; ~ *napkin* papieren servet; *typing* ~ schrijfmachinepapier; *wrapping* ~ pakpapier

the **paperback** het pocketboek

the **paperclip** de paperclip

the **paper knife** de briefopener

the **parachute** de parachute
parachuting parachutespringen

the **parade** de parade, de optocht

the **paraffin** de petroleum

the **paragraph** de alinea, de paragraaf

the **parakeet** de parkiet

the **parallel¹** de parallel
parallel² *bn* evenwijdig, parallel
paralyse verlammen

the **parcel** het pakket, het pakje

the **pardon** de vergiffenis · de gratie

the **parents** de ouders

the **parents-in-law** de schoonouders

the **parish** de parochie

the **parish priest** de pastoor

the **park** het park · parkeren ♦ *no ~ing* verboden te parkeren; ~*ing fee* parkeertarief; ~*ing light* stadslicht; *(Am)* ~*ing lot* parkeerplaats; ~*ing meter* parkeermeter; ~*ing zone* parkeerzone

the **parliament** het parlement
parliamentary parlementair

the **parrot** de papegaai

the **parsley** de peterselie

the **parson** de dominee

the **part¹** het gedeelte, het deel · het stuk ♦ *spare* ~ onderdeel
part² *ww* scheiden
partial gedeeltelijk · partijdig

the **participant** de deelnemer
participate deelnemen
particular bijzonder, spe-

ciaal · kieskeurig ♦ *in* ~ in het bijzonder

the **parting** het afscheid · de scheiding

the **partition** het tussenschot

partly deels, gedeeltelijk

the **partner** de partner · de compagnon

the **partridge** de patrijs

part-time parttime

the **party** de partij · de fuif, het feestje · de groep

pass voorbijgaan, passeren · aangeven · slagen · *(Am)* inhalen ♦ *(Am) no* ~*ing* inhalen verboden; ~ *by* passeren; ~ *through* gaan door

passable begaanbaar

the **passage** de doorgang · de overtocht · de passage · de doorreis

the **passenger** de passagier ♦ *(Am)* ~ *car* wagon; ~ *train* personentrein

the **passer-by** de voorbijganger

the **passion** de hartstocht, de passie · de drift

passionate hartstochtelijk

passive passief

the **passport** het paspoort ♦ ~ *control* paspoortcontrole; ~ *photograph* pasfoto

the **password** het wachtwoord

the **past**[1] het verleden

past[2] bn vorig, afgelopen, voorbij

past[3] vz langs, voorbij

the **paste**[1] de pasta

paste[2] ww plakken

the **pastry** het gebak ♦ ~ *shop* banketbakkerij

the **pasture** het weiland

patch verstellen

the **patent** het patent, het octrooi

the **path** het pad

the **patience** het geduld

the **patient**[1] de patiënt

patient[2] bn geduldig

the **patriot** de patriot

the **patrol**[1] de patrouille

patrol[2] ww patrouilleren · surveilleren

the **pattern** het motief, het

patroon

the **pause¹** de pauze

pause² ww pauzeren

pave plaveien, bestraten

the **pavement** het trottoir · het plaveisel

the **pavilion** het paviljoen

the **paw** de poot

the **pawn¹** de pion

pawn² ww verpanden

the **pawnbroker** de pandjesbaas

the **pay¹** het salaris, het loon

pay² ww betalen · lonen ♦ ~ *attention to* letten op; ~*ing* rendabel; ~ *off* aflossen; ~ *on account* afbetalen

pay-as-you-go prepaid

the **pay desk** de kassa

the **payee** de begunstigde

the **payment** de betaling · de uitkering

the **pc** de pc

the **pea** de erwt

the **peace** de vrede

peaceful vreedzaam

the **peach** de perzik

the **peacock** de pauw

the **peak** de top · de spits ♦ ~ *hour* spitsuur; ~ *season* hoogseizoen

the **peanut** de pinda

the **pear** de peer

the **pearl** de parel

the **peasant** de boer

the **pebble** de kiezel

peculiar eigenaardig · speciaal, bijzonder

the **peculiarity** de eigenaardigheid

the **pedal** het, de pedaal

the **pedestrian** de voetganger ♦ *no* ~*s* verboden voor voetgangers; ~ *crossing* zebrapad

the **pedicure** de pedicure

pee plassen

the **peel¹** de schil

peel² ww schillen

peep gluren

the **peg** de klerenhaak

the **pelican** de pelikaan

the **pelvis** het bekken

the **pen** de pen · het hok ♦ *felt-tip* ~ viltstift

the **penalty** de boete · de straf ♦ ~ *kick* strafschop

the **pencil** het potlood

the **pencil sharpener** de puntenslijper

penetrate doordringen

the **penguin** de pinguïn

the **penicillin** de penicilline

the **peninsula** het schiereiland

the **penis** de penis

the **penknife** -*knives* het zakmes

the **pension** het pension · het pensioen

the **people** mensen · het volk

the **pepper** de peper

the **peppermint** de pepermunt

perceive bemerken

the **percent** het procent

the **percentage** het percentage

perceptible merkbaar

the **perception** de gewaarwording

the **perch** ~ de baars

the **percolator** de percolator

perfect volkomen, volmaakt

the **perfection** de perfectie, de volmaaktheid

perform uitvoeren, verrichten

the **performance** de voorstelling

the **perfume** het parfum

perhaps misschien · wellicht

the **peril** het gevaar

perilous gevaarlijk

the **period** het tijdperk, de periode · de punt

the **periodical**[1] het tijdschrift

periodical[2] *bn* periodiek

perish omkomen

perishable aan bederf onderhevig

the **perjury** de meineed

permanent blijvend, permanent, duurzaam · bestendig, vast ♦ ~ *press* plooihoudend; ~ *wave* permanent

the **permission** de toestemming, de permissie · het verlof, de vergunning

the **permit**[1] de vergunning

permit[2] *ww* toestaan, veroorloven

the **peroxide** het waterstof-peroxide

perpendicular loodrecht

the **person** de persoon ◆ *per ~* per persoon

the **personage** de pastorie

personal persoonlijk

the **personality** de persoon-lijkheid

the **personnel** het personeel

the **perspective** het perspec-tief

the **perspiration** de transpira-tie, het zweet

perspire transpireren, zweten

persuade overreden, overhalen · overtuigen

the **persuasion** de overtui-ging

the **pessimism** het pessimis-me

the **pessimist** de pessimist

pessimistic pessimistisch

the **pet** het huisdier · de lieve-ling

the **petal** het bloemblad

the **petition** de petitie

the **petrol** de benzine ◆ ~ *pump* benzinepomp; ~ *station* benzinestation; ~ *tank* benzinetank

the **petroleum** de petroleum · de aardolie

petty klein, nietig, onbe-duidend ◆ ~ *cash* klein-geld

the **pewit** de kieviet

the **pewter** het tin

the **phantom** het spook

the **pharmacology** de farma-cologie

the **pharmacy** de apotheek · de drogisterij

the **phase** de fase

Ph.D. *(Doctor of Philoso-phy)* doctor in de wijsbe-geerte

the **pheasant** de fazant

Philippine Filippijns

the **Philippines** de Filippijnen

the **philosopher** de wijsgeer, de filosoof

the **philosophy** de wijsbegeer-te, de filosofie

the **phobia** de fobie

the **phone**[1] de telefoon

phone[2] *ww* opbellen, telefoneren

the **phonecard** de telefoonkaart

phonetic fonetisch

the **photo** ~s de foto

the **photograph¹** de foto

photograph² ww fotograferen

the **photographer** de fotograaf

the **photography** de fotografie

the **photostat** de fotokopie

the **phrase** de uitdrukking

the **phrase book** de taalgids

physical fysiek

the **physician** de dokter

the **physicist** de natuurkundige

the **physics** de fysica, de natuurkunde

the **physiology** de fysiologie

the **pianist** de pianist

the **piano** de piano ♦ *grand* ~ vleugel

the **pick¹** de keus

pick² ww plukken · kiezen ♦ ~ *up* oprapen; ophalen

the **pick axe** het houweel

the **pickles** het zoetzuur, de pickles

the **pickpocket** de zakkenroller

the **pickup** de bestelauto

the **picnic¹** de picknick

picnic² ww picknicken

the **picture** het schilderij · de plaat, de prent · het beeld, de afbeelding ♦ ~, ~ *postcard* ansichtkaart, prentbriefkaart; ~s bioscoop

picturesque pittoresk, schilderachtig

the **piece** het stuk

the **pier** de pier

pierce doorboren

the **piercing** de piercing

the **pig** het varken · het zwijn

the **pigeon** de duif

pig-headed eigenwijs

the **piglet** de big

the **pigskin** het varkensleer

the **pike** ~ de snoek

the **pile¹** de stapel ♦ ~s aambeien

pile² ww opstapelen

the **pilgrim** de pelgrim

the **pilgrimage** de bedevaart

the **pill** de pil

the **pillar** de zuil, de pilaar

the **pillar box** de brievenbus

the **pillow** het kussen, het hoofdkussen

the **pillow case** de, het kussensloop

the **pilot** de piloot · de loods

the **pimple** het puistje

pin¹ de speld ♦ *(Am) bobby ~* haarspeld

pin² ww vastspelden

the **pincers** de nijptang

pinch knijpen

the **pineapple** de ananas

the **ping-pong** het tafeltennis

pink roze

the **pioneer** de pionier

pious vroom

the **pip** de pit

the **pipe** de pijp · de leiding ♦ *~ cleaner* pijpenstoker; *~ tobacco* pijptabak

the **pirate** de piraat

the **pistol** het pistool

the **piston** de zuiger ♦ *~ ring* zuigerring

the **piston rod** de zuigerstang

the **pit** de kuil · de groeve

the **pitcher** de kruik

pity¹ het medelijden ♦ *what a ~!* jammer!

pity² ww medelijden hebben met, beklagen

the **pizza** de pizza

the **pizzeria** de pizzeria

the **placard** het aanplakbiljet

place¹ de plaats ♦ *~ of birth* geboorteplaats; *take* ~* plaatshebben

place² ww zetten, plaatsen

the **plague** de plaag

the **plaice** *~* de schol

plain¹ de vlakte

plain² bn duidelijk · gewoon, eenvoudig

the **plan¹** het plan · de plattegrond

plan² ww plannen

the **plane¹** het vliegtuig ♦ *~ crash* vliegramp

plane² bn vlak

the **planet** de planeet

the **planetarium** het planetarium

the **plank** de plank

the **plant¹** de plant · het bedrijf

plant² ww planten

the **plantation** de plantage

the **plaster** het pleister, het gips · de pleister

the **plastic¹** het plastic

plastic² bn plastic

the **plate** het bord · de plaat

the **plateau** ~x, ~s de hoogvlakte

the **platform** het perron ♦ ~ *ticket* perronkaartje

the **platinum** het platina

the **play¹** het spel · het toneelstuk ♦ *one-act* ~ eenakter

play² ww spelen · bespelen ♦ ~ *truant* spijbelen

the **player** de speler

the **playground** de speelplaats

the **playing card** de speelkaart

the **playwright** de toneelschrijver

the **plea** het pleidooi

plead pleiten

pleasant prettig, aardig, aangenaam

please¹ bw alstublieft

please² ww bevallen ♦ ~d ingenomen; *pleasing* aangenaam

the **pleasure** het genoegen, de pret, het plezier

the **pledge** het onderpand

plentiful overvloedig

the **plenty** de overvloed · de heleboel

the **pliers** de tang

the **plimsolls** de gymschoenen

the **plot** de samenzwering, het complot · de handeling · het perceel

the **plough¹** de ploeg

plough² ww ploegen

plucky flink

the **plug** de stekker ♦ ~ *in* inschakelen

the **plum** de pruim

the **plumber** de loodgieter

plump mollig

the **plural** het meervoud

plus plus

p.m. *(post meridiem (after noon))* tijd tussen 12 en 24 uur

pneumatic pneumatisch

the **pneumonia** de longontsteking
PO *(Post Office)* postkantoor
poach stropen
the **pocket** de zak
the **pocketbook** de portefeuille
the **pocket knife** *-knives* het zakmes
the **pocket watch** het zakhorloge
the **poem** het gedicht
the **poet** de dichter
the **poetry** de dichtkunst
the **point¹** het punt · de punt
♦ ~ *of view* standpunt
point² *ww* wijzen ♦ ~ *out* aanwijzen
pointed spits
the **poison¹** het vergif
poison² *ww* vergiftigen
poisonous giftig
the **poker** de poker
Poland Polen
the **polder** de polder
the **pole** de paal
the **Pole** de Pool
the **police** de politie

the **policeman** *-men* de agent, de politieagent
the **police station** het politiebureau
the **policy** het beleid, de politiek · de polis
the **polio** de polio, de kinderverlamming
polish poetsen
Polish Pools
polite beleefd
political politiek
the **politician** de politicus
the **politics** de politiek
the **pollution** de vervuiling, de verontreiniging
the **polyp** de poliep
the **pond** de vijver
the **pony** de pony
POO *(post office order)* postorder
poor arm · armoedig · slecht
POP. *(population)* bevolking
the **pope** de paus
the **pop music** de popmuziek
the **poppy** de klaproos · de papaver

the **poppyseed** het maanzaad
popular populair · volks-
the **population** de bevolking
populous dichtbevolkt
the **porcelain** het porselein
the **porcupine** het stekelvarken
the **pork** het varkensvlees
the **porridge** de pap
the **port** de haven · het bakboord
portable draagbaar
the **porter** de kruier · de portier
the **porthole** de patrijspoort
the **portion** de portie
the **portrait** het portret
Portugal Portugal
the **Portuguese¹** de Portugees
Portuguese² bn Portugees
the **position** de positie · de houding · de betrekking
the **positive¹** het positief
positive² bn positief
possess bezitten
possessed bezeten
the **possession** het bezit ♦ ~s eigendom
the **possibility** de mogelijk-

heid
possible mogelijk · eventueel
the **post¹** de paal · de betrekking · de post ♦ ~ office postkantoor
post² ww posten
the **postage** de frankering ♦ ~ paid franco; ~ stamp postzegel
the **postcard** de briefkaart · de ansichtkaart
the **poster** het affiche, de poster
poste restante poste restante
the **postman** -men de postbode
post-paid franco
postpone uitstellen
the **pot** de pot
the **potato** ~es de aardappel
the **potter** de pottenbakker
the **pottery** het aardewerk
the **pouch** de buidel
the **poulterer** de poelier
the **poultry** het gevogelte
the **pound** het pond
pour inschenken, schen-

ken, gieten

the **poverty** de armoede

the **powder** het, de poeder ♦ *compact* poederdoos; *talcum* ~ talk poeder

the **powder puff** de poederdons

the **powder room** het damestoilet

the **power** de kracht · de energie · de macht · de mogendheid

powerful machtig · sterk

powerless machteloos

the **power station** de elektriciteitscentrale

the **PR** de pr

practical praktisch

practically vrijwel

the **practice** de praktijk

practise beoefenen · oefenen

the **praise¹** de lof

praise² *ww* prijzen

the **pram** de kinderwagen

the **prawn** de garnaal, de steurgarnaal

pray bidden

the **prayer** het gebed

preach preken

precarious hachelijk

the **precaution** de voorzorg · de voorzorgsmaatregel

precede voorafgaan

preceding voorgaand

precious kostbaar · dierbaar

the **precipice** de afgrond

the **precipitation** de neerslag

precise precies, exact, nauwkeurig · secuur

the **predecessor** de voorganger

predict voorspellen

prefer de voorkeur geven aan, liever hebben

preferable te verkiezen, verkieslijker, de voorkeur verdienend

the **preference** de voorkeur

the **prefix** het voorvoegsel

pregnant in verwachting, zwanger

the **prejudice** het vooroordeel

preliminary inleidend · voorlopig

premature voorbarig

the **premier** de premier

the **premises** het pand

the **premium** de premie

prepaid vooruitbetaald

the **preparation** de voorbereiding

prepare voorbereiden · klaarmaken

prepared bereid

the **preposition** het voorzetsel

prescribe voorschrijven

the **prescription** het recept

the **presence** de aanwezigheid · de tegenwoordigheid

the **present¹** het geschenk, het cadeau · het heden

present² bn tegenwoordig · aanwezig

present³ ww voorstellen · aanbieden

presently meteen, dadelijk

the **preservation** de bewaring

preserve bewaren · inmaken

the **president** de president · de voorzitter

the **press¹** de pers ♦ ~ confer-

ence persconferentie

press² ww indrukken, drukken · persen

pressing urgent, dringend

the **pressure** de druk · de spanning ♦ *atmospheric* ~ luchtdruk

the **pressure pan** de snelkookpan

the **prestige** het prestige

presumable vermoedelijk

presumptuous overmoedig · arrogant

the **pretence** het voorwendsel

pretend doen alsof, voorwenden

the **pretext** het voorwendsel

pretty¹ bn mooi, knap

pretty² bw vrij, tamelijk, nogal

prevent beletten, verhinderen · voorkomen

the **prevention** de preventie

preventive preventief

previous verleden, vroeger, voorgaand

pre-war vooroorlogs

price prijzen ♦ ~ *list* prijs-

lijst
priceless onschatbaar
the **price list** de prijs
the **prick¹** de lul
prick² *ww* prikken
the **pride** de trots
the **priest** de priester
primary primair · eerst, hoofd- · elementair
the **prince** de prins
the **princess** de prinses
the **principal¹** de rector, de directeur
principal² *bn* voornaamst
the **principle** het beginsel, het principe
the **print¹** de afdruk · de prent
print² *ww* drukken ♦ *~ed matter* drukwerk
the **printer** de printer
the **print-out** de uitdraai
prior vroeger
the **priority** de prioriteit, de voorrang
the **prison** de gevangenis
the **prisoner** de gedetineerde, de gevangene ♦ *~ of war* krijgsgevangene
the **privacy** de privacy, het

privéleven
private particulier, privé · persoonlijk
the **privilege** het voorrecht
the **prize** de prijs · de beloning
probable vermoedelijk, waarschijnlijk
probably waarschijnlijk
the **problem** het probleem · het vraagstuk
the **procedure** de procedure
proceed voortgaan · te werk gaan
the **process** het proces, het procedé
the **procession** de processie, de stoet
proclaim afkondigen
the **produce¹** de opbrengst, het product
produce² *ww* produceren
the **producer** de producent
the **product** het product
the **production** de productie
the **profession** het vak, het beroep
professional beroeps-
the **professor** de hoogleraar,

de professor

the **profit**[1] het voordeel, de winst, de baat

profit[2] ww profiteren

profitable winstgevend

profound diepzinnig

the **programme** het programma

the **progress**[1] de vooruitgang

progress[2] ww vorderen

progressive vooruitstrevend, progressief · toenemend

prohibit verbieden

the **prohibition** het verbod

prohibitive onoverkomelijk

the **project** het plan, het project

the **promenade** de promenade, de boulevard

the **promise**[1] de belofte

promise[2] ww beloven

promote bevorderen

the **promotion** de promotie

prompt onmiddellijk, prompt

the **pronoun** het voornaamwoord

pronounce uitspreken

the **pronunciation** de uitspraak

the **proof** het bewijs

the **propaganda** de propaganda

propel aandrijven

the **propeller** de schroef, de propeller

proper juist · behoorlijk, passend, geschikt, gepast

the **property** het bezit, het eigendom · de eigenschap

the **prophet** de profeet

the **proportion** de proportie

proportional evenredig

the **proposal** het voorstel

propose voorstellen

the **proposition** het voorstel

the **proprietor** de eigenaar

the **prospect** het vooruitzicht

the **prospectus** de prospectus

the **prosperity** de voorspoed, de welvaart

prosperous welvarend

the **prostate** de prostaat

the **prostitute** de prostituee

protect beschermen

the **protection** de bescherming

the **protein** het eiwit

the **protest¹** het protest

protest² ww protesteren

Protestant protestants

the **prothesis** de prothese

proud trots · hoogmoedig

prove aantonen, bewijzen · blijken

the **proverb** het spreekwoord

provide leveren, verschaffen ♦ ~d that mits

the **provider** de provider

the **province** de provincie · het gewest

provincial provinciaal

provisional voorlopig

the **provisions** de voorraad

provoke uitlokken

prudish preuts

the **prune** de pruim

the **psychiatrist** de psychiater

psychic psychisch

the **psychoanalyst** de analyticus

psychological psychologisch

the **psychologist** de psycholoog

the **psychology** de psychologie

P.T.O. *(please turn over)* zie ommezijde

the **pub** het café, de kroeg

the **public¹** het publiek

public² bn publiek, openbaar · algemeen

the **publication** de publicatie ♦ *public garden* plantsoen; *public house* café

the **publicity** de reclame

publish publiceren, uitgeven

the **publisher** de uitgever

the **pudding** de pudding

the **puddle** de plas

pull trekken ♦ ~ *out* vertrekken; ~ *up* stoppen

the **pulley** ~s de katrol

the **pullman** het luxueus spoorrijtuig

the **pullover** de pullover

the **pulpit** de kansel, de preekstoel

the **pulse** de polsslag, de pols

the **pump¹** de pomp

pump² ww pompen

the **punch¹** de vuistslag

punch² *ww* stompen
punctual stipt, punctueel
the **puncture** de lekke band, de bandenpech
punctured lek
punish straffen
punishable strafbaar
the **punishment** de straf
the **pupil** de leerling
the **puppet show** de poppenkast
the **purchase¹** de aankoop, de koop ♦ ~ *price* koopprijs; ~ *tax* omzetbelasting
purchase² *ww* kopen
the **purchaser** de koper
pure rein, zuiver
purple paars
the **purpose** de bedoeling, het doel ♦ *on* ~ opzettelijk
the **purse** de beurs, de portemonnee
pursue vervolgen · nastreven
the **pus** de etter
the **push¹** de zet, de duw
push² *ww* duwen · schuiven · dringen
the **push button** de drukknop

put plaatsen, leggen, zetten · stoppen · stellen ♦ ~ *away* opbergen; ~ *off* opschorten; ~ *on* aantrekken; ~ *out* uitdoen
the **puzzle¹** de puzzel · het raadsel ♦ *jigsaw* ~ legpuzzel
puzzle² *ww* in verwarring brengen
puzzling onbegrijpelijk
the **pyjamas** de pyjama
the **quack** de kwakzalver, de charlatan
the **quai** de wal
the **quail** ~, ~*s* de kwartel
quaint raar · ouderwets
the **qualification** de bevoegdheid · het voorbehoud, de restrictie
qualified gediplomeerd · bevoegd
qualify geschikt zijn
the **quality** de kwaliteit · de eigenschap
the **quantity** de hoeveelheid · het aantal
the **quarantine** de quarantaine

the **quarrel**[1] de twist, de ruzie

quarrel[2] ww twisten, ruzie maken

the **quarry** de steengroeve

the **quarter** het kwart · het kwartaal · de wijk ♦ ~ *of an hour* kwartier

quarterly driemaandelijks

the **quay** de kade

the **queen** de koningin

queer zonderling, raar · vreemd

the **query**[1] de vraag

query[2] ww navragen · betwijfelen

the **question**[1] de vraag · de kwestie, het vraagstuk ♦ ~ *mark* vraagteken

question[2] ww ondervragen · in twijfel trekken

the **queue**[1] de rij

queue[2] ww in de rij staan

quick vlug

quick-tempered driftig

the **quiet**[1] de stilte, de rust

quiet[2] bn stil, kalm, bedaard, rustig

the **quilt** de sprei

the **quinine** de kinine

quit ophouden met, uitscheiden

quite helemaal · tamelijk, vrij, nogal · zeer, heel

the **quiz** ~*zes* de quiz

the **quota** de quota

the **quotation** het citaat ♦ ~ *marks* aanhalingstekens

quote citeren, aanhalen

the **rabbit** het konijn

the **rabies** de hondsdolheid

RAC *(Royal Automobile Club)* Koninklijke Britse automobielclub

the **race** de wedloop, de race · het ras

the **racecourse** de renbaan

the **racehorse** het renpaard

the **racetrack** de renbaan

racial rassen-

the **racket** het kabaal

the **racquet** het racket

the **radiation** de straling

the **radiator** de radiator

radical radicaal

the **radio** de radio

the **radish** de radijs

the **radius** *radii* de straal

the **raft** het vlot

the **rag** het vod

the **rage¹** de razernij, de woede

rage² *ww* razen, woeden

the **raid** de inval

the **rail** de leuning, de reling

the **railing** het hek

the **railroad** *(Am)* de spoorbaan, spoorweg

the **railway** de spoorweg, de spoorbaan ◆ *light* ~ sneltram

the **rain¹** de regen

rain² *ww* regenen

the **rainbow** de regenboog

the **raincoat** de regenjas

rainproof waterdicht

rainy regenachtig

the **raise¹** *(Am)* de loonsverhoging, de opslag

raise² *ww* optillen · verhogen · grootbrengen, verbouwen, fokken · heffen

the **raisin** de rozijn

the **rake** de hark

the **rally** de bijeenkomst

the **Ramadan** de ramadan

the **ramp** de glooiing

ramshackle gammel

rancid ranzig

rang zie ring

the **range** het bereik

the **rangefinder** de afstandsmeter

the **rank** de rang · de rij

the **ransom** het losgeld

rape verkrachten

rapid vlug, snel

the **rapids** de stroomversnelling

rare zeldzaam

rarely zelden

the **rascal** de schelm, de deugniet

the **rash¹** de uitslag, de huiduitslag

rash² *bn* overhaast, onbezonnen

the **raspberry** de framboos

the **rat** de rat

the **rate** de prijs · het tarief · de snelheid ◆ *at any* ~ hoe dan ook, in elk geval; ~ *of exchange* wisselkoers

rather vrij, tamelijk, nogal · liever, eerder

the **ration** het rantsoen

the **rattan** het rotan

the **raven** de raaf

raw rauw ♦ ~ *material* grondstof

the **ray** de straal

the **rayon** de kunstzijde

the **razor** het scheerapparaat

the **razor blade** het scheermesje

RCMP *(Royal Canadian Mounted Police)* Koninklijke Canadese Bereden Politie

Rd. *(road)* weg

the **reach¹** het bereik

reach² *ww* bereiken

the **reaction** de reactie

read lezen

the **reading lamp** de leeslamp

the **reading room** de leeszaal

ready gereed, klaar

ready-made confectie

real echt

the **reality** de werkelijkheid

realizable haalbaar

realize beseffen · tot stand brengen, verwezenlijken

really echt, werkelijk · eigenlijk

the **rear¹** de achterkant

rear² *ww* grootbrengen

the **rear light** het achterlicht

the **reason¹** de oorzaak · de reden · het verstand, de rede

reason² *ww* redeneren

reasonable redelijk · billijk

reassure geruststellen

the **rebate** de korting · de reductie

the **rebellion** de opstand, het oproer

recall zich herinneren · terugroepen · herroepen

the **receipt** de kwitantie · het reçu · de ontvangst

receive krijgen, ontvangen

the **receiver** de telefoonhoorn

recent recent

recently kort geleden, onlangs

the **reception** de ontvangst · het onthaal ♦ ~ *office* receptie

the **receptionist** de receptioniste

the **recession** de teruggang

the **recipe** het recept

the **recital** het recital

reckon rekenen · beschouwen · denken

the **recognition** de erkenning

recognize herkennen · erkennen

recollect zich herinneren

recommence hervatten

recommend aanprijzen, aanbevelen · aanraden

the **recommendation** de aanbeveling

the **reconciliation** de verzoening

the **record**¹ het record · het register

record² ww aantekenen

the **recorder** de bandrecorder

the **recording** de opname

recover terugvinden · zich herstellen, genezen

the **recovery** de genezing, het herstel

the **recreation** de recreatie · de ontspanning ♦ ~ *centre* recreatiecentrum; ~

ground speelterrein

the **recruit** de rekruut

the **rectangle** de rechthoek

rectangular rechthoekig

the **rector** de predikant, de dominee

the **rectory** de pastorie

the **rectum** de endeldarm

recycle recyclen

red rood

redeem verlossen

reduce reduceren, verminderen, verlagen

the **reduction** de korting, de reductie

redundant overbodig

the **reed** het riet

the **reef** het rif

ref. *(reference)* verwijzing

the **reference** de referentie, de verwijzing · de betrekking ♦ *with* ~ *to* met betrekking tot

refer to verwijzen naar

the **refill** de vulling

the **refinery** de raffinaderij

reflect weerkaatsen

the **reflection** de weerkaatsing · het spiegelbeeld

the **reflector** de reflector

the **reformation** de reformatie

the **refrain** het refrein

refresh verfrissen

the **refreshment** de verfrissing

the **refrigerator** de koelkast, de ijskast

the **refugee** de vluchteling

the **refund¹** de terugbetaling

refund² ww terugbetalen

the **refusal** de weigering

the **refuse¹** het afval

refuse² ww weigeren

the **regard¹** het respect

regard² ww beschouwen · bekijken ♦ as ~s betreffende, aangaande, wat betreft

regarding met betrekking tot, betreffende · ten aanzien van

the **regatta** de regatta

the **regime** het regime

the **region** de streek · het gebied

regional plaatselijk

register zich inschrijven ·

aantekenen ♦ ~ed letter aangetekende brief

the **registration** de registratie ♦ ~ form inschrijvingsformulier; ~ number kenteken; ~ plate nummerbord

the **regret¹** de spijt

regret² ww betreuren

regular geregeld, regelmatig · gewoon, normaal

regulate regelen

the **regulation** het reglement, het voorschrift · de regeling

the **rehabilitation** de revalidatie

the **rehearsal** de repetitie

rehearse repeteren

the **reign¹** de regering

reign² ww regeren

reimburse terugbetalen, vergoeden

the **rein** de teugel

the **reindeer** ~ het rendier

reject afwijzen, verwerpen · afkeuren

relate vertellen

related verwant

the **relation** de relatie, het

verband · de verwante

the **relative¹** het familielid

relative² bn betrekkelijk, relatief

relax zich ontspannen

the **relaxation** de ontspanning

reliable betrouwbaar

the **relic** de, het relikwie

the **relief** de verademing, de verlichting · de steun · het reliëf · de opvang

relieve verlichten · aflossen

the **religion** de godsdienst

religious godsdienstig

rely on vertrouwen op

remain blijven · overblijven

the **remainder** het restant, de rest

remaining overig, overblijvend

the **remark¹** de opmerking

remark² ww opmerken

remarkable opmerkelijk

the **remedy** het geneesmiddel · het middel

remember zich herinneren · onthouden

the **remembrance** het aandenken, de herinnering

remind herinneren

remit overmaken

the **remittance** de storting

the **remnant** het overblijfsel, het restant, de rest

remote afgelegen, ver

the **remote control** de afstandsbediening

the **removal** de verwijdering

remove verwijderen

remunerate vergoeden

the **remuneration** de vergoeding

renew vernieuwen · verlengen

the **rent¹** de huur

rent² ww huren

the **repair¹** het herstel · de reparatie

repair² ww herstellen, repareren

the **reparation** de herstelbetaling

repay* terugbetalen

the **repayment** de terugbetaling

repeat herhalen
repellent weerzinwekkend, afstotelijk
the **repentance** het berouw
the **repertory** het repertoire
the **repetition** de herhaling
replace vervangen
the **reply**[1] het antwoord ♦ *in* ~ als antwoord
reply[2] *ww* antwoorden
the **report**[1] het verslag, het rapport
report[2] *ww* rapporteren · melden · zich aanmelden
the **reporter** de verslaggever
represent vertegenwoordigen · voorstellen
the **representation** de vertegenwoordiging
representative representatief
reprimand berispen
the **reproach**[1] het verwijt
reproach[2] *ww* verwijten
reproduce reproduceren
the **reproduction** de reproductie
the **reptile** het reptiel
the **republic** de republiek

republican republikeins
repulsive weerzinwekkend
the **reputation** de reputatie · de naam
the **request**[1] het verzoek
request[2] *ww* verzoeken
require vereisen
the **requirement** de vereiste
requisite vereist
the **rescue**[1] de redding
rescue[2] *ww* redden
the **research** het onderzoek
the **resemblance** de gelijkenis
resemble lijken op
resent kwalijk nemen
the **reservation** de reservering
the **reserve**[1] de reserve
reserve[2] *ww* reserveren · bespreken
reserved gereserveerd
the **reservoir** het reservoir
reside wonen
the **residence** de woonplaats ♦ ~ *permit* verblijfsvergunning
the **resident**[1] de inwoner
resident[2] *bn* woonachtig ·

intern

resign ontslag nemen

the **resignation** de ontslagneming

the **resin** het, de hars

resist zich verzetten

the **resistance** het verzet

resolute resoluut, vastberaden

the **respect¹** het respect · het ontzag, de achting, de eerbied

respect² ww respecteren

respectable eerzaam, respectabel

respectful eerbiedig

respectively respectievelijk

the **respiration** de ademhaling

the **respite** het uitstel

the **responsibility** de verantwoordelijkheid · de aansprakelijkheid

responsible verantwoordelijk · aansprakelijk

the **rest¹** de rust · de rest

rest² ww uitrusten, rusten

the **restaurant** het restaurant

restful rustig

the **rest home** het rusthuis

restless onrustig · ongedurig

restrain inhouden, weerhouden

the **restriction** de beperking

the **result¹** het resultaat · het gevolg · de uitslag

result² ww resulteren

resume hervatten

the **résumé** de samenvatting · (Am) het curriculum vitae

retail in het klein verkopen

the **retailer** de detaillist, de kleinhandelaar · de wederverkoper

the **retailtrade** de kleinhandel · de detailhandel

the **retina** het netvlies

retired gepensioneerd

the **return¹** de terugkeer ♦ ~ flight retourvlucht; ~ journey terugreis

return² ww terugkomen, terugkeren

reunite herenigen
Rev. *(reverend)* dominee
reveal openbaren, onthullen
the **revelation** de onthulling
the **revenge** de wraak
the **revenue** het inkomen
the **reverse¹** het tegendeel · de keerzijde · de omkeer, de tegenslag
reverse² *bn* omgekeerd
reverse³ *ww* achteruitrijden
the **review** de bespreking · het tijdschrift
revise herzien
the **revision** de herziening
the **revival** het herstel
the **revolt¹** de opstand, het oproer
revolt² *ww* in opstand komen
revolting walgelijk, stuitend, weerzinwekkend
the **revolution** de revolutie · de omwenteling
revolutionary revolutionair
the **revolver** de revolver

the **revue** de revue
the **reward¹** de beloning
reward² *ww* belonen
RFD *(rural free delivery)* landelijke postbus
the **rheumatism** de reumatiek
the **rhinoceros** ~*es* de neushoorn
the **rhubarb** de rabarber
the **rhyme** het rijm
the **rhythm** het ritme
the **rib** de rib
the **ribbon** het lint
the **rice** de rijst
rich rijk
the **riches** de rijkdom
the **riddle** het raadsel
ride¹* rijden · paardrijden
the **ride²** de rit
the **rider** de ruiter
the **ridge** de bergrug
ridicule bespotten
ridiculous bespottelijk, belachelijk
the **riding** de paardensport
the **riding school** de manege
the **rifle** het geweer
the **right¹** het recht ♦ ~ *of way* voorrang

right² bn goed, juist ·
recht · rechts · billijk,
rechtvaardig ♦ all ~! in
orde!; be* ~ gelijk hebben

righteous rechtvaardig

right-hand rechter, rechts

rightly terecht

the **rim** de velg · de rand

the **ring¹** de ring · de kring ·
de piste

ring²* bellen ♦ ~* up opbellen

the **ringtone** de beltoon

the **rinse¹** de spoeling

rinse² ww spoelen

the **riot** de rel

rip scheuren

ripe rijp

the **rise¹** de opslag, de verhoging · de stijging · de opkomst

rise²* opstaan · opgaan ·
stijgen

the **rising** de opstand

the **risk¹** het risico · het gevaar

risk² ww wagen

risky gewaagd, riskant

the **rival¹** de rivaal · de con-

current

rival² ww rivaliseren

the **rivalry** de rivaliteit · de
concurrentie

the **river** de rivier ♦ ~ bank
oever

the **riverside** de rivieroever

the **roach** ~ de blankvoorn

the **road** de straat · de weg ♦
~ fork tweesprong; ~
map wegenkaart; ~ sys-
tem wegennet; ~ works
werk in uitvoering

the **roadhouse** het wegrestaurant ♦ restaurant weg-
restaurant

the **road-service** de Wegenwacht

the **roadside** de wegkant

the **roadway** (Am) de rijbaan

roam zwerven

the **roar¹** het gebrul, het geraas

roar² ww vloeien, brullen

roast braden, roosteren

rob beroven

the **robber** de dief

the **robbery** de roof · de diefstal, de beroving

the **robe** de jurk · het gewaad

the **robin** het roodborstje

robust fors

the **rock¹** de rots

rock² ww schommelen

the **rocket** de raket

the **rock 'n' roll** de rock-'n-roll

rocky rotsachtig

the **rod** de stang, de roede

the **roe** de kuit, de viskuit

the **roll¹** de rol · het broodje

roll² ww rollen

the **Rollerblades** de skeelers

Roman Catholic rooms-katholiek

the **romance** de romance

romantic romantisch

the **roof** het dak ♦ thatched ~ strodak

the **room** het vertrek, de kamer · de ruimte, de plaats ♦ ~ and board kost en inwoning; ~ service bediening op de kamer; ~ temperature kamertemperatuur

roomy ruim

the **root** de wortel

the **rope** het touw

the **rosary** de rozenkrans

the **rose¹** de roos

rose² bn roze

rotten rot

the **rouge** de, het rouge

rough ruw

the **roulette** de roulette

the **round¹** de ronde

round² bn rond ♦ (Am) ~ trip retour

round³ vz rondom, om

the **roundabout** de rotonde

rounded afgerond

the **route** de route

the **routine** de routine

the **row¹** de rij · de ruzie

row² ww roeien

rowdy baldadig

the **rowing boat** de roeiboot

royal koninklijk

RR (railroad) spoorweg

RSI RSI

RSVP (please reply) verzoeke gaarne antwoord

rub wrijven

the **rubber** het rubber · de, het vlakgom ♦ ~ band elastiek

the **rubber band** het elastiekje

the **rubbish** het afval · het geklets, de onzin ♦ *talk ~* kletsen

the **rubbish bin** de vuilnisbak

the **ruby** de robijn

the **rucksack** de rugzak

the **rudder** het roer

rude grof

the **rug** het kleedje

ruin¹ de ondergang ♦ *~s* ruïne

ruin² ww ruïneren

the **ruination** de ondergang

the **rule¹** de regel · het bewind, het bestuur, de heerschappij ♦ *as a ~* gewoonlijk, in de regel

rule² ww heersen, regeren

the **ruler** de vorst, de heerser · de liniaal

Rumania Roemenië

the **Rumanian¹** de Roemeen

Rumanian² bn Roemeens

the **rumour** het gerucht

run* rennen · hardlopen ♦ *~* into* tegenkomen

the **runaway** de ontsnapte gevangene

rung zie ring

the **runway** de startbaan

rural plattelands-

the **ruse** de list

rush¹ de bies

rush² ww zich haasten

the **rush hour** het spitsuur

Russia Rusland

the **Russian¹** de Rus

Russian² bn Russisch

the **rust** het roest

rustic rustiek

rusty roestig

the **rye** de rogge

the **saccharin** de sacharine

the **sack** de zak

sacred heilig

the **sacrifice¹** het offer

sacrifice² ww opofferen

the **sacrilege** de heiligschennis

sad bedroefd · verdrietig, droevig, treurig

the **saddle** het zadel

the **sadness** de bedroefdheid

the **safari** de jeepsafari

the **safe¹** de brandkast, de kluis

safe² bn veilig

the **safety** de veiligheid

the **safety belt** de veiligheidsgordel

the **safety pin** de veiligheidsspeld

the **safety razor** het scheerapparaat

the **sail**¹ het zeil

sail² ww bevaren, varen, zeilen

the **sailing boat** de zeilboot

the **sailor** de matroos

the **saint** de heilige

the **salad** de sla · de salade

the **salad oil** de slaolie

the **salary** het loon, het salaris

the **sale** de verkoop ♦ *clearance ~* opruiming; *for ~* te koop; *~s* uitverkoop; *~s tax* omzetbelasting

saleable verkoopbaar

the **salesgirl** de verkoopster

the **salesman** -men de verkoper

the **salmon** ~ de zalm

the **salon** de salon

the **saloon** de bar

the **salt** het zout

the **salt cellar** het zoutvaatje

salty zout

salute groeten

the **salve** de zalf

same zelfde

the **sample** het monster

the **sanatorium** *~s, -ria* het sanatorium

the **sand** het zand

the **sandal** de sandaal

the **sandbank** de zandbank

the **sandbox** de zandbak

the **sandpaper** het schuurpapier

the **sandwich** de boterham ♦ *toasted ham and cheese ~* tosti

sandy zanderig

sanitary sanitair ♦ *~ towel* maandverband

the **sapphire** het saffier

the **sardine** de sardine

the **satchel** de schooltas

the **satellite** de satelliet

the **satin** het satijn

the **satisfaction** de bevrediging, de voldoening

satisfy bevredigen ♦ *satisfied* voldaan, tevreden

the **Saturday** de zaterdag

the **sauce** de saus

the **saucepan** de steelpan

the **saucer** het schoteltje

Saudi Arabia Saudi-Arabië

Saudi Arabian Saudi-Arabisch

the **sauna** de sauna

the **sausage** de worst

savage wild

save redden · sparen

the **savings** het spaargeld ♦ ~ *bank* spaarbank

the **saviour** de redder

savoury smakelijk · pikant · hartig

the **saw¹** de zaag

saw² *ww* zie see

the **sawdust** het zaagsel

the **saw mill** de houtzagerij

say* zeggen

the **scaffolding** de steigers

the **scale** de schaal · de toonladder · de schub ♦ ~s weegschaal

the **scandal** het schandaal

Scandinavia Scandinavië

the **Scandinavian¹** de Scandinaviër

Scandinavian² *bn* Scandinavisch

the **scanner** de scanner

the **scapegoat** de zondebok

the **scar** het litteken

scarce schaars

scarcely nauwelijks

the **scarcity** de schaarste

the **scare¹** de schrik

scare² *ww* doen schrikken

the **scarf** ~s, *scarves* de das, de sjaal

scarlet vuurrood

scary griezelig

scatter verspreiden

the **scene** de scène

the **scenery** het landschap

scenic schilderachtig

the **scent** de geur

the **schedule** de dienstregeling · het rooster

the **scheme** het schema · het plan

the **schnitzel** de schnitzel

the **scholar** de geleerde · de leerling

the **scholarship** de studiebeurs

scholastic schools

the **school** de school ♦ *primary ~* basisschool

the **schoolboy** de schooljongen

the **schoolgirl** het schoolmeisje

the **schoolmaster** de onderwijzer, de meester

the **schoolteacher** de onderwijzer

the **science** de wetenschap

scientific wetenschappelijk

the **scientist** de geleerde

the **scissors** de schaar

scold berispen · schelden

the **scoop** de schep

the **scooter** de scooter

the **score¹** de stand

score² ww scoren

the **scorn¹** de hoon · de verachting

scorn² ww verachten

the **Scot** de Schot

Scotland Schotland

Scots Schots ♦ *Scotch tape* plakband

Scottish Schots

the **scout** de padvinder

the **scrap** de snipper

the **scrap book** het plakboek

scrape schrappen

the **scrap iron** het schroot

the **scratch¹** de kras, de schram

scratch² ww krassen, krabben

the **scream¹** de gil, de schreeuw

scream² ww gillen, schreeuwen

the **screen** het scherm · het beeldscherm

the **screw¹** de schroef

screw² ww schroeven

the **screw driver** de schroevendraaier

scroll scrollen

the **scrub¹** de struik

scrub² ww schrobben

the **sculptor** de beeldhouwer

the **sculpture** het beeldhouwwerk

the **sea** de zee

the **sea bird** de zeevogel

the **sea coast** de zeekust

the **seagull** de meeuw, de zeemeeuw

the **seal** het zegel · de rob, de zeehond

the **seam** de naad

the **seaman** -men de zeeman

seamless naadloos

the **seaport** de zeehaven

search zoeken · fouilleren, doorzoeken

the **searchlight** de schijnwerper

the **seascape** het zeegezicht

the **seashell** de zeeschelp

the **seashore** de kust

seasick zeeziek

the **seasickness** de zeeziekte

the **seaside** de kust ♦ ~ resort badplaats

the **season** het jaargetijde, het seizoen ♦ high ~ hoogseizoen; low ~ naseizoen; off ~ buiten het seizoen

the **season ticket** de abonnementskaart

the **seat** de stoel · de plaats · de zitplaats · de zetel

the **seat belt** de veiligheidsgordel

the **sea urchin** de zee-egel

the **sea water** het zeewater

the **second**¹ de seconde · de tel

second² telw tweede

secondary secundair, ondergeschikt ♦ ~ school middelbare school

second-hand tweedehands

the **secret**¹ het geheim

secret² bn geheim

the **secretary** de secretaresse · de secretaris

the **sect** de sekte

the **section** de sectie · de afdeling · het vak

secure¹ bn veilig

secure² ww bemachtigen

the **security** de veiligheid · het pand

sedate kalm

the **sedative** het kalmerend middel

seduce verleiden

see* zien · begrijpen, inzien ♦ ~* to zorgen voor

the **seed** het zaad

seek* zoeken

seem lijken, schijnen

seen zie see

the **seesaw** de wip

seize grijpen

seldom zelden

select[1] bn select, uitgelezen

select[2] ww selecteren, uitkiezen

the **selection** de keuze · de selectie

self-centred egocentrisch

self-employed zelfstandig

self-evident vanzelfsprekend

the **self-government** het zelfbestuur

selfish egoïstisch

the **selfishness** het egoïsme

the **self-service** de zelfbediening ◆ ~ restaurant zelfbedieningsrestaurant

sell* verkopen

the **semblance** de schijn

semi- half

the **semicircle** de halve cirkel

the **semicolon** de puntkomma

the **senate** de senaat

the **senator** de senator

send* sturen, zenden ◆

back terugsturen, terugzenden; ~* for laten halen; ~* off versturen

senile seniel

the **sensation** de sensatie · de gewaarwording, het gevoel

sensational sensationeel, opzienbarend

the **sense**[1] het zintuig · het gezond verstand, de rede · de zin, de betekenis ◆ ~ of honour eergevoel

sense[2] ww voelen

senseless zinloos

sensible verstandig

sensitive gevoelig

the **sentence**[1] de zin · het vonnis

sentence[2] ww veroordelen

sentimental sentimenteel

separate[1] bn afzonderlijk, gescheiden

separate[2] ww scheiden

separately apart

September september

septic septisch ◆ become* ~ ontsteken

the **sequel** het vervolg

the **sequence** de volgorde · de reeks

serene kalm · helder

the **serial** het feuilleton

the **series** ~ de reeks, de serie

serious serieus, ernstig

the **seriousness** de ernst

the **sermon** de preek

the **serum** het serum

the **servant** de bediende

serve bedienen, serveren

the **service** de dienst · de bediening · het servies ◆ ~ *charge* bedieningsgeld; ~ *station* benzinestation

the **serviette** het servet

the **session** de zitting

set¹* zetten ◆ ~* *menu* vast menu; ~* *out* vertrekken

the **set²** het stel, de groep

the **setting** de omgeving ◆ ~ *lotion* haarversteviger

settle afhandelen, regelen ◆ ~ *down* zich vestigen

the **settlement** de regeling, de schikking, de overeenkomst

seven zeven

seventeen zeventien

seventeenth zeventiende

seventh zevende

seventy zeventig

several ettelijk, verscheidene

severe hevig, streng, ernstig

sew naaien ◆ ~ *up* hechten

the **sewer** het riool

the **sewing machine** de naaimachine

the **sex** het geslacht, de sekse · de seks ◆ *to have (safe)* ~ (veilig) vrijen

the **sexton** de koster

sexual seksueel

the **sexual intercourse** de geslachtsgemeenschap

the **sexuality** de seksualiteit

the **shade** de schaduw · de tint

the **shadow** de schaduw

shady schaduwrijk

shake* schudden

shaky gammel

shall* zullen · moeten

shallow ondiep

the **shame** de schaamte · de schande ♦ ~! foei!

the **shammy** de zeem

the **shampoo** de shampoo

the **shamrock** de klaver

the **shape¹** de vorm
shape² ww vormen

the **share¹** het deel · het aandeel
share² ww delen

the **shark** de haai
sharp scherp
sharpen slijpen
shave zich scheren

the **shaver** het scheerapparaat

the **shaving brush** de scheerkwast

the **shaving cream** de scheercrème

the **shaving soap** de scheerzeep

the **shawl** de omslagdoek, de sjaal
she ze, zij

the **shed** de schuur

the **sheep** ~ het schaap
sheer absoluut, puur ·

dun, doorzichtig

the **sheet** het laken · het blad · de plaat

the **shelf** shelves de plank

the **shell** de schelp · de dop · de romp

the **shellfish** het schaaldier

the **shelter¹** de beschutting, de schuilplaats
shelter² ww beschutten

the **shepherd** de herder

the **sherry** de sherry

the **shift** de ploeg

the **shinbone** het scheenbeen
shine* schijnen · glanzen, blinken

the **ship¹** het schip
ship² ww verschepen

the **shipowner** de reder

the **shipping line** de scheepvaartlijn

the **shipyard** de scheepswerf

the **shirt** het hemd, het overhemd

the **shiver¹** de rilling
shiver² ww bibberen, rillen
shivery rillerig

the **shock¹** de schok

shock² *ww* schokken

the **shock absorber** de schokdemper

shocking schokkend

the **shoe** de schoen ♦ *gym* ~*s* gymschoenen

the **shoe lace** de schoenveter

the **shoemaker** de schoenmaker

the **shoe polish** de schoensmeer

the **shoe shop** de schoenwinkel

shook zie shake

shoot* schieten

the **shop¹** de winkel ♦ ~ *assistent* verkoper

shop² *ww* winkelen

the **shopkeeper** de winkelier

the **shopping bag** de boodschappentas

the **shoppingcentre** het winkelcentrum

the **shop window** de etalage

the **shore** de oever, de kust

short kort · klein ♦ ~ *circuit* kortsluiting

the **shortage** het tekort, het gebrek

the **shortcoming** de tekortkoming

the **short cut** de sluiproute

shorten verkorten

the **shorthand** de stenografie

shortly weldra, binnenkort, spoedig

the **shorts** korte broek · *(Am)* de onderbroek

short-sighted bijziend

the **shot** het schot · de injectie · de opname

should* moeten

the **shoulder** de schouder

the **shout¹** de schreeuw

shout² *ww* schreeuwen, roepen

the **shovel** de schop

show¹* tonen · laten zien, tentoonstellen · aantonen

the **show²** de voorstelling · de tentoonstelling

the **showcase** de vitrine

the **shower¹** de douche · de bui, de regenbui

shower² *ww* douchen

the **showroom** de toonzaal

the **shriek¹** de gil

shriek² *ww* gillen

the **shrimp** de garnaal
the **shrine** het heiligdom, de schrijn
shrink* krimpen
shrinkproof krimpvrij
the **shrub** de struik
the **shudder** de rilling
shuffle schudden
shut* sluiten ♦ ~ dicht, gesloten; ~* *in* insluiten
the **shutter** het luik, het blind
shy schuw, verlegen
the **shyness** de verlegenheid
Siamese Siamees
sick ziek · misselijk
the **sickness** de ziekte · de misselijkheid
the **side** de kant, de zijde · de partij
the **sideburns** de bakkebaarden
the **sidelight** het zijlicht
the **side street** de zijstraat
the **sidewalk** *(Am)* de stoep, het trottoir
sideways opzij
the **siege** de belegering
the **sieve¹** de zeef
sieve² *ww* zeven

sift zeven
sigh zuchten
the **sight** het zicht · het gezicht, de aanblik · de bezienswaardigheid
the **sign¹** het teken · het gebaar, de wenk
sign² *ww* ondertekenen, tekenen
the **signal¹** het signaal · het sein, het teken
signal² *ww* seinen
the **signature** de handtekening
significant veelbetekenend
the **signpost** de wegwijzer
the **silence¹** de stilte
silence² *ww* tot zwijgen brengen
silent zwijgend, stil ♦ *be** ~ zwijgen
the **silk** de zijde
silken zijden
silly mal, dwaas
the **silver** het zilver · zilveren
the **silversmith** de zilversmid
the **silverware** het zilverwerk
similar dergelijk, overeen-

komstig

the **similarity** de gelijkenis

simple simpel, eenvoudig · gewoon

simply eenvoudig, gewoonweg

simulate huichelen

simultaneous gelijktijdig

simultaneously tegelijkertijd

the **sin** de zonde

since[1] *bw* sindsdien

since[2] *vz* sedert

since[3] *vw* sinds · aangezien

sincere oprecht

the **sinew** de pees

sing zingen

the **singer** de zanger · de zangeres

single enkel · ongetrouwd

the **singular**[1] het enkelvoud

singular[2] *bn* eigenaardig

sinister onheilspellend

the **sink**[1] de gootsteen

sink[2]* zinken

the **sip** het slokje

the **siphon** de sifon

sir meneer

the **siren** de sirene

the **sister** de zuster, de zus

the **sister-in-law** *sisters-* de schoonzuster

sit* zitten ♦ ~* *down* gaan zitten

the **site** de plaats · de ligging

the **sitting room** de zitkamer

situated gelegen

the **situation** de situatie · de ligging

six zes

sixteen zestien

sixteenth zestiende

sixth zesde

sixty zestig

the **size** de grootte, de maat · de afmeting, de omvang · het formaat

the **skate**[1] de schaats ♦ *in-line* ~*s* skeelers

skate[2] *ww* schaatsen

the **skating rink** de kunstijsbaan, de ijsbaan

the **skeleton** het skelet, het geraamte

the **sketch**[1] de tekening, de schets

sketch[2] *ww* tekenen,

schetsen

the **sketchbook** het schetsboek

the **ski¹** ~, ~*s* de ski ♦ ~ *boots* skischoenen; ~ *pants* skibroek; *(Am)* ~ *poles* skistokken; ~ *sticks* skistokken

ski² *ww* skiën

skid slippen

the **skier** de skiër

skilful bekwaam, behendig, vaardig

the **ski lift** de skilift

the **skill** de vaardigheid

skilled vaardig, vakkundig

the **skimmer** de schuimspaan

the **skin** het vel, de huid · de schil ♦ ~ *cream* huidcrème

skip huppelen · overslaan

the **skirt** de rok

the **skull** de schedel

the **sky** de hemel · de lucht

the **skyscraper** de wolkenkrabber

slack traag

the **slacks** de broek

slam dichtslaan

the **slander** de laster

slant hellen

slanting schuin, hellend, scheef

the **slap¹** de klap

slap² *ww* slaan

the **slate** het lei

the **slave** de slaaf

the **sledge** de slee · de slede

the **sleep¹** de slaap

sleep²* slapen

the **sleeping bag** de slaapzak

the **sleeping car** de slaapwagen

the **sleeping pill** de slaappil

sleepless slapeloos

sleepy slaperig

the **sleeve** de mouw · de hoes

the **sleigh** de slee · de ar

slender slank

the **slice** de snee

slide¹* glijden

the **slide²** de glijbaan · de dia

slight licht · gering

slim¹ *bn* slank

slim² *ww* vermageren

the **sling** de mitella

the **slip¹** de misstap · de onderrok

slip² *ww* slippen, uitglijden · ontglippen

the **slipper** de slof · de pantoffel

slippery glibberig, glad

the **slogan** de leus, de slagzin

the **slope¹** de helling

slope² *ww* glooien

sloping afhellend

sloppy slordig

the **slot** de gleuf

the **slot machine** de automaat

slovenly slordig

slow traag, langzaam ♦ ~ *down* vertragen; afremmen

the **sluice** de sluis

the **slum** de achterbuurt

the **slump** de prijsdaling

the **slush** het smeltsneeuw

sly listig

the **smack¹** de klap

smack² *ww* slaan

small klein · gering

the **smallpox** de pokken

smart chic · knap, pienter

the **smart drink** de smartdrink

the **smell¹** de geur

smell² *ww* ruiken · stinken

smelly stinkend

the **smile¹** de glimlach

smile² *ww* glimlachen

the **smith** de smid

the **smoke¹** de rook

smoke² *ww* roken ♦ *no smoking* verboden te roken

the **smoker** de roker · de rookcoupé

the **smoking compartment** de coupé voor rokers

the **smoking room** de rookkamer

smooth effen, vlak, glad · zacht

smuggle smokkelen

the **snack** de snack

the **snack bar** de snackbar

the **snail** de slak

the **snake** de slang

the **snapshot** het kiekje, de momentopname

the **sneakers** *(Am)* de gymschoenen

sneeze niezen

the **sniper** de sluipschutter

snooty verwaand

snore snurken

the **snorkel** de snorkel

the **snout** de snuit

the **snow¹** de sneeuw

snow² ww sneeuwen

the **snowstorm** de sneeuwstorm

snowy besneeuwd

so¹ bw zo · dermate ◆ and so on enzovoort; so far tot zo ver; so that zodat, opdat

so² vw dus

soak weken, doorweken

the **soap** de zeep ◆ ~ powder zeeppoeder

sober nuchter · bezonnen

Soc. (society) maatschappij, genootschap

so-called zogenaamd

the **soccer** het voetbal ◆ ~ team elftal

social maatschappelijk, sociaal

the **socialism** het socialisme

the **socialist¹** de socialist

socialist² bn socialistisch

the **society** de maatschappij · het genootschap, de vereniging · het gezelschap

the **sock** de sok

the **socket** de fitting · het stopcontact

the **soda water** het spuitwater, het sodawater

the **sofa** de sofa

soft zacht ◆ ~ drink frisdrank

soften verzachten

the **software** de software

the **soil** de grond · de bodem, de aarde

soiled bevuild

sold zie sell

solder solderen

the **soldering iron** de soldeerbout

the **soldier** de militair, de soldaat

sold out uitverkocht

the **sole¹** de zool · de tong

sole² bn enig

solely uitsluitend

solemn plechtig

the **solicitor** de raadsman, de advocaat

the **solid¹** de vaste stof

solid² bn stevig, solide ·

massief
soluble oplosbaar
the **solution** de oplossing
solve oplossen
sombre somber
some¹ *bn* enige · enkele
some² *vnw* sommige · iets
♦ ~ *day* eens; ~ *more* nog
wat; ~*time* eens
somebody iemand
somehow op de een of
andere manier
someone iemand
something iets
sometimes soms
somewhat enigszins
somewhere ergens
the **son** de zoon
the **song** het bed
the **son-in-law** *sons*- de
schoonzoon
soon vlug, gauw, weldra,
spoedig ♦ *as* ~ *as* zodra
sooner liever
the **soot** het roet
the **sore¹** zere plek · de zweer
sore² *bn* pijnlijk, zeer ♦ ~
throat keelpijn
the **sorrow** de droefheid, het

leed, het verdriet
sorry bedroefd ♦ ~! neem
me niet kwalijk!, sorry!,
pardon!
the **sort¹** het slag, de, het
soort ♦ *all* ~*s of* allerlei
sort² *ww* sorteren, rangschikken
the **soul** de ziel · de geest
the **sound¹** de klank, het geluid
sound² *bn* degelijk
sound³ *ww* klinken
soundproof geluiddicht
the **soup** de soep
the **soup plate** het soepbord
the **soup spoon** de soeplepel
sour zuur
the **source** de bron
the **south** de zuid · het zuiden
♦ *South Pole* zuidpool
South Africa Zuid-Afrika
the **south-east** het zuidoosten
southerly zuidelijk
southern zuidelijk
the **south-west** het zuidwesten
the **souvenir** het souvenir

the **sovereign** de vorst
sow* zaaien
the **soy** de soja
the **spa** de geneeskrachtige
bron
the **space¹** de ruimte · de afstand, de tussenruimte,
de spatie
space² ww spatiëren
spacious ruim
the **spade** de schop · de spade
Spain Spanje
the **Spaniard** de Spanjaard
Spanish Spaans
the **spanking** het pak slaag
the **spanner** de schroefsleutel
spare¹ bn reserve-, extra ♦
~ part onderdeel; ~ room
logeerkamer; ~ time vrije
tijd; ~ tyre reserveband; ~
wheel reservewiel
spare² ww missen
the **spark** de vonk
sparkling fonkelend ·
mousserend
the **spark plug** de bougie
the **sparrow** de mus
speak* spreken
the **spear** de speer

special bijzonder, speciaal
♦ ~ delivery expresse-
the **specialist** de specialist
the **speciality** de specialiteit
specialize zich specialiseren
specially in het bijzonder
the **species** ~ de, het soort
specific specifiek
the **specimen** het exemplaar,
het specimen
the **speck** de spat
the **spectacle** het schouwspel
♦ ~s bril
the **spectator** de kijker, de
toeschouwer
speculate speculeren
the **speech** de spraak · de
rede, de toespraak · de
taal
speechless sprakeloos
the **speed¹** de snelheid · de
vaart, de spoed ♦ cruising
~ kruissnelheid; ~ limit
maximumsnelheid, snel-
heidsbeperking
speed²* hardrijden · te
hard rijden
the **speeding** de snelheids-

overtreding

the **speedometer** de snelheidsmeter

spell¹* spellen

the **spell²** de betovering

the **spelling** de spelling

spend* uitgeven, besteden · doorbrengen

the **sperm** het sperma

the **sphere** de bol · de sfeer

the **spice** de specerij ♦ ~*s* kruiden

spiced gekruid

spicy pikant, gekruid

the **spider** de spin ♦ ~*web* spinnenweb

spill morsen

spin* spinnen · draaien

the **spinach** de spinazie

the **spine** de ruggengraat

the **spinster** de oude vrijster

the **spire** de spits

the **spirit** de geest · de bui ♦ ~*s* sterkedrank; stemming; ~ *stove* spiritusbrander

spiritual geestelijk

spit¹* spuwen

the **spit²** het spuug, het

speeksel · het spit

in spite of ongeacht, ondanks

spiteful hatelijk

splash spatten

splendid schitterend, prachtig

the **splendour** de pracht

the **splint** de spalk

the **splinter** de splinter

split* splijten

spoil* bederven · verwennen

the **spoke¹** de spaak

spoke² *ww* zie speak

the **sponge** de spons

the **spook** het spook

the **spool** de spoel

the **spoon** de lepel

the **sport** de sport

the **sports car** de sportwagen

the **sports jacket** het sportjasje

the **sportsman** -*men* de sportman

the **sportswear** de sportkleding

the **spot** de spat · de vlek · de pukkel · de plek, de plaats

spotless vlekkeloos

the **spotlight** de schijnwerper

spotted gespikkeld

the **spout** de straal

the **sprain¹** de verstuiking

sprain² ww verstuiken, verzwikken

spread* spreiden

the **spring** het voorjaar, de lente · de veer · de bron

the **springtime** het voorjaar

the **sprouts** de spruitjes

the **spruce** de spar

the **spy** de spion

the **squadron** het eskader

the **square¹** het kwadraat, het vierkant · het plein

square² bn vierkant

the **squash** het vruchtensap

the **squirrel** de eekhoorn

the **squirt** de straal

St. (saint) sint · (street) straat

the **stable¹** de stal

stable² bn stabiel

the **stack** de stapel

the **stadium** het stadion

the **staff** de staf

the **stage** het toneel · de fase,

het stadium · de etappe

the **stain¹** de spat, de vlek ♦ ~ remover vlekkenwater

stain² ww vlekken ♦ ~ed glass gebrandschilderd glas

stainless vlekkeloos ♦ ~ steel roestvrij staal

the **staircase** de trap

the **stairs** de trap

stale oudbakken

the **stall** de kraam · de stalles

the **stamina** het uithoudingsvermogen

the **stamp¹** de postzegel · de stempel ♦ ~ machine postzegelautomaat

stamp² ww frankeren · stampen

the **stand¹** de kraam · de tribune

stand²* staan

the **standard** de norm, de maatstaf · standaard- ♦ ~ of living levensstandaard

the **stanza** het couplet

the **staple** het nietje

the **star** de ster

the **starboard** het stuurboord

the **starch¹** het stijfsel

starch² *ww* stijven

stare staren

the **starling** de spreeuw

the **start¹** het begin

start² *ww* beginnen

the **starter motor** de startmotor

the **starting point** het uitgangspunt

the **state¹** de staat · de toestand

state² *ww* verklaren

the **statement** de verklaring

the States Verenigde Staten

the **statesman** *-men* de staatsman

the **station** het station · de plaats

stationary stilstaand

the **stationer's** de kantoorboekhandel

the **stationery** de schrijfbehoeften

the **station master** de stationschef

the **statistics** de statistiek

the **statue** het standbeeld

the **stay¹** het verblijf

stay² *ww* blijven · logeren, verblijven

STD *(Subscriber Trunk Dialling)* automatisch telefoonverkeer

steadfast standvastig

steady vast

the **steak** de biefstuk

steal* stelen

the **steam** de stoom

the **steamer** de stoomboot

the **steel** het staal

steep steil

the **steeple** de kerktoren

the **steering column** de stuurkolom

the **steering wheel** het stuurwiel

the **steersman** *-men* de stuurman

the **stem** de steel

the **stench** de stank

the **stenographer** de stenograaf

the **step¹** de pas, de stap · de trede

step² *ww* stappen

the **stepchild** *-children* het

stiefkind

the **stepfather** de stiefvader

the **stepmother** de stiefmoeder

sterile steriel

sterilize steriliseren

the **steward** de steward

the **stewardess** de stewardess

the **stick¹** de stok

stick²* kleven, plakken

the **sticker** de sticker

sticky kleverig

stiff stijf

still¹ *bn* stil

still² *bw* nog · toch

the **stillness** de stilte

the **stimulant** het stimulerend middel

stimulate stimuleren

the **sting¹** de prik · de steek

sting²* steken

stingy gierig

stink* stinken

stipulate bepalen

the **stipulation** de bepaling

stir bewegen · roeren

the **stirrup** de stijgbeugel

the **stitch** de steek · de hech-

ting

the **stock¹** de voorraad ♦ ~ *exchange* effectenbeurs; beurs; ~ *market* effectenbeurs; ~*s and share* effecten

stock² *ww* in voorraad hebben

the **stocking** de kous

the **stole¹** de stola

stole² *ww* zie steal

the **stomach** de maag

the **stomach ache** de buikpijn, de maagpijn

the **stone** de steen · de edelsteen · de pit · stenen ♦ *pumice* ~ puimsteen

stood zie stand

the **stool** de stoelgang

the **stop¹** de halte ♦ ~! halt!

stop² *ww* stoppen · ophouden met, staken

the **stopper** de stop

the **storage** de opslag

the **store¹** de voorraad · de winkel

store² *ww* opslaan

the **store house** het magazijn

the **storey** de etage · de verdieping

the **stork** de ooievaar

the **storm** de storm

stormy stormachtig

the **story** het verhaal

stout dik, gezet, corpulent

the **stove** de kachel · het fornuis

straight¹ bn recht · eerlijk · hetero

straight² bw recht ♦ ~ ahead rechtdoor; ~ away direct, meteen; ~ on rechtdoor

the **strain¹** de inspanning · de spanning

strain² ww forceren · zeven

the **strainer** het vergiet

strange vreemd · raar

the **stranger** de vreemde

strangle wurgen

the **strap** de riem

the **straw** het stro · het rietje

the **strawberry** de aardbei

the **stream¹** de beek · de stroom

stream² ww stromen

the **street** de straat

the **streetcar** (Am) de tram

the **street organ** het draaiorgel

the **strength** de sterkte · de kracht

the **stress¹** de spanning · de nadruk, de klemtoon

stress² ww benadrukken

the **stretch¹** het stuk

stretch² ww rekken

the **stretcher** de brancard

strict strikt · streng

the **strife** de strijd

the **strike¹*** slaan · toeslaan · treffen · staken · strijken

the **strike²** de staking

striking frappant, opmerkelijk, opvallend

the **string** het touw · de snaar

the **strip** de strook

the **stripe** de streep

striped gestreept

the **stroke¹** de beroerte

stroke² ww aaien

the **stroll¹** de wandeling

stroll² ww wandelen

strong sterk · krachtig

the **stronghold** de burcht

the **structure** de structuur

the **struggle**[1] de strijd, de worsteling

struggle[2] ww worstelen, strijden

the **stub** de controlestrook

stubborn hardnekkig

the **student** de student · de studente

the **study**[1] de studie · de studeerkamer

study[2] ww studeren

the **stuff** de stof · het spul

stuffed gevuld

the **stuffing** de vulling

stuffy benauwd

stumble struikelen

stung zie sting

stupid dom

stutter stotteren

the **style** de stijl · de stift

the **subject**[1] het onderwerp · de onderdaan

subject[2] ww onderwerpen ♦ ~ to onderhevig aan

submit zich onderwerpen

subordinate ondergeschikt · bijkomstig

the **subscriber** de abonnee

the **subscription** het abonnement

subsequent volgend

the **subsidy** de subsidie

the **substance** de substantie

substantial stoffelijk · werkelijk · aanzienlijk

the **substitute**[1] de vervanging · de plaatsvervanger

substitute[2] ww vervangen

the **subtitle**[1] de ondertitel

subtitle[2] ww ondertitelen

subtle subtiel

subtract aftrekken

the **suburb** de buitenwijk, de voorstad

suburban van de voorstad

the **subway** (Am) de ondergrondse

succeed slagen · opvolgen

the **success** het succes

successful succesvol

succumb bezwijken

such[1] bn dergelijk, zulk

such[2] bw zo ♦ ~ as zoals

suck zuigen

sudden plotseling

suddenly opeens

the **suds** het sop

the **suede** het, de suède
suffer lijden · ondergaan
the **suffering** het lijden
suffice voldoende zijn
sufficient voldoende · genoeg
the **suffrage** het stemrecht, het kiesrecht
the **sugar** de suiker
suggest voorstellen
the **suggestion** het voorstel
the **suicide** de zelfmoord
the **suit**[1] het kostuum
suit[2] ww schikken · aanpassen · goed staan
suitable gepast, geschikt
the **suitcase** de koffer
the **suite** de suite
the **sum** de som
the **summary** het resumé, de samenvatting
the **summer** de zomer ♦ ~time zomertijd
the **summit** de top
the **summons** ~es de dagvaarding
the **sun** de zon
sunbathe zonnebaden
the **sunbed** de zonnebank

the **sunburn** de zonnebrand
the **Sunday** de zondag
the **sunflower** de zonnebloem
the **sunglasses** de zonnebril
the **sunlight** het zonlicht
sunny zonnig
the **sunrise** de zonsopgang
the **sunset** de zonsondergang
the **sunshade** de parasol
the **sunshine** de zonneschijn
the **sunstroke** de zonnesteek
the **suntan oil** de zonnebrandolie
the **super** de super
superb groots, prachtig
superficial oppervlakkig
superfluous overbodig
superior beter, groter, hoger, superieur
the **superlative**[1] de superlatief
superlative[2] bn overtreffend
the **supermarket** de supermarkt
the **superstition** het bijgeloof
supervise toezicht houden op
the **supervision** de controle,

het toezicht

the **supervisor** de opzichter

the **supper** het avondeten

supple soepel, lenig, buigzaam

the **supplement** het supplement

the **supply¹** de aanvoer, de levering · de voorraad · het aanbod

supply² ww leveren, bezorgen

the **support¹** de steun ♦ ~ *hose* steunkousen

support² ww ondersteunen, steunen

the **supporter** de supporter

suppose aannemen, veronderstellen ♦ *supposing that* aangenomen dat

the **suppository** de zetpil

suppress onderdrukken

the **surcharge** de toeslag

sure zeker

surely zeker

the **surf¹** de branding

surf² ww surfen

the **surface** de oppervlakte

the **surfboard** de surfplank

the **surgeon** de chirurg ♦ *veterinary* ~ veearts

the **surgery** de operatie · de spreekkamer

the **surname** de achternaam

the **surplus** het overschot

the **surprise¹** de verrassing · de verbazing

surprise² ww verrassen · verbazen

the **surrender¹** de overgave

surrender² ww zich overgeven

surround omringen, omgeven

surrounding omliggend

the **surroundings** de omgeving

the **survey** het overzicht

the **survival** de overleving

survive overleven

the **suspect¹** de verdachte

suspect² ww verdenken · vermoeden

suspend schorsen

the **suspenders** (Am) de bretels ♦ *suspender belt* jarretelgordel

the **suspension** de vering, de

ophanging ♦ ~ *bridge* hangbrug

the **suspicion** de verdenking · het wantrouwen, de argwaan

suspicious verdacht · argwanend, achterdochtig

sustain verdragen

the **Swahili** het Swahili

the **swallow¹** de zwaluw

swallow² ww inslikken, slikken

swam zie swim

the **swamp** het moeras

the **swan** de zwaan

swap ruilen

swear* zweren · vloeken

the **sweat¹** het zweet

sweat² ww zweten

the **sweater** de sweater

the **Swede** de Zweed

Sweden Zweden

Swedish Zweeds

sweep* vegen

the **sweet¹** het snoepje · het toetje ♦ ~s snoep, snoepgoed

sweet² bn zoet · lief

sweeten zoet maken

the **sweetheart** het liefje, de lieveling

the **sweet pepper** de paprika

the **sweetshop** de snoepwinkel

swell¹ prachtig

swell²* zwellen

the **swelling** de zwelling

swift snel

swim* zwemmen

the **swimmer** de zwemmer

the **swimming** de zwemsport ♦ ~ *pool* zwembad

the **swimming trunks** de zwembroek

the **swim suit** het zwempak

the **swindle¹** de zwendelarij

swindle² ww oplichten

the **swindler** de oplichter

swing¹* zwaaien · schommelen

the **swing²** de schommel

the **Swiss¹** de Zwitser

Swiss² bn Zwitsers

the **switch¹** de schakelaar

switch² ww omwisselen ♦ ~ *off* uitschakelen; ~ *on* inschakelen

the **switchboard** het schakel-

bord
Switzerland Zwitserland
the **sword** het zwaard
swum zie swim
the **syllable** de lettergreep
the **symbol** het symbool
sympathetic hartelijk, begrijpend
the **sympathy** de sympathie · het medegevoel
the **symphony** de symfonie
the **symptom** het symptoom
the **synagogue** de synagoge
the **synonym** het synoniem
synthetic synthetisch
the **syphon** de sifon
Syria Syrië
the **Syrian¹** de Syriër
Syrian² bn Syrisch
the **syringe** de spuit
the **syrup** de stroop · de siroop
the **system** het systeem · het stelsel ♦ decimal ~ tientallig stelsel
systematic systematisch
the **table** de tafel · de tabel ♦ ~ of contents inhoudsopgave; ~ tennis tafeltennis

the **tablecloth** het tafellaken
the **tablespoon** de eetlepel
the **tablet** het tablet
the **taboo** het taboe
the **tactics** de tactiek
the **tag** het etiket
the **tail** de staart
the **tailback** de file
the **taillight** het achterlicht
the **tailor** de kleermaker
tailor-made op maat gemaakt
take* nemen · pakken · brengen · begrijpen, snappen ♦ ~* away meenemen; afnemen, wegnemen; ~* off starten; ~* out wegnemen; ~* over overnemen; ~* place plaatshebben; ~* up innemen
the **take-off** de start
the **tale** het verhaal, de vertelling
the **talent** de aanleg, het talent
talented begaafd
the **talk¹** het gesprek
talk² ww spreken, praten

talkative spraakzaam

tall hoog · lang, groot

tame¹ *bn* mak, tam

tame² *ww* temmen

the **tampon** de tampon

the **tandem** de tandem

the **tanga** de tanga

the **tangerine** de mandarijn

tangible tastbaar

the **tank** de tank

the **tanker** het tankschip

tanned gebruind

the **tap¹** de kraan · de klop

tap² *ww* kloppen

the **tape** de band · het lint ◆ *adhesive* ~ plakband; hechtpleister

the **tape measure** de centimeter

the **tape recorder** de bandrecorder

the **tapestry** het wandkleed, de gobelin

the **tar** de, het teer

the **target** het doel, het mikpunt

the **tariff** het tarief

the **tarpaulin** het dekzeil

the **task** de taak

the **taste¹** de smaak

taste² *ww* smaken · proeven

tasteless smakeloos

tasty lekker, smakelijk

the **tattoo** de tatoeage

taught zie teach

the **tavern** de herberg

the **tax¹** de belasting

tax² *ww* belasten

the **taxation** de belasting

tax-free belastingvrij

the **taxi** de taxi ◆ *rank* taxistandplaats; *(Am)* ~ *stand* taxistandplaats

the **taxi driver** de taxichauffeur

the **taxi meter** de taximeter

the **tea** de thee

teach* leren, onderwijzen

the **teacher** de docent, de leraar · de lerares · de onderwijzer · de meester · de schoolmeester

the **teachings** de leer

the **tea cloth** de theedoek

the **teacup** het theekopje

the **tealight** het waxinelichtje

the **team** de equipe, de ploeg

the **teapot** de theepot

the **tear**[1] de traan

the **tear**[2] de scheur

tear[3]* scheuren

the **tear jerker** de smartlap

tease plagen

the **tea set** het theeservies

the **tea shop** de tearoom

the **teaspoon** de theelepel

the **teaspoonful** de theelepel

technical technisch

the **technician** de technicus

the **technique** de techniek

the **technology** de technologie

the **teenager** de tiener

the **teetotaller** de geheelonthouder

the **telegram** het telegram

telegraph telegraferen

the **telepathy** de telepathie

the **telephone** de telefoon ◆ (Am) ~ book telefoongids; telefoonboek; ~ booth telefooncel; ~ call telefoongesprek; cellular phone draagbare telefoon; (Am) ~ directory telefoonboek, telefoongids; ~ exchange telefooncentrale; mobile ~ draagbare telefoon; ~ operator telefoniste

the **telephonist** de telefoniste

the **teletext** de teletekst

the **television** de televisie ◆ ~ set televisietoestel; TV dinner diepvriesmaaltijd

the **telex** de telex

tell* zeggen · vertellen

the **temper** de boosheid

the **temperature** de temperatuur

the **tempest** de storm

the **temple** de tempel · de slaap

temporary voorlopig, tijdelijk

tempt verleiden

the **temptation** de verleiding

ten tien

the **tenant** de huurder

tend de neiging hebben · verzorgen ◆ ~ to neigen tot

the **tendency** de neiging · de tendens

tender teder, teer · mals

the **tendon** de pees

the **tennis** het tennis ♦ ~ *shoes* tennisschoenen

the **tennis court** de tennisbaan

tense gespannen

tension de spanning

the **tent** de tent

tenth tiende

tepid lauw

the **term** de term · de periode, de termijn · de voorwaarde

the **terminal** het eindpunt

the **terrace** het terras

the **terrain** het terrein

terrible verschrikkelijk, ontzettend, vreselijk

terrific geweldig

terrify schrik aanjagen ♦ ~*ing* angstwekkend

the **territory** het gebied

the **terror** de angst

the **terrorism** het terrorisme, de terreur

the **terrorist** de terrorist

the **terylene** het teryleen

the **test¹** de proef, de test

test² ww proberen, testen

testify getuigen

the **text¹** de tekst

text² ww sms'en

the **textbook** het leerboek

the **textile** de, het textiel

the **texture** de structuur

the **Thai¹** de Thailander

Thai² bn Thais

Thailand Thailand

than dan

thank bedanken, danken ♦ ~ *you* dank u

thankful dankbaar

that¹ bn die, dat

that² vw dat

the **thaw¹** de dooi

thaw² ww dooien, ontdooien

the **the** de ♦ ~ ... ~ hoe ... hoe

the **theatre** de schouwburg, het theater

the **theft** de diefstal

their hun

them hen

the **theme** het thema, het onderwerp

themselves zich · zelf

then toen · vervolgens, dan

the **theology** de theologie

theoretical theoretisch

the **theory** de theorie

the **therapy** de therapie

there daar · daarheen

therefore daarom

the **thermometer** de thermometer

the **thermostat** de thermostaat

these deze

the **thesis** *theses* de stelling

they ze, zij

thick dik · dicht

thicken verdikken

the **thickness** de dikte

the **thief** *thieves* de dief

the **thigh** de dij

the **thimble** de vingerhoed

thin dun · mager

the **thing** het ding

the **things** het spul

think* denken · nadenken ♦ ~* *of* denken aan; bedenken; ~* *over* overdenken

the **thinker** de denker

third derde

the **thirst** de dorst

thirsty dorstig

thirteen dertien

thirteenth dertiende

thirtieth dertigste

thirty dertig

this dit, deze

the **thistle** de distel

the **thorn** de doorn

thorough grondig, degelijk

thoroughbred volbloed

the **thoroughfare** de hoofdweg, de hoofdstraat

those die

though¹ *bw* overigens

though² *vw* hoewel, ofschoon, alhoewel

the **thought¹** de gedachte

thought² *ww* zie think

thoughtful nadenkend · zorgzaam

thousand duizend

the **thread¹** de draad · het garen

thread² *ww* rijgen

threadbare versleten

the **threat** het dreigement, de bedreiging

threaten dreigen, bedreigen ♦ ~*ing* dreigend

three drie
three-quarter driekwart
the **threshold** de drempel
threw zie throw
thrifty zuinig
the **throat** de keel · de hals
the **thrombosis** de trombose
the **throne** de troon
through door
throughout overal
throw¹* werpen, gooien
the **throw²** de gooi
the **thrush** de lijster
the **thumb** de duim
the **thumbtack** *(Am)* de punaise
thump stampen
the **thunder¹** de donder
thunder² *ww* donderen
the **thunderstorm** het onweer
thundery onweerachtig
the **Thursday** de donderdag
thus zo
the **thyme** de tijm
the **tick** het streepje · de teek
the **ticket** het kaartje · de bon
♦ ~ *collector* conducteur;
~ *machine* kaartenautomaat

tickle kietelen
tick off aanstrepen
the **tide** het getij ♦ *high* ~
hoogwater; *low* ~ laagwater
the **tidings** het nieuws
tidy net ♦ ~ *up* opruimen
the **tie¹** de das, de stropdas
tie² *ww* knopen, binden
the **tiger** de tijger
tight¹ *bn* strak · nauw, krap
tight² *bw* vast
tighten aanhalen, aantrekken · strakker maken · strakker worden
the **tights** de maillot
the **tile** de tegel · de dakpan
till¹ *vz* tot aan, tot
till² *vw* tot, totdat
the **timber** het timmerhout
the **time** de tijd · de maal · de keer ♦ *all the* ~ aldoor; *in* ~ op tijd; ~ *of arrival* aankomsttijd; ~ *of departure* vertrektijd
time-saving tijdbesparend
the **timetable** de dienstrege-

ling
timid bedeesd
the **timidity** de verlegenheid
the **tin** het tin · de bus, het blik ♦ *~ned food* conserven
the **tinfoil** het zilverpapier
the **tin-opener** de blikopener
tiny minuscuul
the **tip** de punt · de fooi, de tip
the **tire¹** de band
tire² *ww* vermoeien
tired vermoeid, moe ♦ *~ of* beu
tiring vermoeiend
the **tissue** het weefsel · papieren zakdoek
the **title** de titel
to tot · aan, voor, bij, naar · om te
the **toad** de pad
the **toadstool** de paddenstoel
the **toast** de toast
the **tobacco** *~s* de tabak ♦ *~ pouch* tabakszak
the **tobacconist** de sigarenwinkelier ♦ *~'s* tabakswinkel

today vandaag
the **toddler** de peuter
the **toe** de teen
the **toffee** de toffee
together bijeen, samen
the **toilet** het toilet, de wc
the **toilet case** de toilettas
the **toilet paper** het closetpapier, het toiletpapier
the **toiletry** de toiletbenodigdheden
the **token** het teken · het bewijs · de munt
the **told** de tol
tolerable draaglijk
toll zie tell
the **tomato** *~es* de tomaat
the **tomb** het graf
the **tombstone** de grafsteen
tomorrow morgen
the **ton** de ton
the **tone** de toon · de klank
the **tongs** de tang
the **tongue** de tong
the **tonic** het tonicum
tonight vannacht, vanavond
the **tonsilitis** de amandelontsteking

the **tonsils** de amandelen
too te · ook
took zie take
the **tool** het werktuig, het gereedschap ♦ ~ *kit* gereedschapskist
toot *(Am)* claxonneren
the **tooth** *teeth* de tand
the **toothache** de tandpijn
the **toothbrush** de tandenborstel
the **toothpaste** de, het tandpasta
the **toothpick** de tandenstoker
the **tooth powder** het, de tandpoeder
the **top** de top · de bovenkant · het deksel · bovenst · het topje ♦ *on* ~ *of* bovenop; ~ *side* bovenkant
the **topcoat** de overjas
the **topic** het onderwerp
topical actueel
topless topless
top up bijvullen
the **torch** de fakkel · de zaklantaarn
the **torment¹** de kwelling

torment² *ww* kwellen
the **tornado** de tornado
the **torture¹** de marteling
torture² *ww* martelen
toss gooien
the **tot** de kleuter
the **total¹** het totaal
total² *bn* totaal · geheel, volslagen
totalitarian totalitair
the **totalizator** de totalisator
the **touch¹** het contact, de aanraking · de tastzin
touch² *ww* aanraken · betreffen
touching aandoenlijk
tough taai
the **tour** de rondreis
the **tourism** het toerisme
the **tourist** de toerist ♦ ~ *class* toeristenklasse; ~ *office* verkeersbureau
the **tournament** het toernooi
tow slepen
towards naar · jegens
the **towel** de handdoek
the **towelling** de badstof
the **tower** de toren
the **town** de stad ♦ ~ *centre*

stadscentrum; ~ *hall* stadhuis

the **townspeople** de stadsmensen

toxic vergiftig

the **toy** het speelgoed

the **toyshop** de speelgoedwinkel

trace¹ het spoor

trace² *ww* opsporen

the **track** het spoor · de renbaan

the **tractor** de tractor

the **trade¹** de koophandel, de handel · het ambacht, het vak

trade² *ww* handeldrijven

the **trademark** het handelsmerk

the **trader** de handelaar

the **tradesman** -*men* de handelaar

the **trade union** de vakbond

the **tradition** de traditie

traditional traditioneel

the **traffic** het verkeer ♦ ~ *jam* verkeersopstopping, file; ~ *light* stoplicht; ~ *island* vluchtheuvel

the **tragedy** de tragedie

tragic tragisch

the **trail** het spoor, het pad

the **trailer** de aanhangwagen · *(Am)* de kampeerwagen

the **train¹** de trein ♦ *highspeed* ~ hogesnelheidstrein; *local* ~, *slow* ~ stoptrein; *through* ~ doorgaande trein

train² *ww* dresseren, trainen

the **training** de training

the **trait** de trek

the **traitor** de verrader

the **tram** de tram

the **tramp¹** de landloper, de vagebond

tramp² *ww* rondtrekken

the **trampoline** de trampoline

tranquil rustig

the **tranquillizer** het kalmerend middel

the **transaction** de transactie

transatlantic trans-Atlantisch

transfer overbrengen

transform veranderen

the **transformer** de transformator

the **transfusion** de bloed-transfusie

the **transition** de overgang

translate vertalen

the **translation** de vertaling

the **translator** de vertaler

the **transmission** de uitzending

transmit uitzenden

the **transmitter** de zender

transparent doorzichtig

the **transport**[1] het vervoer

transport[2] ww transporteren

the **transportation** het transport

the **trap** de val

the **trash** de rommel ♦ *(Am)* ~ *can* vuilnisbak

the **trauma** het trauma

travel reizen ♦ ~ *agency* reisbureau; ~ *agent* reisagent; ~ *insurance* reisverzekering; ~*ling expenses* reiskosten

the **traveller** de reiziger ♦ ~'*s cheque* reischeque

the **tray** het dienblad

the **treason** het verraad

the **treasure** de schat

the **treasurer** de penningmeester

the **treasury** de schatkist

treat behandelen · trakteren

the **treatment** de behandeling

the **treaty** het verdrag

the **tree** de boom

tremble rillen, beven · trillen

tremendous enorm

the **trespasser** de indringer

the **trial** de rechtszaak · de proef

the **triangle** de driehoek

triangular driehoekig

the **tribe** de stam

the **tributary** de zijrivier

the **tribute** de hulde

the **trick** de streek · het foefje, het kunstje

the **trigger** de trekker

trim bijknippen

the **trip** het uitstapje, de reis ♦ *last-minute* ~ lastminutereis

the **triumph¹** de triomf
triumph² ww zegevieren
triumphant triomfantelijk

the **trolleybus** de trolleybus

the **troops** de troepen

tropical tropisch

the **tropics** de tropen

the **trouble¹** de zorg, de moeite, de last
trouble² ww storen
troublesome lastig

the **trousers** de broek

the **trout** ~ de forel

the **truck** *(Am)* de vrachtwagen
true waar · werkelijk, echt · getrouw, trouw

the **trumpet** de trompet

the **trunk** de koffer · de stam · de romp · *(Am)* de kofferruimte

the **trunkcall** het interlokaal gesprek

the **trunks** de gymnastiekbroek

the **trust¹** het vertrouwen
trust² ww vertrouwen
trustworthy betrouwbaar

the **truth** de waarheid

truthful waarheidsgetrouw

the **try¹** de poging
try² ww proberen · trachten, pogen ♦ ~ *on* passen

the **T-shirt** het T-shirt

the **tube** de pijp · de buis · de tube

the **tuberculosis** de tuberculose

the **Tuesday** de dinsdag

the **tug¹** de sleepboot · de ruk
tug² ww slepen

the **tuition** het onderwijs

the **tulip** de tulp

the **tumble dryer** de wasdroger

the **tumbler** de beker

the **tumour** het gezwel, de tumor

the **tuna** ~, ~s de tonijn

the **tune** de wijs, de melodie ♦ ~ *in* afstemmen
tuneful melodieus

the **tunic** de tuniek

Tunisia Tunesië

the **Tunisian¹** de Tunesiër
Tunisian² bn Tunesisch

the **tunnel** de tunnel

the **turbine** de turbine

the **turbojet** het straalvliegtuig

the **Turk** de Turk

the **turkey** de kalkoen

Turkey Turkije

Turkish Turks ♦ ~ *bath* Turks bad

the **turn¹** de wending, de draai · de bocht, de afslag · de beurt

turn² ww draaien, keren · omkeren, omdraaien ♦ ~ *back* terugkeren; ~ *down* verwerpen; ~ *into* veranderen in; ~ *off* dichtdraaien; ~ *on* aanzetten; opendraaien; ~ *over* omkeren; ~ *round* omkeren; zich omdraaien

the **turning** de bocht

the **turning point** het keerpunt

the **turnover** de omzet ♦ ~ *tax* omzetbelasting

the **turnpike** (*Am*) de tolweg

the **turpentine** de terpentijn

the **turtle** de schildpad

the **tutor** de huisonderwijzer

· de voogd

the **tuxedo** ~*s*, ~*es* (*Am*) de smoking

the **TV** de tv

the **tweed** het tweed

the **tweezers** de pincet

twelfth twaalfde

twelve twaalf

twentieth twintigste

twenty twintig

twice tweemaal

the **twig** de twijg

the **twilight** de schemering

the **twine** het touw

the **twins** de tweeling ♦ *twin beds* lits-jumeaux

the **twist¹** de draai

twist² ww winden · draaien

two twee

two-piece tweedelig

the **type¹** het type

type² ww tikken, typen

the **typewriter** de schrijfmachine

typewritten getypt

the **typhoid** de tyfus

typical kenmerkend, typisch

the **typist** de typiste
the **tyrant** de tiran
the **tyre** de band ♦ ~ *pressure* bandenspanning
ugly lelijk
the **ulcer** de zweer
ultimate laatst
ultraviolet ultraviolet
the **umbrella** de paraplu
the **umpire** de scheidsrechter
UN *(United Nations)* VN (Verenigde Naties)
unable onbekwaam
unacceptable onaanvaardbaar
unaccountable onverklaarbaar
unaccustomed niet gewend
unanimous unaniem
unanswered onbeantwoord
unauthorized onbevoegd
unavoidable onvermijdelijk
unaware onbewust
unbearable ondraaglijk
unbreakable onbreekbaar
unbroken heel

unbutton losknopen
uncertain onzeker
the **uncle** de oom
unclean onrein
uncomfortable ongemakkelijk
uncommon ongewoon, zeldzaam
unconditional onvoorwaardelijk
unconscious bewusteloos
uncork ontkurken
uncover blootleggen
uncultivated onbebouwd
under beneden, onder
the **undercurrent** de onderstroom
underestimate onderschatten
the **underground¹** de metro
underground² *bn* ondergronds
underline onderstrepen
underneath beneden
the **underpants** de onderbroek
the **undershirt** het hemd
the **undersigned** de ondergetekende

understand* begrijpen
the **understanding** het begrip
undertake* ondernemen
the **undertaking** de onderneming
underwater onderwater
the **underwear** het ondergoed
undesirable ongewenst
undo* losmaken
undoubtedly ongetwijfeld
undress zich uitkleden
undulating golvend
unearned onverdiend
uneasy onbehaaglijk
uneducated ongeschoold
unemployed werkeloos
the **unemployment** de werkeloosheid
unequal ongelijk
uneven ongelijk, oneffen
unexpected onvoorzien, onverwacht
unfair oneerlijk, onbillijk
unfaithful ontrouw
unfamiliar onbekend
unfasten losmaken
unfavourable ongunstig
unfit ongeschikt

unfold ontvouwen
unfortunate ongelukkig
unfortunately helaas, ongelukkigerwijs
unfriendly onvriendelijk
unfurnished ongemeubileerd
ungrateful ondankbaar
unhappy ongelukkig
unhealthy ongezond
unhurt heelhuids, ongedeerd
the **uniform**¹ het, de uniform
uniform² bn uniform
unimportant onbelangrijk
uninhabitable onbewoonbaar
uninhabited onbewoond
unintentional onopzettelijk
the **union** de vereniging · het verbond, de unie
unique uniek
the **unit** de eenheid
unite verenigen
United States Verenigde Staten
the **unity** de eenheid
universal algemeen, uni-

verseel

the **universe** het heelal

the **university** de universiteit

unjust onrechtvaardig

unkind onaardig, onvriendelijk

unknown onbekend

unlawful onwettig

unlearn afleren

unless tenzij

unlike verschillend

unlikely onwaarschijnlijk

unlimited grenzeloos, onbeperkt

unload lossen, uitladen

unlock openen

unlucky ongelukkig

unnecessary onnodig

unoccupied onbezet

unofficial officieus

unpack uitpakken

unpleasant onaangenaam, onplezierig · naar, vervelend

unpopular impopulair, onbekend

unprotected onbeschermd

unqualified onbevoegd

unreal onwerkelijk

unreasonable onredelijk

unreliable onbetrouwbaar

the **unrest** de onrust · de rusteloosheid

unsafe onveilig

unsatisfactory onbevredigend

unscrew losschroeven

unselfish onzelfzuchtig

unskilled ongeschoold

unsound ongezond

unstable labiel

unsteady wankel, onvast · onevenwichtig

unsuccessful mislukt

unsuitable ongepast

unsurpassed onovertroffen

untidy slordig

untie losknopen

until tot

untrue onwaar

untrustworthy onbetrouwbaar

unusual ongebruikelijk, ongewoon

unwell onwel

unwilling onwillig

unwise onverstandig

unwrap uitpakken

up naar boven, omhoog, op

upholster bekleden

the **upkeep** het onderhoud

the **uplands** de hoogvlakte

upload uploaden

upon op

upper hoger, bovenst

upright¹ bn rechtopstaand

upright² bw overeind

UPS *(United Parcel Service)* Amerikaanse pakketdienst

upset¹ bn overstuur

upset² ww verstoren

upside-down ondersteboven

upstairs boven · naar boven

upstream stroomopwaarts

upwards naar boven

urban stedelijk

the **urge¹** de drang

urge² ww aansporen

the **urgency** de urgentie

urgent dringend

the **urinal** het urinoir

the **urine** de urine

Uruguay Uruguay

the **Uruguayan¹** de Uruguayaan

Uruguayan² bn Uruguayaans

us ons

US *(United States)* Verenigde Staten

usable bruikbaar

the **usage** het gebruik

the **use¹** het gebruik · het nut
♦ *be* of* ~ baten

use² ww gebruiken ♦ *be**
~*d to* gewoon zijn; ~ *up* verbruiken

useful bruikbaar, nuttig

useless nutteloos

the **user** de gebruiker

the **usher** de suppoost

the **usherette** de ouvreuse

USS *(United States Ship)* Amerikaans oorlogsschip

usual gebruikelijk

usually gewoonlijk

the **utensil** het gereedschap,

het werktuig · het ge-
bruiksvoorwerp

the **utility** het nut

utilize benutten

utmost uiterst

utter¹ *bn* volslagen, totaal

utter² *ww* uiten

the **vacancy** de vacature

vacant vacant

vacate ontruimen

the **vacation** de vakantie

vaccinate inenten

the **vaccination** de inenting

the **vaccine** het vaccin

the **vacuum¹** het vacuüm ♦ ~
cleaner stofzuiger; ~ *flask*
thermosfles

vacuum² *ww (Am)* stofzuigen

the **vagina** de vagina

the **vagrancy** de landloperij

vague vaag

vain ijdel · vergeefs ♦ *in* ~
vergeefs, tevergeefs

the **valet** de bediende

valid geldig

the **Valium** het valium

the **valley** het dal, de vallei

valuable waardevol, kost-

baar ♦ ~*s* kostbaarheden

the **value¹** de waarde

value² *ww* schatten

the **valve** het ventiel

the **van** de bestelauto

the **vandalism** het vandalisme

the **vanilla** de vanille

vanish verdwijnen

the **vanity case** de beautycase

the **vapour** de damp

variable veranderlijk

the **variation** de afwisseling ·
de verandering

varied gevarieerd

the **variety** de verscheidenheid ♦ ~ *show* variété-
voorstelling; ~ *theatre* variététheater

various allerlei, verscheidene

the **varnish¹** de lak, het, de
vernis

varnish² *ww* lakken

vary variëren, afwisselen ·
veranderen · verschillen

the **vase** de vaas

the **vaseline** de vaseline

vast onmetelijk, uitge-

strekt
VAT *(value added tax)* btw
the **vault** het gewelf · de kluis
the **VD** de soa
the **veal** het kalfsvlees
the **vegetable** de groente ♦ ~ *merchant* groenteboer
the **vegetarian** de vegetariër
the **vegetation** de plantengroei
the **vehicle** het voertuig
the **veil** de sluier
the **vein** de ader ♦ *varicose ~* spatader
the **velvet** het fluweel
venerable eerbiedwaardig
the **venereal disease** de geslachtsziekte
Venezuela Venezuela
the **Venezuelan¹** de Venezolaan
Venezuelan² *bn* Venezolaans
ventilate ventileren · luchten
the **ventilation** de ventilatie · de luchtverversing
the **ventilator** de ventilator

venture wagen
the **veranda** de veranda
the **verb** het werkwoord
verbal mondeling
the **verdict** het vonnis, de uitspraak
the **verge** de rand
verify verifiëren
the **vermin** het ongedierte
the **verse** het vers
the **version** de versie · de vertaling
versus contra
vertical verticaal
the **vertigo** de duizeling
very¹ *bn* precies, waar, werkelijk · uiterst
very² *bw* erg, zeer
the **vessel** het vaartuig, het schip · het vat
the **vest** het hemd · *(Am)* het vest
the **veterinary surgeon** de dierenarts
via via
the **viaduct** de, het viaduct
vibrate trillen
the **vibration** de vibratie
the **vicar** de predikant

the **vicarage** de pastorie

the **vice-president** de vicepresident

the **vicinity** de nabijheid, de buurt

vicious boosaardig

the **victim** het slachtoffer · de dupe

the **victory** de overwinning

the **videotape** de videoband

view[1] het uitzicht, het vergezicht · de opvatting, de mening

view[2] ww bekijken

the **viewfinder** de zoeker

vigilant waakzaam

the **villa** de villa

the **village** het dorp

the **villain** de boef

the **vine** de wijnstok

the **vinegar** de azijn

the **vineyard** de wijngaard

the **vintage** de wijnoogst

the **violation** de schending

the **violence** het geweld

violent gewelddadig · hevig, heftig

the **violet**[1] het viooltje

violet[2] bn violet

the **violin** de viool

VIP (very important person) zeer belangrijke persoon

the **virgin** de maagd

the **virtue** de deugd

the **virus** het virus

the **visa** het visum

the **visibility** het zicht

visible zichtbaar

the **vision** de visie

the **visit**[1] de visite, het bezoek ◆ ~ing hours bezoekuren

visit[2] ww bezoeken

the **visiting card** het visitekaartje

the **visitor** de bezoeker

vital essentieel

the **vitamin** de vitamine

vivid levendig

the **vocabulary** het vocabulaire, de woordenschat · de woordenlijst

vocal vocaal

the **vocalist** de zanger

the **vodka** de wodka

the **voice** de stem

void nietig

the **volcano** ~es, ~s de vul-

kaan
volleyball volleybal
the **volt** de volt
the **voltage** de, het voltage
the **volume** het volume · het deel
voluntary vrijwillig
the **volunteer** de vrijwilliger
vomit braken, overgeven
the **vote¹** de stem · de stemming
vote² *ww* stemmen
the **voucher** de bon, het bewijs
the **vow¹** de gelofte · de eed
vow² *ww* zweren
the **vowel** de klinker
the **voyage** de reis
vulgar vulgair · volks-, ordinair
vulnerable kwetsbaar
the **vulture** de gier
wade waden
the **wafer** de wafel
the **waffle** de wafel
the **wages** het loon
the **waggon** de wagon
the **waist** de taille, het middel
the **waistcoat** het vest

wait wachten ♦ ~ *on* bedienen
the **waiter** de ober, de kelner
the **waiting** het wachten
the **waiting list** de wachtlijst
the **waiting room** de wachtkamer
the **waitress** de serveerster
wake* wekken ♦ ~* *up* ontwaken, wakker worden
the **walk¹** de wandeling · de loop
walk² *ww* lopen · wandelen ♦ ~*ing* te voet
the **walker** de wandelaar
walking lopend
the **walkingstick** de wandelstok
the **wall** de muur · de wand
the **wallet** de portefeuille
the **wallpaper** het behang
the **walnut** de walnoot
the **waltz** de wals
wander rondzwerven, zwerven
the **want¹** de behoefte · het gebrek, het gemis
want² *ww* willen · wensen

the **war** de oorlog

the **warden** de bewaker, de opzichter

the **wardrobe** de klerenkast, de garderobe

the **warehouse** het magazijn, het pakhuis

the **wares** de waren

warm[1] *bn* heet, warm

warm[2] *ww* verwarmen

the **warmth** de warmte

warn waarschuwen

the **warning** de waarschuwing

the **wart** de wrat

wary behoedzaam

was zie be

wash wassen ◆ ~ *and wear* zelfstrijkend; ~ *up* afwassen

washable wasbaar

the **wash basin** het wasbekken

the **washing** de was · het wasgoed

the **washing machine** de wasmachine

the **washing powder** het waspoeder

the **washroom** *(Am)* het toilet

the **wash stand** de wastafel

the **wasp** de wesp

the **waste**[1] de verspilling

waste[2] *bn* braak

waste[3] *ww* verspillen

wasteful verkwistend

the **waste-paper basket** de prullenmand

the **watch**[1] het horloge

watch[2] *ww* kijken naar, gadeslaan · letten op ◆ ~ *for* uitkijken naar; ~ *out* uitkijken

the **watchmaker** de horlogemaker

the **watch strap** het horlogebandje

the **water** het water ◆ *iced* ~ ijswater; *running* ~ stromend water; ~ *pump* waterpomp; ~ *ski* waterski

the **watercolour** de waterverf · de aquarel

the **watercress** de waterkers

the **waterfall** de waterval

the **watermelon** de watermeloen

waterproof waterdicht

the **water softener** de wasverzachter

the **waterway** het vaarwater

the **watt** de watt

the **wave¹** de golf

wave² *ww* zwaaien

the **wavelength** de golflengte

wavy golvend

the **wax** de was

the **waxworks** het wassenbeeldenmuseum

the **way** de manier • de wijze •
de weg • de kant, de richting • de afstand ♦ *any ~*
hoe dan ook; *by the ~* tussen twee haakjes; *one-
way traffic* eenrichtingsverkeer; *out of the ~* afgelegen; *the other ~ round*
andersom; *~ back* terug-
weg; *~ in* ingang; *~ out*
uitgang

the **wayside** de wegkant

we we, wij

weak zwak • slap

the **weakness** de zwakheid

the **wealth** de rijkdom

wealthy rijk

the **weapon** het wapen

wear* aanhebben, dragen
♦ *~* out* verslijten

weary moe • vermoeid

the **weather** het weer ♦ *~
forecast* weerbericht

weave* *ww* zwaaien

the **weaver** de wever

the **web** het zwemvlies • het
web

the **webcam** de webcam

the **weblog** het weblog

the **web page** de internetpagina

the **website** de website

the **wedding** het huwelijk, de
bruiloft

the **wedding ring** de trouwring

the **wedge** de wig

the **Wednesday** de woensdag

the **weed** het onkruid • de
wiet

the **week** de week

the **weekday** de weekdag

weekly wekelijks

weep* huilen

weigh wegen

the **weighing machine** de
weegschaal

the **weight** het gewicht

the **welcome**[1] het welkom

welcome[2] *bn* welkom

welcome[3] *ww* verwelkomen

weld lassen

the **welfare** het welzijn

the **well**[1] de bron, de put

well[2] *bn* gezond

well[3] *bw* goed ♦ *as* ~ ook, eveneens; *as* ~ *as* evenals; ~! welnu!

well-founded gegrond

well known bekend

well-to-do bemiddeld

went zie go

were zie be

the **west** de west, het westen

westerly westelijk

western westers

wet nat · vochtig

the **whale** de walvis

the **wharf** ~*s*, wharves de kade

what wat ♦ ~ *for* waarom

whatever wat dan ook

the **wheat** de tarwe

the **wheel** het wiel ♦ ~ *clamp* wielklem

the **wheelbarrow** de kruiwagen

the **wheelchair** de rolstoel

when[1] *bw* wanneer

when[2] *vw* als, toen, wanneer

whenever wanneer ook

where[1] *bw* waar

where[2] *vw* waar

wherever waar ook

whether of ♦ ~ ... *or* of ... of

which welk · dat

whichever welk ook

the **while**[1] het poosje

while[2] *vw* terwijl

whilst terwijl

the **whim** de gril, de bevlieging

whine zeuren

the **whip**[1] de zweep

whip[2] *ww* kloppen

the **whipped cream** de slagroom

the **whirlpool** het bubbelbad

the **whiskers** de bakkebaarden

the **whisky** de whisky

the **whisper**[1] het gefluister

whisper² *ww* fluisteren
the **whistle¹** het fluitje
whistle² *ww* fluiten
white wit · blank
the **whitebait** de witvis
the **whiting** ~ de wijting
Whitsun Pinksteren
who wie · die
whoever wie ook
the **whole¹** het geheel
whole² *bn* geheel, heel
the **wholesale** de groothandel
♦ ~ *dealer* grossier
wholesome gezond
wholly helemaal
whom wie
the **whore** de hoer
whose wiens · van wie
why waarom
wicked slecht
wide wijd, breed
widen verwijden
the **widow** de weduwe
the **widower** de weduwnaar
the **width** de breedte
the **wife** *wives* de echtgenote,
de vrouw
the **wig** de pruik
wild wild · woest

will¹* willen · zullen
the **will²** de wil · het testament
willing bereid
willingly graag
the **will power** de wilskracht
win* winnen
the **wind¹** de wind
wind²* kronkelen · opwinden, winden
winding kronkelig
the **windmill** de molen · de
windmolen
the **window** het raam
the **window sill** de vensterbank
the **windscreen** de voorruit ♦
~ *wiper* ruitenwisser
the **windshield** *(Am)* de voorruit ♦ *(Am)* ~ *wiper* ruitenwisser
windy winderig
the **wine** de wijn
the **wine cellar** de wijnkelder
the **wine list** de wijnkaart
the **wine merchant** de wijnkoper
the **wine waiter** de wijnkelner

the **wing** de vleugel

the **winkle** de alikruik

the **winner** de winnaar

winning winnend ♦ ~s winst

the **winter** de winter ♦ ~ *sports* wintersport

wipe vegen, afvegen

the **wire** de draad · het ijzerdraad

wireless draadloos

the **wisdom** de wijsheid

wise wijs

the **wish¹** het verlangen, de wens

wish² ww verlangen, wensen

the **witch** de heks

with met · bij · van

withdraw* terugtrekken

within¹ bw vanbinnen

within² vz binnen

without zonder

the **witness** de getuige

the **wits** het verstand

witty geestig

the **wolf** *wolves* de wolf

the **woman** *women* de vrouw

the **womb** de baarmoeder

won zie win

the **wonder¹** het wonder · de verwondering

wonder² ww zich afvragen

wonderful prachtig, verrukkelijk · heerlijk

the **wood** het hout · het bos

the **woodcarving** het houtsnijwerk

wooded bebost

wooden houten ♦ ~ *shoe* klomp

the **woodland** het bebost gebied

the **woodpecker** de specht

the **wool** de wol ♦ *darning* ~ stopgaren

woollen wollen

the **word** het woord

the **word processor** de tekstverwerker

wore zie wear

the **work¹** het werk · de arbeid ♦ ~ *of art* kunstwerk; ~ *permit* werkvergunning

work² ww werken · functioneren ♦ ~*ing day* werkdag

the **worker** de arbeider

the **working** de werking

the **workman** -men de arbeider

the **works** de fabriek

the **workshop** de werkplaats

the **world** de wereld ♦ ~ *war* wereldoorlog

world-famous wereldberoemd

worldwide wereldomvattend

the **worm** de worm

worn¹ *bn* versleten

worn² *ww* zie wear

worn-out versleten

worried ongerust

the **worry¹** de zorg, de bezorgdheid

worry² *ww* zich ongerust maken

worse¹ *bn* slechter

worse² *bw* erger

the **worship¹** de eredienst

worship² *ww* aanbidden

worst¹ *bn* slechtst

worst² *bw* ergst

the **worth** de waarde ♦ *be** ~ waard zijn; *be** ~*while* de

moeite waard zijn

worthless waardeloos

worthy of waard

would zie will

the **wound¹** de wond

wound² *ww* kwetsen, verwonden

wound³ *ww* zie wind

wrap inpakken

the **wreck¹** het wrak

wreck² *ww* vernielen

the **wrench¹** de sleutel · de ruk

wrench² *ww* verdraaien

the **wrinkle** de rimpel

the **wrist** de pols

the **wristwatch** het polshorloge

write* schrijven ♦ *in writing* schriftelijk; ~* *down* opschrijven

the **writer** de schrijver

the **writing pad** de blocnote, het schrijfblok

the **writing paper** het schrijfpapier

written¹ *bn* schriftelijk

written² *ww* zie write

the **wrong¹** het onrecht

wrong² *bn* verkeerd, fout
♦ *be** ~ ongelijk hebben

wrong³ *ww* onrecht aandoen

wrote zie write

Xmas *(Christmas)* Kerstmis

the **X-ray¹** de röntgenfoto

X-ray² *ww* doorlichten

the **xtc** de xtc

the **XTC pill** de xtc-pil

the **yacht** het jacht

the **yacht club** de zeilclub

the **yachting** de zeilsport

the **yard** het erf

the **yarn** het garen

yawn gapen, geeuwen

yd. *(yard)* yard (91,44 m)

the **year** het jaar

yearly jaarlijks

the **yeast** de gist

the **yell¹** de gil

yell² *ww* gillen

yellow geel

yes ja

yesterday gisteren

yet¹ *bw* nog

yet² *vw* toch, echter, maar

yield opbrengen · toege-

ven

YMCA *(Young Men's Christian Association)* Christelijke Jongensvereniging

the **yogurt** de yoghurt

the **yoke** het juk

the **yolk** de dooier

you je, jij · jou · u · jullie

young jong

the **youngster** de jongere

your uw · jouw · jullie

yourself je · zelf

yourselves je · zelf

the **youth** jeugd ♦ ~ *hostel* jeugdherberg

YWCA *(Young Women's Christian Association)* Christelijke Meisjesvereniging

the **zeal** de ijver

zealous ijverig

the **zebra** de zebra

the **zenith** het zenit · het toppunt

the **zero** ~*s* de nul

the **zest** de animo

the **Zimmer frame** de rollator

the **zinc** het zink

the **zip** de ritssluiting ♦ *(Am)*

~ *code* postcode
ZIP *(ZIP code)* postcode
the **zipper** de ritssluiting
the **zodiac** de dierenriem
the **zone** de zone • het gebied
the **zoo** ~s de dierentuin
the **zoology** de zoölogie

Nederlands – Engels

aaien stroke

de **aal** eel

de **aambeien** haemorrhoids, piles

aan to · on

de **aanbetaling** down payment

aanbevelen recommend

de **aanbeveling** recommendation

de **aanbevelingsbrief** letter of recommendation

aanbidden worship

aanbieden offer · present

de **aanbieding** offer

de **aanblik** sight · appearance

het **aanbod** offer · supply

aanbranden burn*

de **aandacht** attention · notice, consideration ♦ ~ *besteden aan* attend to

het **aandeel** share

het **aandenken** remembrance

de **aandoening** affection

aandoenlijk touching

aandrijven propel

aandringen insist

aanduiden indicate

aangaan concern

aangaande as regards

aangeboren natural

de **aangelegenheid** matter, concern · affair, business

aangenaam agreeable, pleasing, pleasant

aangesloten affiliated

aangeven indicate · declare · give*, hand, pass

aangezien as, since · because

de **aangifte** declaration

aangrenzend neighbouring

aanhalen tighten · quote

de **aanhalingstekens** quotation marks

de **aanhangwagen** trailer

aanhankelijk affectionate

aanhebben wear*

aanhechten attach

aanhoren listen

aanhouden insist

aanhoudend constant

de **aanhouding** arrest

aankijken look at

de **aanklacht** charge

aanklagen accuse, charge

aankleden dress · get*

dressed
aankomen arrive
de **aankomst** arrival
de **aankomsttijd** time of arrival
aankondigen announce
de **aankondiging** notice, announcement
de **aankoop** purchase
aankruisen mark
de **aanleg** talent
aanleggen dock
de **aanleiding** cause, occasion
aanlengen dilute
zich **aanmelden** report
aanmerkelijk considerable
aanmerken comment
aanmoedigen encourage
aannemen accept · assume, suppose · adopt ♦ *aangenomen dat* supposing that
de **aannemer** contractor
de **aanpak** method, approach
aanpassen adapt · suit · adjust

het **aanplakbiljet** placard
aanprijzen recommend
aanraden advise, recommend
aanraken touch
de **aanraking** touch · contact
aanranden assault
het **aanrecht** kitchen (sink) unit
aanrichten cause
de **aanrijding** collision
aanschaffen buy*
de **aanslag** attempt · attack
aansluiten connect
de **aansluiting** connection
aansporen incite · urge
de **aanspraak** claim
aansprakelijk liable · responsible
de **aansprakelijkheid** liability · responsibility
aanspreken address
aanstekelijk contagious
aansteken light* · infect
de **aansteker** lighter, cigarette lighter
aanstellen appoint
de **aanstoot** offence
aanstootgevend offensive

aanstrepen tick off

het **aantal** number · quantity

aantekenen record · register

de **aantekening** note

aantonen prove · demonstrate, show*

aantrekkelijk attractive

aantrekken attract · tempt · put* on · tighten

de **aantrekking** attraction

aanvaarden accept

de **aanval** attack · fit

aanvallen attack · assault

de **aanvang** beginning

aanvangen begin*

aanvankelijk initially, at first

de **aanvaring** collision

de **aanvoer** supply

de **aanvoerder** leader

de **aanvraag** application

aanwezig present

de **aanwezigheid** presence

aanwijzen point out · designate

de **aanwijzing** indication

aanzetten turn on

het **aanzien** aspect · esteem ◆

ten ~ van regarding

aanzienlijk considerable, substantial

de **aap** monkey

de **aard** nature

de **aardappel** potato

de **aardbei** strawberry

de **aardbeving** earthquake

de **aardbol** globe

de **aarde** earth · soil

het **aardewerk** crockery, pottery, faience, earthenware, ceramics

het **aardgas** natural gas

aardig pleasant · nice, kind

de **aardolie** petroleum

de **aardrijkskunde** geography

de **aartsbisschop** archbishop

aarzelen hesitate

het **aas** bait

het **abces** abscess

de **abdij** abbey

abnormaal abnormal

de **abonnee** subscriber

het **abonnement** subscription

de **abonnementskaart** season ticket

de **abortus** abortion

de **abrikoos** apricot

abseilen abseil

absoluut¹ *bn* sheer

absoluut² *bw* absolutely

abstract abstract

absurd absurd

het **abuis** mistake

de **academie** academy

het **accent** accent

accepteren accept

de **accessoires** accessories

de **accijns** customs duty

de **accommodatie** accommodation

de **accountant** accountant

de **accu** battery

acht eight

achteloos careless

achten esteem · count

achter behind · after

achteraan behind

de **achterbuurt** slum

achterdochtig suspicious

de **achtergrond** background

de **achterkant** rear

achterlaten leave* behind

het **achterlicht** tail light, rear light

de **achternaam** family name, surname

achterstallig overdue

achteruit backwards

achteruitrijden reverse

het **achterwerk** bottom

de **achting** respect, esteem

achtste eighth

achttien eighteen

achttiende eighteenth

de **acne** acne

de **acquisitie** acquisition

de **acteur** actor

de **actie** action

actief active

de **activiteit** activity

de **actrice** actress

actueel topical

acuut acute

de **adel** nobility

adellijk noble

de **adem** breath

ademen breathe

de **ademhaling** breathing, respiration

adequaat adequate

de **ader** vein

de **ADHD** ADHD

de **administratie** administra-

tion
administratief administrative

de **admiraal** admiral

adopteren adopt

het **adres** address

adresseren address

de **ADSL** ADSL

de **advertentie** advertisement

het **advies** advice

adviseren advise

de **adviseur** adviser

de **advocaat** lawyer · barrister · solicitor · attorney

af off · finished ♦ *af en toe* occasionally

de **afbeelding** picture

afbetalen pay* on account

de **afbetaling** instalment

afblijven keep* off

de **afbraak** demolition

afbreken chip

afd. *(afdeling)* department

de **afdaling** descent

afdanken discard

de **afdeling** division, department · section

afdingen bargain

afdrogen dry

de **afdruk** print

afdwingen extort

de **affaire** deal · affair

het **affiche** poster

afgeladen chock-full

afgelegen remote, far-off, out of the way

afgelopen past

afgerond rounded

de **afgevaardigde** deputy

afgezien van apart from

de **afgod** idol

het **afgrijzen** horror

de **afgrond** precipice, abyss

de **afgunst** envy

afgunstig envious

afhalen collect, fetch

afhandelen settle

afhangen van depend on

afhankelijk dependent

afhellend sloping

de **afkeer** dislike · antipathy

afkerig averse

afkeuren disapprove · reject

afknippen cut* off

afkondigen proclaim

de **afkorting** abbreviation

afleiden deduce, infer

de **afleiding** diversion

afleren unlearn

afleveren deliver

de **afloop** expiry

aflopen end · expire

aflossen relieve · pay* off

afluisteren eavesdrop

afmaken finish

de **afmeting** size

afnemen decrease · take* away

afpakken take (away)

de **afpersing** extortion

afraden dissuade from

afrekenen settle (up)

afremmen slow down

Afrika Africa

de **Afrikaan** African

Afrikaans African

de **afrit** exit

afschaffen abolish

het **afscheid** parting

het **afschrift** copy

de **afschuw** horror

afschuwelijk horrible, awful · hideous

afslaan turn off · cut out

de **afslag** turn · exit

afsluiten cut* off

afsnijden cut* off · chip

de **afspraak** date, appointment · engagement

de **afstammeling** descendant

de **afstamming** origin

de **afstand** distance · space, way

de **afstandsbediening** remote control

de **afstandsmeter** range finder

afstellen adjust

afstemmen tune in

afstotelijk repellent

aftekenen endorse

de **aftershave** aftershave

de **aftersun** after sun

de **aftrap** kick-off

aftrekken deduct · subtract

de **afvaardiging** delegation

het **afval** garbage, fitter, rubbish, refuse

afvegen wipe

de **afvoer** drain

zich **afvragen** wonder

afwachten await

de **afwasmachine** dishwasher

afwassen wash up

afwateren drain

afwenden avert

afwezig absent

de **afwezigheid** absence

afwijken deviate

de **afwijking** aberration

afwijzen reject

afwisselen vary

afwisselend alternate

de **afwisseling** variation

afzeggen cancel

de **afzetter** swindler

de **afzetting** deposit

afzonderlijk¹ bn individual · separate

afzonderlijk² bw apart

de **agenda** diary · agenda

de **agent** policeman · distributor, agent

het **agentschap** agency

agrarisch agrarian

agressief aggressive

de **aids** AIDS

de **airbag** airbag

airconditioned air-conditioned

de **ajuin** onion

akelig nasty

de **akker** field

de **akkerbouw** agriculture

het **akkoord** agreement

de **akte** act, certificate

de **aktetas** briefcase, attaché case

al¹ bn all

al² bw already

het **alarm** alarm

alarmeren alarm

het **alarmnummer** emergency number

het **album** album

de **alcohol** alcohol

alcoholisch alcoholic

aldoor all the time

het **alfabet** alphabet

alg. *(algemeen)* general

de **algebra** algebra

algemeen general · universal, public ♦ *in het ~* in general

Algerije Algeria

de **Algerijn** Algerian

Algerijns Algerian

alhoewel though

de **alikruik** winkle

de **alimentatie** alimony

de **alinea** paragraph

de **Allah** Allah

alledaags ordinary · everyday

alleen only · alone

allemaal all

de **allergie** allergy

allerlei various · all sorts of

alles everything

all-in all-in

de **allochtoon** immigrant

de **allriskverzekering** comprehensive insurance policy

almachtig omnipotent

de **almanak** almanac

als if · when · as, like

alsnog still

alsof as if ♦ doen ~ pretend

alstublieft here you are · please

de **alt** alto

het **altaar** altar

het **alternatief** alternative

altijd always, ever

de **amandel** almond ♦ ~en

tonsils

de **amandelontsteking** tonsilitis

het **ambacht** trade

de **ambassade** embassy

de **ambassadeur** ambassador

ambitieus ambitious

het **ambt** office

de **ambtenaar** civil servant

de **ambulance** ambulance

Amerika America

de **Amerikaan** American

Amerikaans American

de **amethist** amethyst

amicaal friendly

de **ammonia** ammonia

de **amnestie** amnesty

de **amulet** lucky charm, charm

amusant amusing · entertaining

het **amusement** amusement · entertainment

amuseren amuse

de **analfabeet** illiterate

de **analist** analyst

de **analyse** analysis

analyseren analyse

de **analyticus** analyst, psychoanalyst

de **ananas** pineapple

de **anarchie** anarchy

de **anatomie** anatomy

ander other · different ♦
een ~ another; *onder* ~*e*
among other things

anderhalf one and a half

anders else · otherwise

andersom the other way
round

de **angst** fright, fear · terror

angstig afraid

angstwekkend terrifying

de **animo** zest

het **anker** anchor

annexeren annex

de **annonce** advertisement

annuleren cancel

de **annulering** cancellation

anoniem anonymous

de **anorexia nervosa** anorexia nervosa

de **ansichtkaart** postcard,
picture postcard

de **ansjovis** anchovy

de **antenne** aerial

het **antibioticum** antibiotic

antiek antique

de **antipathie** dislike

de **antiquair** antique dealer

de **antiquiteit** antique

de **antivries** antifreeze

het **antwoord** reply, answer ♦
als ~ in reply

het **antwoordapparaat** an-
swering machine

antwoorden reply, answer

ANWB *(Algemene Nederlandse Wielrijdersbond)*
Dutch Touring Associa-
tion

A° *(anno)* (built) in the
year

de **AOW** (old-age retirement)
pension

apart apart, separately

het **apenstaartje** at sign

het **aperitief** *(ook: de)* aperitif

de **apotheek** pharmacy,
chemist's · *(Am)* drugstore

de **apotheker** chemist

het **apparaat** appliance · machine · apparatus

het **appartement** apartment ·
flat

de **appel** apple

de **appelsien** orange
applaudisseren clap
het **applaus** applause
april April
de **aquarel** watercolour
de **Arabier** Arab
Arabisch Arab
de **arbeid** labour, work
arbeidbesparend labour-saving
de **arbeider** labourer, workman, worker
het **arbeidsbureau** employment exchange
de **archeologie** archaeology
de **archeoloog** archaeologist
het **archief** archives
de **architect** architect
de **architectuur** architecture
de **arena** bullring
de **arend** eagle
de **Argentijn** Argentinian
Argentijns Argentinian
Argentinië Argentina
het **argument** argument
argumenteren argue
de **argwaan** suspicion
argwanend suspicious
de **arm¹** arm

arm² *bn* poor
de **armband** bracelet · bangle
de **armoede** poverty
armoedig poor
het **aroma** aroma
de **arrestatie** arrest
arresteren arrest
arriveren arrive
arrogant presumptuous
de **artiest** artist
het **artikel** article · item
de **artisjok** artichoke
artistiek artistic
de **arts** doctor
a.s. *(aanstaande)* next
de **as¹** ash
de **as²** *assen* axle
de **asbak** ashtray
het **asbest** asbestos
het **asfalt** asphalt
het **asiel** asylum
de **asielzoeker** asylum seeker
het **aspect** aspect
de **asperge** asparagus
de **aspirine** aspirin
de **assistent** assistant
associëren associate
het **assortiment** assortment

de **assurantie** insurance

het **astma** asthma

de **at** at

de **atheïst** atheist

Atlantische Oceaan Atlantic

de **atlas** atlas

de **atleet** athlete

de **atletiek** athletics

de **atmosfeer** atmosphere

atomisch atomic

het **atoom** atom

de **atoombom** atom bomb

de **attachment** attachment

attent considerate

het **attest** certificate

de **attractie** attraction

a.u.b. *(alstublieft)* please

de **aubergine** eggplant

augustus August

de **aula** auditorium

Australië Australia

de **Australiër** Australian

Australisch Australian

de **auteur** author

authentiek authentic

de **auto** car · motorcar, automobile

het **autoalarm** car alarm

de **automaat** slot machine

automatisch automatic

de **automatisering** automation

de **automobielclub** automobile club

het **automobilisme** motoring

de **automobilist** motorist

autonoom autonomous

de **autopsie** autopsy

autorijden motor

de **autorit** drive

autoritair authoritarian

de **autoriteiten** authorities

de **autoverhuur** carhire · *(Am)* car rental

de **autoweg** highway · *(Am)* motorway

de **avond** night, evening

het **avondeten** dinner · supper

de **avondkleding** evening dress

de **avondschemering** dusk

het **avontuur** adventure

de **Aziaat** Asian

Aziatisch Asian

Azië Asia

de **azijn** vinegar

de **baai** bay

de **baan** job

de **baard** beard

de **baarmoeder** womb

de **baars** bass, perch

de **baas** boss · master

de **baat** benefit · profit

babbelen chat

de **babbelkous** chatterbox

het **babbeltje** chat

de **baby** baby

de **babysitter** babysitter

de **bachelor** bachelor

de **bacil** germ

de **back-up** backup

de **bacterie** bacterium

het **bad** bath ◆ *een ~ nemen* bathe

baden bathe

de **badhanddoek** bath towel

de **badjas** bathrobe

de **badkamer** bathroom

het **badlaken** bath towel

de **badmuts** bathing cap

het **badpak** bathing suit

de **badplaats** seaside resort

de **badstof** towelling

het **badzout** bath salts

de **bagage** baggage · luggage

het **bagagedepot** left luggage office · (Am) baggage deposit office

het **bagagenet** luggage rack

het **bagagerek** luggage rack

de **bagageruimte** boot · (Am) trunk

de **bagagewagen** luggage van

het **bakboord** port

het **baken** landmark, cradle

de **bakermat** origin

de **bakkebaarden** whiskers, sideburns

bakken bake · fry

de **bakker** baker

de **bakkerij** bakery

de **baksteen** brick

de **bal¹** ball

het **bal²** ~s ball

de **balans** balance

baldadig rowdy

de **balie** counter

de **balk** beam

het **balkon** balcony · circle

het **ballet** ballet

de **balling** exile

de **ballingschap** exile

de **ballon** balloon

ballpoint de ballpoint pen · Biro

bamboe het bamboo

banaan de banana

band de tape · band · tyre, tire ♦ *lekke* ~ flat tyre, puncture

bandenpech de blowout, puncture

bandenspanning de tyre pressure

bandiet de bandit

bandrecorder de tape recorder, recorder

bang frightened, afraid

bank de bank · bench

bankbiljet het banknote

banket het banquet

banketbakker de confectioner

banketbakkerij de pastry shop

banketzaal de banqueting hall

bankrekening de bank account

bankroet bankrupt

bar de bar · saloon

barbecue de barbecue

bariton de baritone

barjuffrouw de barmaid

barman de bartender, barman

barmhartig merciful

barnsteen het amber

barok baroque

barometer de barometer

barrière de barrier

barst de crack

barsten crack, burst*, split* · get* cracked

bas de bass

baseren base

basilicum de basil

basiliek de basilica

basis de basis · base

basiscrème de foundation cream

basisschool de primary school

basketbal het basketball

bast de bark

bastaard de bastard

baten be* of use

batterij de battery

batterijoplader de battery charger

beachvolleybal het beach volleyball

de **beambte** clerk

beantwoorden answer

de **beautycase** vanity case

bebost wooded

bebouwen cultivate

het **bed** bed

bedaard quiet

bedachtzaam cautious

bedanken thank

bedaren calm down

het **beddengoed** bedding

bedeesd timid

bedekken cover

de **bedelaar** beggar

bedelen beg

bedelven bury

bedenken think* of

bederven spoil* · mess up

de **bedevaart** pilgrimage

de **bediende** domestic, servant · valet · boy

bedienen serve · wait on · attend on

de **bediening** service

het **bedieningsgeld** service charge

bedoelen mean* · intend

de **bedoeling** purpose, inten-

tion

bedorven bad, off

het **bedrag** amount

bedragen amount to

bedreigen threaten

de **bedreiging** threat

bedriegen deceive · cheat

het **bedrijf** business, concern · plant · act

bedrijvig active

bedroefd sad, sorry

de **bedroefdheid** sadness, grief

het **bedrog** deceit · fraud

beëindigen end, finish

de **beek** brook, stream

het **beeld** picture, image

de **beeldhouwer** sculptor

het **beeldhouwwerk** sculpture

het **beeldscherm** screen

het **been**[1] ~deren, benen bone

het **been**[2] benen leg

de **beer** bear

het **beest** beast

beestachtig brutal

de **beet** bite

het **beetje** bit

beetnemen kid

befaamd noted
begaafd gifted, talented
begaan commit
begaanbaar passable
begeerlijk desirable
de **begeerte** desire
begeleiden accompany · conduct
begeren desire
het **begin** start, beginning ♦ *begin-* initial
de **beginneling** learner, beginner
beginnen start, commence, begin*
de **beginner** learner
het **beginsel** principle
de **begraafplaats** cemetery
de **begrafenis** burial · funeral
begraven bury
begrijpen understand* · see*, take*
begrijpend sympathetic
het **begrip** notion · idea, conception · understanding
begroeid overgrown
de **begroting** budget
de **begunstigde** payee
begunstigen favour

de **beha** brassiere, bra
behalen obtain
behalve but, except · beyond, besides
behandelen treat, handle
de **behandeling** treatment
het **behang** wallpaper
het **beheer** management · administration
beheersen master
beheksen bewitch
zich **behelpen met** make* do with
behendig skillful
beheren manage
behoedzaam wary
de **behoefte** need, want
behoeven need ♦ *ten behoeve van* on behalf of
behoorlijk proper
behoren belong to · ought*
behoudend conservative
beide both · either ♦ *een van ~* either; *geen van ~* neither
beige beige
beïnvloeden influence · affect

de **beitel** chisel
bejaard aged · elderly
de **bejaarde** elderly person
de **bek** mouth · beak
bekend well known
de **bekende** acquaintance
bekendmaken announce
de **bekendmaking** announcement
bekennen admit, confess
de **bekentenis** confession
de **beker** mug · tumbler · cup
bekeren convert
de **bekeuring** fine
bekijken regard, view
het **bekken** basin · pelvis
beklagen pity
bekleden upholster
beklemmen oppress
beklimmen ascend
de **beklimming** ascent
beknopt concise · brief
zich **bekommeren om** care about
de **bekoring** attraction, charm
bekritiseren criticize
bekrompen narrow-minded

bekronen crown
bekwaam able, capable · skillful
de **bekwaamheid** ability, faculty, capacity
de **bel** bell · bubble
belachelijk ridiculous, ludicrous
het **belang** interest · importance ♦ *van ~ zijn* matter
belangrijk important
belangstellend interested
de **belangstelling** interest
belastbaar dutiable
belasten charge · tax ♦ *belast met* in charge of
de **belasting** charge · tax · taxation
belastingvrij duty-free · tax-free
beledigen insult · offend
beledigend offensive
de **belediging** insult · offence
beleefd polite · civil
de **belegering** siege
beleggen invest
de **belegging** investment
het **beleid** policy
belemmeren impede

het **beletsel** impediment

beletten prevent

beleven experience

de **Belg** Belgian

België Belgium

Belgisch Belgian

de **belichting** exposure

de **belichtingsmeter** exposure meter

belijden confess

bellen ring*

de **belofte** promise

belonen reward

de **beloning** reward · prize

beloven promise

het **beltegoed** credit (on pre-paid phonecard)

de **beltoon** ringtone

beluisteren listen to

bemachtigen secure

de **bemanning** crew

bemerken notice · perceive

de **bemiddelaar** mediator

bemiddeld well-to-do

bemiddelen mediate

bemind beloved

zich **bemoeien met** interfere with

benadrukken emphasize, stress

de **benaming** denomination

benauwd stuffy

de **bende** gang

beneden¹ *bw* underneath, beneath · below · downstairs ♦ *naar* ~ downwards, down; downstairs

beneden² *vz* under, below

benieuwd curious

benijden envy

benoemen nominate, appoint

de **benoeming** nomination, appointment

benutten utilize

de **benzine** petrol · fuel · *(Am)* gasoline, *(Am)* gas

de **benzinepomp** petrol pump · *(Am)* fuel pump · *(Am)* gas pump

het **benzinestation** service station, petrol station, filling station · *(Am)* gas station

de **benzinetank** petrol tank

beoefenen practise

beogen aim at

beoordelen judge

de **beoordeling** judgment

bepaald definite · certain

bepalen define, determine · stipulate

de **bepaling** stipulation · definition

beperken limit

de **beperking** restriction

beproeven attempt

het **beraad** deliberation

beraadslagen deliberate

beramen devise

bereid prepared, willing

bereiden cook

bereidwillig cooperative

het **bereik** reach · range

bereikbaar attainable

bereiken reach · achieve, accomplish, attain

berekenen calculate · charge

de **berekening** calculation

de **berg** mountain · mount

bergachtig mountainous

de **bergketen** mountain range

de **bergkloof** glen

de **bergpas** mountain pass

de **bergplaats** depository

de **bergrug** ridge

de **bergsport** mountaineering

het **bericht** message · notice

berispen reprimand, scold

de **berk** birch

beroemd famous

het **beroep** profession · appeal ♦ ~s- professional

beroerd miserable

de **beroerte** stroke

het **berouw** repentance

beroven rob

de **beroving** robbery

berucht notorious

de **bes** berry · currant ♦ zwarte ~ black currant

beschaafd civilized · cultured

beschaamd ashamed

beschadigen damage

de **beschaving** civilization · culture

bescheiden modest

de **bescheidenheid** modesty

beschermen protect

de **bescherming** protection

beschikbaar available

beschikken over have available

de **beschikking** disposal

beschimmeld mouldy

beschouwen consider · regard · reckon

beschrijven describe

de **beschrijving** description

beschuldigen accuse · blame

beschutten shelter

de **beschutting** cover, shelter

beseffen realize

het **beslag** batter ♦ ~ *leggen op* impound, confiscate

beslissen decide

de **beslissing** decision

beslist without fail

het **besluit** decision

besluiten decide

besmettelijk contagious, infectious

besmetten infect

besneeuwd snowy

bespelen play

bespottelijk ridiculous, ludicrous

bespotten ridicule · mock

bespreken engage, reserve · discuss

de **bespreking** booking · review · discussion

best best

het **bestaan**¹ existence

bestaan² exist ♦ ~ *uit* consist of

het **bestanddeel** ingredient · element

besteden spend*

het **bestek** cutlery

de **bestelauto** van · delivery van, pickup van

bestelen rob

het **bestelformulier** order form

bestellen order

de **bestelling** order

bestemmen destine

de **bestemming** destination

bestendig permanent

bestijgen mount

bestraten pave

bestrijden combat

besturen drive*

het **bestuur** direction · board · rule

bestuurlijk administrative

het **bestuursrecht** adminis-

trative law
betalen pay*

de **betaling** payment
betasten feel*
betekenen mean*

de **betekenis** meaning · sense
beter better · superior
beteugelen curb
betogen demonstrate

de **betoging** demonstration

het **beton** concrete
betoveren bewitch
betoverend enchanting, glamorous

de **betovering** spell
betrappen catch*
betreden enter
betreffen concern · affect, touch ◆ *wat betreft* as regards
betreffende as regards, regarding, about, concerning
betrekkelijk relative
betrekken implicate, get* involved · obtain

de **betrekking** post, position, job · reference ◆ *met ~ tot*

regarding, with reference to
betreuren regret
betrokken cloudy, overcast · concerned, involved
betrouwbaar trustworthy, reliable
betuigen express
betwijfelen doubt, query
betwisten dispute
beu tired of, fed up with

de **beugel** brace

de **beuk** beech

de **beul** executioner

de **beurs** purse · stock exchange · fair · grant

de **beurt** turn
bevaarbaar navigable
bevallen please
bevallig graceful

de **bevalling** delivery, childbirth
bevaren sail
bevatten contain · include

het **bevel** command, order
bevelen command, order

de **bevelhebber** commander
beven tremble

de **bever** beaver

bevestigen acknowledge, confirm · fasten

bevestigend affirmative

de **bevestiging** confirmation

zich **bevinden** be*

de **bevlieging** whim

bevochtigen damp, moisten

bevoegd qualified

de **bevoegdheid** qualification

de **bevolking** population

bevorderen promote

bevredigen satisfy

de **bevrediging** satisfaction

bevriezen freeze*

de **bevrijding** liberation

bevuild soiled

bewaken guard

de **bewaker** guard · warden

bewapenen arm

bewaren hold* · preserve · keep*

de **bewaring** preservation

beweeglijk mobile

de **beweegreden** cause

bewegen move · stir

de **beweging** movement · motion

beweren claim

het **bewijs** proof, evidence · token · voucher

bewijzen prove

het **bewind** rule, government

de **bewolking** clouds

bewolkt cloudy

bewonderen admire

de **bewondering** admiration

bewonen inhabit

de **bewoner** inhabitant · occupant

bewoonbaar habitable, inhabitable

bewust conscious, aware

bewusteloos unconscious

het **bewustzijn** consciousness

de **bezem** broom

bezeren hurt*

bezet engaged, occupied

bezetten occupy

de **bezetting** occupation

bezichtigen visit

bezielen inspire

de **bezienswaardigheid** sight

bezig engaged, busy

zich **bezighouden met** attend to

het **bezinksel** deposit

het **bezit** property · posses-

sion
bezitten possess, own
de **bezitter** owner
de **bezittingen** belongings
het **bezoek** call, visit
bezoeken visit · call on
de **bezoeker** visitor
de **bezoekuren** visiting hours
bezonnen sober
bezorgd anxious, concerned
de **bezorgdheid** worry, anxiety
bezorgen deliver · supply
de **bezorging** delivery
het **bezwaar** objection ♦ ~ *hebben tegen* object to; mind
bezwijken collapse · succumb
b.g. *(begane grond)* ground floor
b.g.g. *(bij geen gehoor)* if no answer
bibberen shiver
de **bibliotheek** library
bidden pray
de **biecht** confession

biechten confess
bieden offer
de **biefstuk** steak
het **bier** beer · ale
de **bies** rush
het **bieslook** chives
de **biet** beet
de **big** piglet
de **bij**¹ bee
bij² *vz* near, at, with, by · to
de **Bijbel** bible
de **bijbetekenis** connotation
de **bijdrage** contribution
bijeen together
bijeenbrengen assemble
bijeenkomen gather
de **bijeenkomst** meeting · rally · assembly, congress
de **bijenkorf** beehive
het **bijgebouw** annex
het **bijgeloof** superstition
bijgevolg consequently
bijhouden keep* up with
bijknippen trim
bijkomend additional
bijkomstig additional · subordinate
de **bijl** axe

de **bijlage** annex · enclosure

bijna nearly, almost

de **bijnaam** nickname

de **bijouterie** jewellery

bijsluiten enclose

de **bijsluiter** information leaflet

bijstaan assist, aid

de **bijstand** assistance

bijten bite*

bijv. *(bijvoorbeeld)* e.g.

bijvoegen attach

bijvoeglijk ~ *naamwoord* adjective

bijvoorbeeld for instance, for example

bijvullen top up, fill up

bijwonen assist at, attend

het **bijwoord** adverb

bijziend short-sighted

bijzonder special, particular · peculiar ♦ *in het* ~ in particular, specially

de **bijzonderheid** detail

de **bikini** bikini

de **bil** buttock

het **biljart** billiards

biljarten play billiards

het **biljet** ticket

billijk right, fair, reasonable

binden bind* · tie

binnen[1] *bw* inside, indoors · in · indoor ♦ *naar* ~ inwards; *van* ~ within, inside

binnen[2] *vz* within, inside

de **binnenband** inner tube

binnengaan enter, go* in

de **binnenkant** interior, inside

binnenkomen enter

de **binnenkomst** entrance

binnenkort shortly

binnenlands domestic

binnenst inside

de **binnenstad** town centre

binnenstebuiten inside out

binnenvallen invade

de **biologie** biology

biologisch biological, organic

de **bioscoop** cinema · pictures · *(Am)* movie theater, *(Am)* movies

het **biscuit** *(Am)* cookie

biseksueel bisexual

de **bisschop** bishop
bitter bitter
bizar bizarre
de **blaar** blister
de **blaas** bladder · blister
de **blaasontsteking** cystitis
de **black-out** blackout
het **blad¹** ~eren, blaren leaf
het **blad²** ~en sheet · magazine
het **bladgoud** gold leaf
de **bladzijde** page
blaffen bark · bay
blanco blank
blank white
de **blankvoorn** roach
blauw blue
blazen blow*
de **blazer** blazer
bleek pale
bleken bleach
de **blessure** injury
blij glad · happy, joyful
blijkbaar apparently
blijken prove · appear
het **blijspel** comedy
blijven stay, remain · keep*
blijvend lasting · permanent

de **blik¹** look · glimpse, glance ♦ *een ~ werpen* glance
het **blik²** tin, can
de **blikopener** tin opener, can opener
de **blikschade** bodywork damage
de **bliksem** lightning
het **blind¹** shutter
blind² bn blind
de **blind date** blind date
de **blinde** blind person
de **blindedarm** appendix
de **blindedarmontsteking** appendicitis
blinken shine*
blinkend bright
de **blocnote** writing pad
het **bloed** blood
de **bloedarmoede** anaemia
de **bloeddruk** blood pressure
bloeden bleed*
de **bloedgroep** blood group
de **bloeding** haemorrhage
de **bloedsomloop** circulation
de **bloedtransfusie** transfusion

het **bloedvat** blood vessel

de **bloedvergiftiging** blood poisoning

de **bloem**¹ ~en flower

de **bloem**² flour

het **bloemblad** petal

de **bloembol** bulb

de **bloemenwinkel** flower shop

de **bloemist** florist

de **bloemkool** cauliflower

de **bloemlezing** anthology

het **bloemperk** flowerbed

het **blog** blog

het **blok** block ♦ ~je cube

blokkeren block

blond fair

de **blondine** blonde

bloot bare · naked

blootleggen uncover

de **blouse** blouse

blozen blush

de **blunder** blunder

blussen extinguish

blut broke

blz. *(bladzijde)* page

de **bocht** turning, bend · curve, turn

het **bod** offer

de **bode** messenger

de **bodem** bottom · ground · soil

de **bodywarmer** body warmer

het **boeddhisme** Buddhism

de **boef** villain

de **boei** buoy

boeien fascinate

het **boek** book

boeken book

het **boekenstalletje** bookstand

het **boeket** bouquet

de **boekhandel** bookstore

de **boekhandelaar** bookseller

de **boekwinkel** bookstore

de **boel** lot

de **boer** farmer · peasant

de **boerderij** farm · farmhouse

de **boerin** farmer's wife

de **boete** penalty, fine

de **boetiek** boutique

boetseren model

de **bof** mumps

de **bok** goat

boksen box

de **bokswedstrijd** boxing

match

de **bol** bulb · sphere

Bolivia Bolivia

de **Boliviaan** Bolivian

Boliviaans Bolivian

de **bom** bomb

bombarderen bomb

de **bommelding** bomb alert

de **bon** coupon · ticket · voucher

de **bonbon** chocolate

de **bond** league, federation

de **bondgenoot** associate

het **bondgenootschap** alliance

de **bons**[1] bump

het **bont**[1] furs

bont[2] *bn* gay, colourful

de **bontjas** furcoat

de **bontwerker** furrier

bonzen bump

de **boodschap** errand · message

de **boodschappentas** shopping bag

de **boog** arch · bow

boogvormig arched

de **boom** tree

de **boomgaard** orchard

de **boomkwekerij** nursery

de **boon** bean

de **boor** drill

het **boord** (ook: de) collar ♦ *aan ~* aboard; *van ~ gaan* disembark

het **boordenknoopje** collar stud

boos cross

boosaardig malicious, vicious

de **boosheid** angel, temper

de **boot** boat

het **bootje** dinghy

de **boottocht** cruise

het **bord** dish, plate · board

het **bordeel** brothel

borduren embroider

het **borduurwerk** embroidery

boren drill, bore

de **borg** guarantor

de **borgsom** bail

de **borrel** drink

het **borrelhapje** appetizer

de **borst** chest · breast, bosom

de **borstel** brush

borstelen brush

de **borstkas** chest

de **bos¹** bunch

het **bos²** ~*sen* forest, wood

het **bosje** grove

de **boswachter** forester

het **bot¹** ~*ten* bone

bot² *bn* dull, blunt

de **boter** butter

de **boterham** sandwich

botsen bump · collide, crash

de **botsing** collision

de **bougie** spark plug

de **boulevard** promenade

de **bout** bolt

de **bouw** construction

bouwen build* · construct

de **bouwkunde** architecture

bouwvallig dilapidated

boven¹ *bw* above · upstairs ◆ *naar* ~ upwards, up; upstairs

boven² *vz* above, over

het **bovendek** maindeck

bovendien furthermore, moreover, besides

de **bovenkant** top side, top

bovenop on top of

bovenst upper, top

de **bowling** bowling

de **boycot** boycott

braaf good

braak waste

de **braam** blackberry

braden fry · roast

braken vomit

de **brancard** stretcher

de **brand** fire

het **brandalarm** fire alarm

het **brandblusapparaat** fire extinguisher

branden burn*

de **branding** surf

de **brandkast** safe

het **brandmerk** brand

het **brandpunt** focus

de **brandspiritus** methylated spirits

de **brandstof** fuel

de **brandtrap** fire escape

brandvrij fireproof

de **brandweer** fire brigade

de **brandwond** burn

de **brasem** bream

de **Braziliaan** Brazilian

Braziliaans Brazilian

Brazilië Brazil

breed broad, wide

de **breedte** breadth, width

de **breedtegraad** latitude
breekbaar fragile
het **breekijzer** crowbar
de **breezer** breezer
breien knit*
breken break* · burst*, crack · fracture
brengen bring* · take*
de **bres** gap, breach
de **bretels** braces · *(Am)* suspenders
de **breuk** break · fracture · hernia
bridge bridge
de **brief** letter ♦ *aangetekende* ~ registered letter
de **briefkaart** card, postcard
de **briefopener** paper knife
het **briefpapier** notepaper
de **briefwisseling** correspondence
de **bries** breeze
de **brievenbus** letter box, pillar box · *(Am)* mailbox
de **bril** spectacles, glasses
briljant brilliant
de **Brit** Briton
Brits British
de **broche** brooch

de **brochure** brochure
de **broeder** brother
de **broederschap** fraternity
de **broeikas** greenhouse
het **broeikaseffect** greenhouse effect
de **broek** trousers pl, slacks · *(Am)* pants ♦ *korte* ~ shorts
het **broekpak** pant-suit
de **broer** brother
het **brok** morsel · lump
de **bromfiets** moped
de **brommer** *(Am)* motorbike
de **bron** well · fountain, source, spring ♦ *geneeskrachtige* ~ spa
de **bronchitis** bronchitis
het **brons** bronze
het **bronwater** mineral water
bronzen bronze
het **brood** bread · loaf
het **broodje** roll, bun
broos fragile
brouwen brew
de **brouwerij** brewery
de **browser** browser
de **brug** bridge
het **brugpensioen** early retire-

ment

de **bruid** bride

de **bruidegom** bridegroom

bruikbaar usable · useful

de **bruiloft** wedding

bruin brown

brullen roar

de **brunette** brunette

brutaal bold, impertinent, insolent

bruto gross

btw *(belasting toegevoegde waarde)* VAT, value added tax

het **bubbelbad** whirlpool, jacuzzi

het **budget** budget

het **buffet** buffet

de **bui** shower · spirit

de **buidel** pouch

buigbaar flexible

buigen bend* · bow

buigzaam supple

de **buik** belly

de **buikgriep** gastroenteritis

de **buikpijn** stomachache

de **buis** tube

buiten¹ *bw* out · outside, outdoors ♦ *naar ~* out-

wards

buiten² *vz* outside, out of

buitengewoon extraordinary, exceptional

het **buitenhuis** cottage

de **buitenkant** outside, exterior

buitenland *in het ~* abroad

de **buitenlander** alien, foreigner

buitenlands alien, foreign

buitensporig excessive

de **buitenwijk** suburb · outskirts

zich **bukken** bend* down

de **Bulgaar** Bulgarian

Bulgaars Bulgarian

Bulgarije Bulgaria

de **bult** lump

de **bumper** bumper, fender

de **bundel** bundle

bundelen bundle

het **bungalowpark** bungalow park

het **bungeejumpen** bungee jump

de **burcht** stronghold

het **bureau** agency, office · bureau, desk ◆ ~ *voor gevonden voorwerpen* lost property office

de **bureaucratie** bureaucracy

de **burgemeester** mayor

de **burger** citizen · civilian ◆ *burger-* civilian, civic **burgerlijk** bourgeois, middle class ◆ ~ *recht* civil law

de **burgeroorlog** civil war

de **bus** coach, bus · tin, canister

de **buste** bust

de **buur** neighbour

de **buurman** neighbour

de **buurt** neighbourhood, vicinity

de **buurvrouw** neighbour

bv *(besloten vennootschap)* limited liability company

bv. *(bijvoorbeeld)* e.g.

het **cabaret** cabaret

de **cabine** cabin

het **cadeau** gift, present

het **café** café · public house, pub

de **cafeïne** caffeine

cafeïnevrij decaffeinated

de **cafetaria** cafeteria

de **caissière** cashier

de **cake** cake

het **calcium** calcium

de **calorie** calorie

het **calvinisme** Calvinism

de **camcorder** camcorder

de **camee** cameo

de **camera** camera

de **campagne** campaign

de **camper** camper

de **camping** camping site, camping

Canada Canada

Canadees Canadian

capabel able

de **capaciteit** capacity

de **cape** cape

de **capitulatie** capitulation

de **cappuccino** cappucino

de **capsule** capsule

de **caravan** caravan

het **carbonpapier** carbon paper

de **carburateur** carburettor

de **cardioloog** cardiologist

het **carillon** chimes

het **carnaval** carnival

de **carrière** career

de **carrosserie** coachwork ·
(Am) motor body

het **carter** crankcase

de **cash¹** cash

cash² bn cash

het **casino** casino

de **catacombe** catacomb

de **catalogus** catalogue

de **catarre** catarrh

de **catastrofe** catastrophe,
disaster

de **categorie** category

de **cavia** guinea pig

de **cd** CD

de **cel** cell

het **celibaat** celibacy

het **cellofaan** cellophane

Celsius centigrade

het **cement** cement

de **censuur** censorship

de **cent** cent

de **centimeter** centimetre ·
tape measure

centraal central ♦ ~ *station* central station; *centrale verwarming* central
heating

centraliseren centralize

de **centrifuge** dryer

het **centrum** centre

de **ceremonie** ceremony

het **certificaat** certificate

het **chalet** chalet

de **champagne** champagne

de **champignon** mushroom

de **chantage** blackmail

chanteren blackmail

de **chaos** chaos

chaotisch chaotic

de **charlatan** quack

charmant charming

de **charme** charm · glamour

de **chartervlucht** charter
flight

het **chassis** chassis

chatten chat

de **chauffeur** driver, chauffeur

checken check

de **chef** boss, manager, chief

de **chef-kok** chef

de **chemie** chemistry

chemisch chemical

de **cheque** cheque · *(Am)*
check

het **chequeboekje** cheque
book · checkbook

chic smart

de **Chileen** Chilean
Chileens Chilean
Chili Chile
China China
Chinees Chinese
de **chip** chip
de **chipcard** chip card
chippen pay by chip card
de **chips** crisps
de **chirurg** surgeon
het **chloor** chlorine
de **chocola** chocolate
de **chocolademelk** chocolate
de **choke** choke
het **cholesterol** cholesterol
christelijk Christian
de **christen** Christian
het **christendom** Christianity
Christus Christ
chronisch chronic
chronologisch chronological
het **chroom** chromium
de **cider** cider
het **cijfer** number, figure · digit · mark
de **cilinder** cylinder
de **cilinderkop** cylinder head
de **cipier** jailer

circa approximately
het **circuit** circuit
de **circulatie** circulation
het **circus** circus
de **cirkel** circle
het **citaat** quotation
citeren quote
de **citroen** lemon
civiel civil
de **claim** claim
de **clausule** clause
de **claxon** horn, hooter
claxonneren hoot · *(Am)* toot, *(Am)* honk
de **clementie** mercy
de **cliënt** customer, client
het **closetpapier** toilet paper
de **clown** clown
de **club** club
de **coach** coach
de **cocaïne** cocaine
de **cocktail** cocktail
de **code** code
de **cognac** cognac
de **coiffure** hairdo
de **cola** coke
de **colbert** jacket
de **collectant** collector
de **collect call** reverse charge

call
collecteren collect
de **collectie** collection
collectief collective
de **collega** colleague
het **college** lecture
Colombia Colombia
de **Colombiaan** Colombian
Colombiaans Colombian
de **colonne** column
het **coma** coma
de **combinatie** combination
combineren combine
het **comfort** comfort
comfortabel comfortable
het **comité** committee
het **commentaar** comment
commercieel commercial
de **commissie** committee · commission
de **commode** *(Am)* bureau
de **commune** commune
de **communicatie** communication
het **communiqué** communiqué
het **communisme** communism
de **communist** communist

compact compact
de **compagnon** partner
de **compensatie** compensation
compenseren compensate
compleet complete
het **complex** complex
het **compliment** compliment
het **complot** plot, intrigue
de **componist** composer
de **compositie** composition
het **compromis** compromise
de **computer** computer
de **concentratie** concentration
concentreren concentrate
de **conceptie** conception
het **concern** group
het **concert** concert
de **concertzaal** concert hall
de **concessie** concession
de **conciërge** janitor · caretaker, concierge
de **conclusie** conclusion
concreet concrete
de **concurrent** competitor · rival
de **concurrentie** competition

- rivalry
de **conditie** condition
het **condoom** condom
de **conducteur** conductor · ticket collector
de **conferencier** entertainer
de **conferentie** conference
het **conflict** conflict
de **congregatie** congregation
het **congres** congress
de **consequentie** consequence
conservatief conservative
het **conservatorium** music academy
de **conserven** tinned food
de **consideratie** consideration
constant even
constateren note, ascertain · diagnose
de **constipatie** constipation
de **constructie** construction
construeren construct
de **consul** consul
het **consulaat** consulate
het **consult** consultation
het **consultatiebureau** health centre

de **consument** consumer
het **contact** contact · touch
de **contactlensvloeistof** contact lense liquid
de **contactlenzen** contact lenses
de **container** container
contant cash
de **contanten** cash
het **continent** continent
continentaal continental
contra versus
het **contract** agreement, contract
het **contrast** contrast
de **controle** control · supervision, inspection
controleren control, check
de **controlestrook** counterfoil, stub
controversieel controversial
de **conversatie** conversation
cool cool
de **coöperatie** co-operative
coöperatief co-operative
de **coördinatie** co-ordination
coördineren co-ordinate

corpulent corpulent, stout

correct correct

de **correctie** correction

de **correspondent** correspondent

de **correspondentie** correspondence

corresponderen correspond

corrigeren correct

corrupt corrupt

de **cosmetica** cosmetics

de **couchette** berth

de **coupé** compartment ♦ ~ *voor rokers* smoking compartment

het **couplet** stanza

de **coupon** coupon

de **courgette** courgette

de **crash** crash

de **crawl** crawl

de **crèche** nursery

de **creditcard** credit card

crediteren credit

creëren create

de **crematie** cremation

de **crème** cream ♦ *vochtinbrengende* ~ moisturizing cream

cremeren cremate

het **cricket** cricket

de **criminaliteit** criminality

crimineel criminal

de **crisis** crisis

de **criticus** critic

de **croissant** croissant

de **cruise** cruise

CS *(Centraal Station)* main railway station

Cuba Cuba

de **Cubaan** Cuban

Cubaans Cuban

de **cultuur** culture

het **cursief schrift** italics

de **cursor** cursor

de **cursus** course

de **cv¹** central heating

het **cv²** cv

de **cyclus** cycle

de **daad** deed, act

daar there

daarheen there

daarom therefore

de **dadel** date

dadelijk at once, immediately · presently

de **dag** day ♦ ~! hello!; goodbye!; *per ~* per day

het **dagblad** daily

het **dagboek** diary

dagelijks daily

de **dageraad** daybreak, dawn

het **daglicht** daylight

de **dagschotel** plat du jour

de **dagvaarding** summons

het **dak** roof

de **dakpan** tile

het **dal** valley

dalen descend

de **dam** dam · dike

het **dambord** draught board

de **dame** lady

het **damestoilet** powder room, ladies' room

het **damspel** draughts · *(Am)* checkers

dan¹ *bw* then

dan² *vw* than ◆ *nu en ~* occasionally

de **dance** dance

de **dancing** dance hall

dankbaar grateful, thankful

de **dankbaarheid** gratitude

danken thank ◆ *dank u*

thank you; *te ~ hebben aan* owe to

de **dans** dance

dansen dance

de **danszaal** ballroom

dapper brave, courageous

de **dapperheid** courage

de **darm** gut, intestine ◆ *~en* bowels

de **darts** darts

de **das** necktie, tie · scarf

het **dashboard** dashboard

dat¹ *vnw* which

dat² *vw* that

de **data** data

de **date** date

de **datum** date

de **dauw** dew

de the

het **debat** discussion, debate

debatteren argue · debate

het **debet** debit

de **decafé** decaf

december December

het **deeg** dough

de **deejay** deejay

het **deel** part · share · volume

deelnemen participate

de **deelnemer** participant

deels partly

de **Deen** Dane

Deens Danish

het **defect¹** fault

defect² *bn* defective, faulty

de **defensie** defence

definiëren define

de **definitie** definition

degelijk thorough · sound

het **dek** deck

het **dekbed** continental quilt

de **deken** blanket

de **dekhut** deckcabin

het **deksel** lid · cover, top

het **dekzeil** tarpaulin

de **delegatie** delegation

delen divide · share

de **delfstof** mineral

de **delicatessen** delicatessen

de **delicatessenwinkel** delicatessen

de **deling** division

de **delinquent** criminal

delven dig*

dement demented

de **democratie** democracy

democratisch democratic

de **demonstratie** demonstration

demonstreren demonstrate

de **den** firtree

Denemarken Denmark

het **denkbeeld** idea

denkbeeldig imaginary

denken think* · guess, reckon ♦ ~ *aan* think* of

de **denker** thinker

de **dennenboom** firtree

de **deodorant** deodorant

het **departement** department

deponeren bank

de **depressie** depression

deprimeren depress

derde third

dergelijk such · similar

dermate so

dertien thirteen

dertiende thirteenth

dertig thirty

dertigste thirtieth

deserteren desert

desinfecteren disinfect

deskundig expert

de **deskundige** expert

het **dessert** dessert

het **detail** detail

de **detailhandel** retail trade

de **detaillist** retailer

de **detective** detective

de **detectiveroman** detective story

de **deugd** virtue

de **deugniet** rascal

de **deuk** dent

de **deur** door

de **deurbel** doorbell

de **deurwaarder** bailiff

de **devaluatie** devaluation

devalueren devalue

het **devies** motto

deze this · these

dhr. *(de heer)* Mr.

de **dia** slide

de **diabetes** diabetes

de **diabeticus** diabetic

de **diagnose** diagnosis ♦ *een ~ stellen* diagnose

de **diagonaal¹** diagonal

diagonaal² *bn* diagonal

het **dialect** dialect

de **diamant** diamond

de **diarree** diarrhoea

dicht dense · thick · closed, shut

dichtbevolkt populous

dichtbij near

dichtdraaien turn off

de **dichter** poet

de **dichtkunst** poetry

dichtslaan slam

het **dictaat** dictation

de **dictator** dictator

het **dictee** dictation

dicteren dictate

die that · those · who

het **dieet** diet

de **dief** robber, thief

de **diefstal** robbery, theft

het **dienblad** tray

dienen serve

de **dienst** service ♦ *in ~ nemen* engage

de **dienstplichtige** conscript

de **dienstregeling** schedule, timetable

diep deep · low

de **diepte** depth

de **diepvrieskast** deep freeze

de **diepvriesmaaltijd** freezer meal, TV dinner

diepzinnig profound

het **dier** animal

dierbaar dear · precious

de **dierenarts** veterinary surgeon

de **dierenriem** zodiac

de **dierentuin** zoological gardens · zoo

de **diesel** diesel

de **difterie** diphtheria

de **digibeet** computer illiterate

digitaal digital

de **dij** thigh

de **dijk** dike · dam

dik corpulent · thick · fat, stout, big

de **dikte** thickness · fatness

dikwijls frequently, often

het **diner** dinner

dineren dine

het **ding** thing

de **dinsdag** Tuesday

het **diploma** certificate, diploma ♦ *een ~ behalen* graduate

de **diplomaat** diplomat

direct[1] *bn* direct

direct[2] *bw* straight away

de **directeur** executive, manager, director · headmaster, principal

de **directie** management

de **dirigent** conductor

dirigeren conduct

de **discipline** discipline

de **disco** disco

het **disconto** bank rate

discreet modest

de **discussie** discussion, argument

discussiëren discuss · argue

de **disk** disk

de **diskjockey** disc jockey

de **display** display

de **distel** thistle

het **district** district

dit this

de **divan** couch

het **DNA** DNA

de **docent** teacher

doch but

de **dochter** daughter

de **doctor** doctor

het **document** document

de **dode** dead person

dodelijk mortal, fatal

doden kill

de **doek**[1] cloth

het **doek**[2] curtain

het **doel** objective, aim, purpose · object, goal, design, target

de **doelman** goalkeeper

doelmatig efficient

het **doelpunt** goal

doeltreffend effective

doen do* · cause to

dof mat, dim

de **dokter** doctor, physician

de **dolfijn** dolphin

de **dollar** dollar

de **dom¹** cathedral

dom² bn dumb, stupid

de **dominee** clergyman, parson, rector

de **dompelaar** immersion heater

de **donateur** donor

de **donder** thunder

de **donderdag** Thursday

donderen thunder

donker dark, dim

het **donorcodicil** donor card

het **dons** down ◆ donzen dekbed eiderdown

de **dood¹** death

dood² bn dead

de **doodstraf** death penalty

doof deaf

de **dooi** thaw

dooien thaw

de **dooier** yolk

het **doolhof** maze · labyrinth

de **doop** baptism, christening

het **doopsel** baptism

door through · by

doorboren pierce

doorbrengen spend*

doordat because

doordringen penetrate

doorgaan continue, go* on · carry on · go* ahead ◆ ~ met keep* on

de **doorgang** passage

doorlichten X-ray

doorlopend continuous

doormaken go* through

de **doorn** thorn

de **doorreis** passage

de **doorslag** carbon copy

doorweken soak

doorzichtig transparent, sheer

doorzoeken search

de **doos** box

de **dop** shell

dopen baptize, christen

de **doping** drug
dor arid
het **dorp** village
de **dorst** thirst
dorstig thirsty
de **dosis** dose
het **dossier** file
dotteren perform angioplasty
de **douane** customs
de **douanebeambte** customs officer
de **douche** shower
douchen shower
de **dove** deaf person
doven extinguish
downloaden download
het **dozijn** dozen
de **draad** thread · wire
draadloos wireless
draagbaar portable
draaglijk tolerable
de **draai** turn · twist
de **draaideur** revolving door
draaien turn · twist · spin*
de **draaimolen** merry-go-round
het **draaiorgel** street organ
de **draak** dragon

dragen carry, bear* · wear*
de **drager** bearer
het **drama** drama
dramatisch dramatic
de **drang** urge
de **drank** drink, beverage ♦ *sterkedrank* spirits, liquor
het **dreigement** threat
dreigen threaten
de **drek** muck
de **drempel** threshold
dresseren train
drie three
de **driehoek** triangle
driehoekig triangular
driekwart three-quarter
driemaandelijks quarterly
de **driesprong** three-forked road
de **drift** passion
driftig quick-tempered · hot-tempered, irascible
de **drijfkracht** driving force
drijven float
dringen push
dringend pressing, urgent
drinkbaar for drinking
drinken drink*

het drinkwater drinking water

de droefheid sorrow

droevig sad

drogen dry

de drogisterij pharmacy, chemist's · *(Am)* drug store

dromen dream*

dronken drunk · intoxicated

droog dry

droogleggen drain

de droogte drought

de droom dream

het droombeeld illusion

de drop liquorice

drs. *(doctorandus)* Master of Arts

de drug drug

de druiven grapes

de druk¹ pressure

druk² bn busy · crowded

drukken press · print

de drukknop push button

de drukte bustle · fuss, excitement

het drukwerk printed matter

de druppel drop

dubbel double

dubbelklikken double-click

dubbelzinnig ambiguous

duidelijk distinct, plain, clear · apparent, evident · obvious

de duif pigeon

de duikbril goggles

de duiken dive

de duikuitrusting diving equipment

de duim thumb

het duin dune

het duister¹ gloom

duister² bn obscure, dark

de duisternis dark

Duits German

de Duitser German

Duitsland Germany

de duivel devil

duizelig giddy, dizzy

de duizeligheid giddiness, dizziness

de duizeling vertigo

duizend thousand

dulden bear*

dun thin · sheer

de dupe victim

het **duplicaat** duplicate (copy)

duren last

de **durf** nerve

durven dare

dus so

het **dutje** nap

de **duur¹** duration

duur² *bn* dear, expensive

duurzaam lasting, permanent

de **duw** push

duwen push

de **dvd** DVD

de **dvd-speler** DVD player

de **dwaas¹** fool

dwaas² *bn* foolish, crazy, silly

dwalen err

de **dwerg** dwarf

dwingen force · compel

d.w.z. *(dat wil zeggen)* i.e.

de **dynamo** dynamo

de **dysenterie** dysentery

de **eb** low tide

het **ebbenhout** ebony

de **echo** echo

de **echt¹** matrimony

echt² *bn* genuine, true, authentic, real

echt³ *bw* really

echtelijk matrimonial

echter however, yet

de **echtgenoot** husband

de **echtgenote** wife

het **echtpaar** married couple

de **echtscheiding** divorce

de **economie** economy

economisch economic

de **econoom** economist

Ecuador Ecuador

de **Ecuadoraan** Ecuadorian

het **eczeem** eczema

edel noble

de **edelmoedigheid** generosity

de **edelsteen** gem, stone

de **editie** edition

de **eed** oath, vow

de **eekhoorn** squirrel

het **eelt** callus

een¹ *lidw* a

een² *telw* one

de **eenakter** one-act play

de **eend** duck

eender alike

de **eenheid** unit · unity

eenmaal once

de **eenpersoonskamer** single

room

het **eenrichtingsverkeer** one-way traffic

eens once · some time, some day ♦ *het ~ zijn* agree

eentonig monotonous

eenvoudig[1] *bn* plain, simple

eenvoudig[2] *bw* simply

eenzaam lonely

eenzijdig one-sided

de **eer** honour · glory

de **eerbied** respect

eerbiedig respectful

eerbiedwaardig venerable

eerder before · rather

het **eergevoel** sense of honour

eergisteren the day before yesterday

eerlijk honest · fair, straight

de **eerlijkheid** honesty

eerst[1] *bn* first · primary, initial

eerst[2] *bw* at first

eersteklas firstclass

eersterangs first rate

eerstvolgend following

eervol honourable

eerzaam respectable · honourable

eerzuchtig ambitious

eetbaar edible

de **eetkamer** dining room

de **eetlepel** tablespoon

de **eetlust** appetite

het **eetservies** dinner service

de **eetzaal** dining room

de **eeuw** century

eeuwig eternal

de **eeuwigheid** eternity

het **effect** effect ♦ *~en* stocks and shares

de **effectenbeurs** stock market, stock exchange

effectief effective

effen level · smooth, even

efficiënt efficient

egaal level

egaliseren level

de **egel** hedgehog

egocentrisch self-centred

het **egoïsme** selfishness

egoïstisch selfish

Egypte Egypt

de **Egyptenaar** Egyptian
Egyptisch Egyptian
EHBO *(Eerste Hulp bij Ongelukken)* first aid
het **ei** egg
de **eierdooier** egg yolk
het **eierdopje** egg cup
eigen own
de **eigenaar** owner, proprietor
eigenaardig singular, peculiar
de **eigenaardigheid** peculiarity
het **eigendom** property · possessions
eigengemaakt homemade
eigenlijk[1] *bn* actual
eigenlijk[2] *bw* as a matter of fact, really
de **eigenschap** property, quality
eigentijds contemporary
eigenwijs pigheaded
de **eik** oak
de **eikel** acorn
het **eiland** island
het **einde** end, finish · ending,

issue
eindelijk at last
eindigen finish
het **eindpunt** terminal
de **eindstreep** finish
de **eis** demand, claim
eisen demand
het **eiwit** protein
de **ekster** magpie
het **eksteroog** corn
de **eland** moose
het **elastiek** rubber band, elastic
het **elastiekje** rubber band
elastisch elastic
elders elsewhere
elegant elegant
de **elegantie** elegance
de **elektricien** electrician
de **elektriciteit** electricity
de **elektriciteitscentrale** power station
elektrisch electric
elektronisch electronic
het **element** element
elementair primary
de **elf**[1] elf
elf[2] *telw* eleven
elfde eleventh

het **elftal** soccerteam
elimineren eliminate
elk each, every
elkaar each other
de **elleboog** elbow
de **ellende** misery
ellendig miserable
het **email** enamel
de **e-mail** e-mail
e-mailen e-mail
emailleren glaze
de **emancipatie** emancipation
het **embargo** embargo
het **embleem** emblem
de **emigrant** emigrant
de **emigratie** emigration
emigreren emigrate
eminent outstanding
de **emmer** bucket, pail
de **emotie** emotion
de **employé** employee
en and
de **encyclopedie** encyclopaedia
de **endeldarm** rectum
endosseren endorse
de **energie** energy · power
energiek energetic

eng narrow · creepy
de **engel** angel
Engeland England · Britain
Engels English · British
de **Engelsman** Englishman · Briton
enig[1] bn sole, only
enig[2] vnw any ◆ ~e some
enigszins somewhat
de **enkel**[1] ankle
enkel[2] bn single
enkele some
de **enkeling** individual
het **enkelvoud** singular
enorm tremendous, enormous, huge
de **enquête** enquiry
het **enthousiasme** enthusiasm
enthousiast enthusiastic · keen
de **entrecote** entrecôte
de **entree** entry · entrance fee
de **entresol** mezzanine
de **envelop** envelope
enz. *(enzovoort)* etc.
enzovoort and so on, et-

cetera

de **epidemie** epidemic

de **epilepsie** epilepsy

de **epiloog** epilogue

episch epic

de **episode** episode

het **epos** epic

de **equipe** team

equivalent equivalent

er¹ *bw* there

er² *vnw* of them

erbarmelijk lamentable

de **eredienst** worship

eren honour

het **erf** yard

erfelijk hereditary

de **erfenis** inheritance, legacy

erg¹ *bn* bad

erg² *bw* very ♦ ~*er* worse; ~*st* worst

ergens somewhere

ergeren annoy

de **ergernis** annoyance

erkennen recognize · acknowledge

de **erkenning** recognition

erkentelijk grateful

de **ernst** seriousness · gravity

ernstig serious · grave, bad, severe

erotisch erotic

het **erts** ore

ervaren¹ *ww* experienced

ervaren² *ww* experience

de **ervaring** experience

erven inherit

de **erwt** pea

het **escorte** escort

escorteren escort

de **esdoorn** maple

het **eskader** squadron

de **espresso** espresso

het **essay** essay

de **essentie** essence

essentieel vital, essential

de **etage** floor, storey · *(Am)* apartment

de **etalage** shop window

de **etappe** stage

het **eten¹** food

eten² eat*

de **ether** ether

Ethiopië Ethiopia

de **Ethiopiër** Ethiopian

Ethiopisch Ethiopian

het **etiket** label, tag

etiketteren label

het **etmaal** twenty-four hours

de **ets** etching

ettelijk several

de **etter** pus

het **etui** case

EU *(Europese Unie)* EU, European Union

de **euro** euro

de **eurocent** (euro) cent

Europa Europe

de **Europeaan** European

Europees European

evacueren evacuate

het **evangelie** gospel

even¹ *bn* even

even² *bw* equally, as

de **evenaar** equator

evenals as well as

evenaren equal

eveneens as well, likewise, also

evenredig proportional

eventueel possible, eventual

evenveel as much

evenwel however

het **evenwicht** balance

evenwijdig parallel

evenzeer as much

evenzo likewise

de **evolutie** evolution

exact precise

het **examen** examination

excentriek eccentric

het **exces** excess

excl. *(exclusief)* exclusive, not included

exclusief exclusive

de **excursie** day trip, excursion

excuseren excuse

het **excuus** apology, excuse

het **exemplaar** specimen · copy

exotisch exotic

de **expeditie** expedition

het **experiment** experiment

experimenteren experiment

de **expert** expert

expliciet explicit

exploiteren exploit

de **explosie** blast, explosion

explosief explosive

de **export** exports, export

exporteren export

de **expositie** exhibition · display

expres on purpose · deliberately

expresse- express · special delivery

de **extase** ecstasy

extra additional, extra · spare

extravagant extravagant

extreem extreme

de **ezel** ass · donkey

de **faam** fame

de **fabel** fable

fabriceren manufacture

de **fabriek** factory · mill, works

de **fabrikant** manufacturer

de **facelift** face-lifting

de **faciliteit** facility

de **factor** factor

factureren bill

de **factuur** invoice

facultatief optional

de **faculteit** faculty

failliet bankrupt

de **fakkel** torch

falen fail

familiaar familiar

de **familie** family

het **familielid** relative

de **fan** fan

fanatiek fanatical

het **fanfarekorps** brass band

de **fantasie** fantasy, fancy

fantastisch fantastic

de **farmacologie** pharmacology

fascinerend glamorous

het **fascisme** fascism

de **fascist** fascist

fascistisch fascist

de **fase** stage, phase

fataal fatal

het **fatsoen** decency

fatsoenlijk decent

de **fauna** fauna

de **fauteuil** armchair

favoriet favourite

de **fax** fax

de **fazant** pheasant

februari February

federaal federal

de **federatie** federation

de **fee** fairy

het **feest** feast · party

de **feestdag** holiday

feestelijk festive

het **feestje** party

feilloos faultless

het **feit** fact ◆ *in* ~e in fact
feitelijk[1] *bn* factual
feitelijk[2] *bw* as a matter of fact, actually, in effect
fel fierce
de **felicitatie** congratulation
feliciteren congratulate · compliment
het **feminisme** feminism
feodaal feudal
het **festival** festival
het **feuilleton** serial
het **fiasco** failure
de **fiche** chip
de **fictie** fiction
de **fiets** cycle, bicycle
de **fietser** cyclist
de **figuur** figure · diagram
fijn enjoyable · fine · delicate
fijnhakken mince
fijnmalen grind*
de **fijnproever** gourmet
fijnstampen mash
de **file** queue
de **filet** fillet
het **filiaal** branch
de **Filippijn** Filipino
de **Filippijnen** Philippines

Filippijns Philippine
de **film** film · movie
de **filmcamera** camera
filmen film
het **filmjournaal** newsreel
de **filosofie** philosophy
de **filosoof** philosopher
het **filter** filter
de **Fin** Finn
de **finale** final
financieel financial
de **financiën** finances
financieren finance
de **finish** finish
Finland Finland
Fins Finnish
de **firma** company, firm
de **fitness** fitness training
de **fitting** socket
de **fjord** fjord
de **flacon** flask
de **flamingo** flamingo
het **flanel** flannel
de **flat** flat · *(Am)* apartment
het **flatgebouw** block of flats · *(Am)* apartment house
flauw faint
flauwvallen faint
de **fleece** fleece

de **fles** bottle

de **flesopener** bottle opener

de **flessenhals** bottleneck

flets dull

flink considerable · brave, plucky

flirten flirt

de **flits** flash

het **flitslampje** flash bulb

de **flitspaal** speed camera

de **flora** flora

fluisteren whisper

de **fluit** flute

fluiten whistle

het **fluitje** whistle

het **fluweel** velvet

de **fobie** phobia

het **foefje** trick

foei! shame!

de **föhn** blow-dryer

de **fok** foresail

fokken breed* · raise

de **folder** leaflet

de **folklore** folklore

het **fonds** fund

de **fondue** fondue

fonetisch phonetic

fonkelend sparkling

de **fontein** fountain

de **fooi** tip · gratuity

foppen fool

forceren strain · force

de **forel** trout

de **forens** commuter

het **formaat** size

de **formaliteit** formality

formeel formal

de **formule** formula

de **formule 1** formula 1

het **formulier** form

het **fornuis** cooker, stove

fors robust

het **fort** fort

het **fortuin** fortune

de **foto** photograph, photo

de **fotograaf** photographer

fotograferen photograph

de **fotografie** photography

de **fotokopie** photocopy

het **fototoestel** camera

de **fotowinkel** camera shop

fouilleren search

de **fout¹** error, mistake, fault

fout² bn mistaken, wrong

foutloos faultless

de **foyer** foyer · lobby

de **fractie** fraction

het **fragment** fragment · ex-

tract
de **framboos** raspberry
franco postage paid, post-paid
de **franje** fringe
frankeren stamp
de **frankering** postage
Frankrijk France
Frans French
de **Fransman** Frenchman
frappant striking
de **fraude** fraud
freelance freelance
frequent frequent
de **frequentie** frequency
fris fresh
de **frisdrank** soft drink
de **frites** chips
het **fruit** fruit
het **fruitsap** fruit juice
de **fuif** party
fulltime full-time
de **functie** function
functioneren work
fundamenteel fundamental, basic
de **fusie** merger
de **fysica** physics
fysiek physical

de **fysiologie** physiology
gaan go* ◆ ~ *door* pass through
gaarne gladly
het **gaas** gauze
gadeslaan watch
de **gal** gall, bile
de **galblaas** gall bladder
de **galerij** arcade · gallery
de **galg** gallows
de **galop** gallop
de **galsteen** gallstone
de **game** game
gamen play video games
gammel ramshackle, shaky
de **gang** corridor · gait, pace · course
gangbaar current
het **gangpad** aisle
de **gans** goose
gapen yawn
de **garage** garage
garanderen guarantee
de **garantie** guarantee
de **garderobe** wardrobe, cloakroom · *(Am)* cheekroom
het **garen** thread, yarn ◆ *ga-*

ren-en-bandwinkel haberdashery

de **garnaal** prawn, shrimp

het **gas** gas

de **gasfabriek** gasworks

het **gasfornuis** gas cooker

de **gaskachel** gas stove

het **gaspedaal** accelerator

het **gasstel** gas cooker

de **gast** guest

de **gastheer** host

gastvrij hospitable

de **gastvrijheid** hospitality

de **gastvrouw** hostess

het **gat** hole

gauw soon

de **gave** gift, faculty

gay gay

het **gazon** lawn

de **geadresseerde** addressee

geaffecteerd affected

de **geallieerden** Allies

gearmd arm-in-arm

geb. *(geboren)* born

het **gebaar** sign

het **gebak** cake, pastry

het **gebakje** (fancy) cake

gebaren gesticulate

het **gebed** prayer

het **gebergte** mountain range

gebeuren occur · happen

de **gebeurtenis** event · happening, occurrence

het **gebied** region · zone, area, field, territory

het **gebit** (set of) teeth

geblokt chequered

gebogen curved

de **geboorte** birth

het **geboorteland** native country

de **geboorteplaats** place of birth

geboren born

het **gebouw** construction, building

het **gebrek** deficiency, fault · want, lack, shortage

gebrekkig defective, faulty

het **gebruik** use, usage · custom

gebruikelijk customary · common, usual

gebruiken use · employ · apply

de **gebruiker** user

de **gebruiksaanwijzing** directions for use

het **gebruiksvoorwerp** utensil

gebruind tanned

het **gebrul** roar

gecompliceerd complicated

de **gedachte** thought · idea

het **gedachtestreepje** dash

het **gedeelte** part

gedeeltelijk¹ bn partial

gedeeltelijk² bw partly

de **gedelegeerde** delegate

het **gedenkteken** memorial · monument

gedenkwaardig memorable

gedetailleerd detailed

de **gedetineerde** prisoner

het **gedicht** poem

het **geding** lawsuit

gediplomeerd qualified

het **gedrag** conduct, behaviour

zich **gedragen** act, behave

het **geduld** patience

geduldig patient

gedurende during · for

gedurfd daring

geel yellow

het **geelkoper** brass

de **geelzucht** jaundice

geëmailleerd enamelled

geen no

geenszins by no means

de **geest** spirit, mind · soul · ghost

geestelijk spiritual, mental

de **geestelijke** clergyman

geestig witty, humorous

geeuwen yawn

het **gefluister** whisper

de **gegadigde** candidate

gegeneerd embarrassed

het **gegeven** data

gegrond well-founded

het **gehakt** mincemeat

gehandicapt disabled

het **geheel¹** whole

geheel² bn entire, whole, total

geheel³ bw completely

de **geheelonthouder** teetotaller

het **geheim¹** secret

geheim² bn secret

geheimzinnig mysterious

het **geheugen** memory

de **geheugenkaart** memory card

het **gehoor** hearing

gehoorzaam obedient

de **gehoorzaamheid** obedience

gehoorzamen obey

gehorig noisy

het **gehucht** hamlet

geïnteresseerd interested

geïsoleerd isolated

de **geit** goat

het **geitenleer** kid

de **gek¹** fool

gek² *bn* crazy, mad

het **geklets** chat · rubbish

gekleurd coloured

het **gekraak** crack

gekruid spiced

de **gel** gel

de **gelaatstrek** feature

het **gelach** laughter

het **geld** money ♦ *buitenlands* ~ foreign currency; *contant* ~ cash

de **geldautomaat** cash dispenser

de **geldbelegging** investment

gelden apply

geldig valid

het **geldstuk** coin

geleden ago ♦ *kort* ~ recently

de **geleerde** scholar, scientist

gelegen situated

de **gelegenheid** occasion, chance, opportunity

de **gelei** jelly

de **geleidehond** guide dog

geleidelijk gradual

de **geliefde** sweetheart

gelijk equal, like, alike · level, even ♦ ~ *hebben* be* right; ~*maken* equalize

de **gelijkenis** resemblance, similarity

gelijkgezind like-minded

de **gelijkheid** equality

de **gelijkstroom** direct current

gelijktijdig simultaneous

gelijkvloers level

gelijkwaardig equivalent

de **gelofte** vow

het **geloof** belief · faith

geloofwaardig credible

geloven believe

het **geluid** sound, noise

geluiddicht soundproof

de **geluidshinder** noise nuisance

het **geluk** happiness · luck, fortune

gelukkig happy · fortunate

de **gelukwens** congratulation

gelukwensen congratulate, compliment

het **gemak** leisure · ease · comfort

gemakkelijk easy · convenient

gematigd moderate

de **gember** ginger

gemeen mean

de **gemeenschap** community

gemeenschappelijk common

de **gemeente** congregation

het **gemeentebestuur** municipality

gemeentelijk muncipal

gemêleerd mixed

gemengd mixed · miscellaneous

gemiddeld¹ *bn* average, medium

gemiddeld² *bw* on the average

het **gemiddelde** average, mean

het **gemis** want, lack

de **genade** mercy · grace

de **geneeskunde** medicine

geneeskundig medical

het **geneesmiddel** medicine · remedy, drug

genegen inclined

de **genegenheid** affection

geneigd inclined

de **generaal** general

de **generatie** generation

de **generator** generator

genetisch genetic

genezen heal · cure, recover

de **genezing** cure · recovery

het **genie** genius

genieten van enjoy

genoeg enough · sufficient

het **genoegen** pleasure

het **genootschap** society · association

het **genot** joy · delight · enjoyment

de **geologie** geology

gepast suitable, proper

gepensioneerd retired

het **geraamte** skeleton

het **geraas** roar

het **gerecht** dish · law court

de **gerechtigheid** justice

gereed ready

het **gereedschap** tool · utensil, implement

de **gereedschapskist** tool kit

geregeld regular

gereserveerd reserved

het **gerief** comfort

geriefelijk comfortable, easy · convenient

gering minor · slight, small ♦ *~st* least

het **geroddel** gossip

de **gerst** barley

het **gerucht** rumour

geruit chequered

gerust confident

geruststellen reassure

gescheiden separate

het **geschenk** gift, present

de **geschiedenis** history

geschiedkundig historical

de **geschiedkundige** historian

geschikt convenient, suitable, proper, appropriate ♦ *~ zijn* qualify

het **geschil** dispute

het **geslacht** sex · gender

de **geslachtsgemeenschap** sexual intercourse

de **geslachtsziekte** venereal disease

gesloten closed, shut

de **gesp** buckle

gespannen tense

gespierd muscular

gespikkeld spotted

het **gesprek** discussion, conversation, talk ♦ *interlokaal ~* trunk call; *lokaal ~* local call

de **gestalte** figure

het **gesticht** asylum

gestorven dead

gestreept striped

het **getal** number

het **getij** tide

getrouw true

de **getuige** witness

getuigen testify

het getuigschrift certificate

getypt typewritten

de geur smell, odour · scent

het gevaar danger · risk, peril

gevaarlijk dangerous · perilous

het geval case · instance, event ♦ *in elk* ~ at any rate, anyway; *in* ~ *van* in case of

de gevangene prisoner

de gevangenis prison · jail

de gevangenschap imprisonment

gevarieerd varied

het gevecht combat, battle, fight

de gevel façade

de geveltop gable

geven give* ♦ ~ *om* care for

het gevoel feeling · sensation

gevoelig sensitive

gevoelloos numb

het gevogelte fowl · poultry

het gevolg result, consequence · issue, effect ♦ *ten* ~*e van* owing to

de gevolgtrekking conclu-

sion

gevorderd advanced

gevuld stuffed

het gewaad robe

gewaagd risky

de gewaarwording perception · sensation

gewapend armed

het geweer rifle, gun

het gewei antlers

het geweld violence · force

de gewelddaad outrage

gewelddadig violent

geweldig terrific · huge

het gewelf arch, vault

gewend accustomed

het gewest province

het geweten conscience

het gewicht weight

gewichtig important · big

gewillig co-operative

gewond injured

de gewonde injured person

gewoon normal, ordinary · common, regular, plain, simple · customary, habitual · accustomed ♦ ~ *zijn* be* used to; would

gewoonlijk¹ *bn* customary

gewoonlijk² *bw* as a rule, usually

de **gewoonte** habit · custom

gewoonweg simply

het **gewricht** joint

het **gezag** authority

de **gezagvoerder** captain

gezamenlijk joint

het **gezang** hymn

de **gezant** envoy

gezellig cosy

het **gezelschap** company · society

gezet corpulent · stout

het **gezicht** face · sight

de **gezichtscrème** face cream

de **gezichtsmassage** face massage

gezien considering

het **gezin** family

gezond healthy · well · wholesome

de **gezondheid** health

het **gezondheidsattest** health certificate

het **gezwel** tumour, growth

de **gids** guide · guidebook

giechelen giggle

de **gier** vulture

gierig avaricious · stingy

gieten pour

het **gietijzer** cast iron

het **gif** poison

de **gift** donation

giftig poisonous

de **gijzelaar** hostage

de **gil** scream, yell, shriek

gillen scream, yell, shriek

ginds over there

het **gips** plaster

gissen guess

de **gissing** guess

de **gist** yeast

gisten ferment

gisteren yesterday

de **gitaar** guitar

glad slippery · smooth

de **glans** gloss

glanzen shine*

glanzend glossy

het **glas** glass ♦ *gebrandschilderd* ~ stained glass

de **glasbak** bottle bank

glazen glass

de **gletsjer** glacier

de **gleuf** slot

glibberig slippery

de **glijbaan** slide

glijden glide, slide*

de **glimlach** smile

glimlachen smile

de **glimp** glimpse

globaal broad

de **gloed** glow

gloeien glow

de **gloeilamp** light bulb

glooien slope

de **glooiing** ramp

de **glorie** glory

gluren peep

het **gluten** gluten

de **gobelin** tapestry

de **god** god

de **God** God

goddelijk divine

de **godin** goddess

de **godsdienst** religion

godsdienstig religious

goed¹ *bn* good · right, correct · kind

goed² *bw* well ◆ ~! all right!

de **goederen** goods

de **goederentrein** goods train · *(Am)* freight train

goedgelovig credulous

goedgestemd good-tempered

goedhartig good-natured

goedkeuren approve

de **goedkeuring** approval

goedkoop cheap · inexpensive

de **goesting** liking

de **gok** chance

gokken gamble

de **golf¹** wave · gulf

het **golf²** golf

de **golfbaan** golf links, golf course

de **golfclub** golfclub

de **golflengte** wavelength

golvend wavy, undulating

de **gom** (ook: het) eraser

de **gondel** gondola

de **goochelaar** magician

de **gooi** throw

gooien throw* · cast* · toss

de **goot** gutter

de **gootsteen** sink

het **gordijn** curtain

gorgelen gargle

het **goud** gold

gouden golden

de **goudmijn** gold mine

de **goudsmid** goldsmith
de **gouverneur** governor
het **gps** gps
de **graad** degree · grade
de **graaf** count · earl
het **graafschap** county
graag gladly, willingly
het **graan** corn, grain
de **graat** bone, fishbone
de **gracht** canal · moat
het **graf** grave · tomb
de **grafiek** graph, diagram · chart
grafisch graphic
de **grafsteen** tombstone, gravestone
het **gram** gram
de **grammatica** grammar
grammaticaal grammatical
het **graniet** granite
de **grap** joke
de **grapefruit** grapefruit
grappig funny, humorous
het **gras** grass
de **grasspriet** blade of grass
het **grasveld** lawn
de **gratie** grace · pardon
gratis free of charge, free,

gratis
grauw grey
graven dig*
graveren engrave
de **graveur** engraver
de **gravin** countess
de **gravure** engraving
grazen graze
de **greep** grip · grasp, clutch
de **grendel** bolt
de **grens** frontier, border · boundary
grenzeloos unlimited
de **greppel** ditch
de **Griek** Greek
Griekenland Greece
Grieks Greek
de **griep** flu, influenza
de **griet** brill
griezelig scary, creepy
de **grijns** grin
grijnzen grin
grijpen catch*, grip, grasp, seize
grijs grey
de **gril** whim, fancy, fad
de **grill** grill
de **grillroom** grill room
het **grind** gravel

grinniken chuckle

de **groef** groove

de **groei** growth

groeien grow*

groen green

de **groente** greens, vegetable

de **groenteboer** greengrocer · vegetable merchant

de **groep** group · bunch, set, party

de **groet** greeting

groeten greet · salute

de **groeve** pit

grof gross, coarse · rude

grommen growl

de **grond** ground · earth, soil ♦ *begane* ~ ground floor

grondig thorough

de **grondslag** basis, base

de **grondstof** raw material

de **grondwet** constitution

groot big · great, large, tall · major ♦ *~st* major, main; *groter* major; superior

grootbrengen bring* up, raise · rear

Groot-Brittannië Great Britain

de **groothandel** wholesale

de **grootmoeder** grandmother

de **grootouders** grandparents

groots grand, superb, magnificent

de **grootte** size

de **grootvader** grandfather

het **gros** gross

de **grossier** wholesale dealer

de **grot** cave · grotto

het **gruis** grit

gruwelijk horrible

de **gsm**ᴹᴱᴿᴷ GSM · mobile

gul generous

de **gulp** fly

gulzig greedy

gunnen grant

de **gunst** favour

gunstig favourable

guur bleak

de **gymnast** gymnast

de **gymnastiek** gymnastics

de **gymnastiekbroek** trunks

de **gymnastiekzaal** gymnasium

de **gymschoenen** gym shoes, plimsolls · *(Am)* sneakers

de **gynaecoloog** gynaecoloogist

de **haai** shark

de **haak** hook ♦ *tussen twee ~jes* by the way

haalbaar attainable, realizable

de **haan** cock

het **haar**¹ hair

haar² *vnw* her

de **haarborstel** hairbrush

de **haarcrème** haircream

de **haard** hearth, fireplace

de **haardroger** hair dryer

de **haarlak** hairspray

het **haarnetje** hair net

de **haarolie** hair oil

de **haarspeld** hairpin, hair grip · (Am) bobby pin

het **haarstukje** hairpiece

de **haarversteviger** setting lotion

de **haas** hare

de **haast**¹ haste, hurry

haast² *bw* nearly, almost

zich **haasten** hasten, rush, hurry

haastig¹ *bn* hasty

haastig² *bw* in a hurry

de **haat** hatred, hate

hachelijk precarious, critical

de **hagel** hail

de **hagelsteen** hailstone

de **hak** heel

haken crochet

hakken chop

de **hal** lobby, hall

halal halal

halen get* fetch · make* · catch* ♦ *laten ~* send* for

half¹ *bn* half · semi-

half² *bw* half

hallo hello

hallo! hello!

de **hals** throat · neck

de **halsband** collar

de **halsketting** necklace

halt! stop!

de **halte** stop

de **halvarine** low-fat margarine

halveren halve

halverwege halfway

de **ham** ham

de **hamburger** hamburger

de **hamer** hammer ♦ *houten ~* mallet

de **hand** hand ♦ *hand-* manual; *met de ~ gemaakt* handmade

de **handbagage** hand luggage · *(Am)* hand baggage

de **handboeien** handcuffs

het **handboek** handbook

de **handcrème** hand cream

de **handdoek** towel

de **handdruk** handshake

de **handel** commerce, trade · business ♦ *~drijven* trade; *~s-* commercial

de **handelaar** tradesman, merchant · dealer, trader

handelen act

de **handeling** action · deed, plot

het **handelsmerk** trademark

het **handelsrecht** commercial law

de **handelswaar** merchandise

de **handenarbeid** handicraft

handhaven maintain

handig handy

het **handkoffertje** *(Am)* grip

de **handpalm** palm

de **handrem** handbrake

de **handschoen** glove

het **handschrift** handwriting

de **handtas** handbag, bag

de **handtekening** signature

het **handvat** handle

de **handvol** handful

het **handwerk** handwork, handicraft · needlework

de **hangbrug** suspension bridge

hangen hang*

de **hangmat** hammock

het **hangslot** padlock

hanteerbaar manageable

hanteren handle

de **hap** bite

hard hard · loud

de **harddisk** hard disk

de **harddraverij** horserace

hardlopen run

hardnekkig obstinate, dogged, stubborn

hardop aloud

de **hardware** hardware

harig hairy

de **haring** herring

de **hark** rake

de **harmonie** harmony

het **harnas** armour

de **harp** harp

het **hars** (ook: de) resin

het **hart** heart

de **hartaanval** heart attack

hartelijk hearty, cordial · sympathetic

harteloos heartless

het **hartinfarct** coronary

de **hartklopping** palpitation

de **hartstocht** passion

hartstochtelijk passionate

de **hasj** hash

hatelijk spiteful

haten hate

de **haven** port, harbour

de **havenarbeider** docker

de **haver** oats

de **havik** hawk

de **hazelnoot** hazelnut

de **hazewind** greyhound

het **hbo** school for higher vocational education

hebben have*

het **Hebreeuws** Hebrew

de **hebzucht** greed

hebzuchtig greedy

hechten attach · sew up

de **hechtenis** custody

de **hechting** stitch

de **hechtpleister** adhesive tape

het **heden** present

hedendaags contemporary

heel[1] *bn* entire, whole · unbroken

heel[2] *bw* quite

het **heelal** universe

heelhuids unhurt

heengaan depart

de **heer** gentleman

heerlijk lovely, wonderful · delightful, delicious

de **heerschappij** rule, dominion

heersen rule

de **heerser** ruler

hees hoarse

heet hot · warm

de **hefboom** lever

heffen raise

de **heffing** levy · charge

heftig violent

de **heg** hedge

de **heide** heath · moor · heather

heiig hazy

de **heilbot** halibut

heilig holy, sacred

het **heiligdom** shrine

de **heilige** saint

de **heiligschennis** sacrilege

het **heimwee** homesickness

het **hek** fence · gate · railing

de **hekel** dislike ♦ *een ~ hebben aan* hate, dislike

het **hekje** number sign

de **heks** witch

de **hel** hell

helaas unfortunately

de **held** hero

helder clear · serene · bright

de **heleboel** plenty

helemaal entirely, altogether, completely, wholly · quite · at all

de **helft** half

de **helikopter** helicopter

hellen slant ♦ *~d* slanting

de **helling** slope · hillside · gradient, incline

de **helm** helmet

helpen help · assist, aid

de **helper** helper

hem him

het **hemd** shirt · vest · undershirt

de **hemel** sky · heaven

de **hen¹** hen

hen² *vnw* them

de **hendel** lever

de **hengel** fishing rod

hengelen angle, fish

de **hennep** hemp

de **herberg** hostel, tavern, inn

herbergen lodge

de **herbergier** inn keeper

de **herdenking** commemoration

de **herder** shepherd

het **herenhuis** mansion, manor house

herenigen reunite

het **herentoilet** men's room

de **herfst** autumn · *(Am)* fall

herhalen repeat

de **herhaling** repetition

herinneren remind ♦ *zich ~* remember, recollect, recall

de **herinnering** memory · remembrance

herkennen recognize

de **herkomst** origin

de **hernia** slipped disc

de **heroïne** heroin

de **herrie** noise · fuss

herroepen recall

de **hersenen** brain

de **hersenschudding** concussion

de **hersenvliesontsteking** meningitis

het **herstel** repair · recovery · revival

herstellen repair, mend ♦ *zich ~* recover

het **hert** deer

de **hertog** duke

de **hertogin** duchess

hervatten resume, recommence

herzien revise

de **herziening** revision

heten be* called

hetero straight

heteroseksueel heterosexual

hetzij ... hetzij either ... or

de **heup** hip

de **heuvel** hill · mound

heuvelachtig hilly

hevig severe, violent · intense

de **hiel** heel

hier here

de **hiërarchie** hierarchy

de **hifi** hi-fi

hij he

hijgen pant

hijsen hoist

de **hijskraan** crane

de **hik** hiccup

hinderen hinder · bother, embarrass

de **hinderlaag** ambush

hinderlijk annoying

de **hindernis** obstacle

het **hindoeïsme** Hinduism

hinken limp

historisch historic

de **hit** hit (record)

de **hitte** heat

de **hittegolf** heatwave

de **hiv** HIV

H.K.H. *(Hare Koninklijke Hoogheid)* Her Royal Highness

H.M. *(Hare Majesteit)* His/Her Majesty

hobbelig bumpy

de **hobby** hobby

het **hockey** hockey

hoe how ♦ ~ ... ~ the ... the; ~ *dan ook* anyhow, anyway; at any rate

de **hoed** hat

de **hoede** custody

zich **hoeden** beware

de **hoef** hoof

het **hoefijzer** horseshoe

de **hoek** corner · angle

de **hoer** whore

de **hoes** sleeve

de **hoest** cough

hoesten cough

hoeveel how much · how many

de **hoeveelheid** quantity · amount

hoeven need

hoewel although, though

het **hof** court

hoffelijk courteous

de **hogeschool** college

de **hogesnelheidstrein** high-speed train

hoi hi

het **hok** shed · pen · (dog) kennel

het **hokje** booth

het **hol¹** den · cavern

hol² bn hollow

Holland Holland

de **Hollander** Dutchman

Hollands Dutch

de **holte** cavity

homeopathisch homoeopathic

de **homepage** home page

homo gay

homoseksueel homosexual

de **hond** dog

het **hondenhok** kennel

honderd hundred

de **hondsdolheid** rabies

de **Hongaar** Hungarian

Hongaars Hungarian

Hongarije Hungary

de **honger** hunger

hongerig hungry

de **honing** honey

het **honkbal** baseball

het **honorarium** fee

het **hoofd** head ♦ *het ~ bieden aan* face; *hoofd-* primary, main, chief; cardinal, capital; *over het ~ zien* overlook; *uit het ~* by heart; *uit het ~ leren* memorize

het **hoofdkussen** pillow

het **hoofdkwartier** headquarters

de **hoofdleiding** mains

de **hoofdletter** capital letter

de **hoofdlijn** mainline

de **hoofdonderwijzer** head teacher

de **hoofdpijn** headache

de **hoofdstad** capital

de **hoofdstraat** main street, thoroughfare

de **hoofdweg** road, thoroughfare · highway

hoofdzakelijk mainly

hoog high · tall ♦ *hoger* upper; superior; *~st* foremost, extreme

hooghartig haughty

de **hoogleraar** professor

hoogmoedig proud

de **hoogovens** ironworks

het **hoogseizoen** high season, peak season

hoogstens at most

de **hoogte** height · altitude

het **hoogtepunt** height

de **hoogtevrees** fear of heights

hooguit at most

de **hoogvlakte** uplands pl · plateau

het **hooi** hay

de **hooikoorts** hay fever

de **hoon** scorn

de **hoop**¹ *hopen* heap, lot

de **hoop**² hope

hoopvol hopeful

hoorbaar audible

de **hoorn** horn

de **hop** hop

hopeloos hopeless

hopen hope

horen hear*

de **horizon** horizon

horizontaal horizontal

het **horloge** watch

het **horlogebandje** watch strap

de **horlogemaker** watch maker

de **hors-d'oeuvre** hors-d'oeuvre

de **hospes** landlord

de **hospita** landlady

het **hospitaal** hospital

- het **hotel** hotel
- de **hotelbon** hotel voucher
  houden hold* · keep* ♦ ~ *van* love; like, care for, be* fond of; *niet* ~ *van* dislike
- de **houding** position · attitude
- het **hout** wood
- het **houtblok** log
  houten wooden
- de **houtskool** charcoal
  houtsnijden carve
- het **houtsnijwerk** woodcarving
- de **houtzagerij** sawmill
- het **houvast** grip
- het **houweel** pick axe
- de **hovercraft** hovercraft
  hs *(huis)* ground flour
- de **hst** high-speed train
- de **huichelaar** hypocrite
  huichelachtig hypocritical
- de **huichelarij** hypocrisy
  huichelen simulate
- de **huid** skin · hide
- de **huidcrème** skin cream
  huidig current
- de **huiduitslag** rash

huilen cry, weep*
- het **huis** house · home ♦ *naar* ~ home
- de **huisarts** general practitioner
- de **huisbaas** landlord
- het **huisdier** pet
  huiselijk domestic
- het **huishouden** household · housework, house keeping
- de **huishoudster** housekeeper
- de **huiskamer** living room
- de **huissleutel** latchkey
- de **huisvrouw** housewife
- het **huizenblok** *(Am)* house block
- de **hulde** tribute, homage
  huldigen honour
- de **hulp** help · assistance, aid ♦ *eerste* ~ first-aid; *eerstehulppost* first-aid post
  hulpvaardig helpful
- het **humeur** mood
- de **humor** humour
  humoristisch humorous
  hun their
  huppelen hop, skip

huren hire, rent · lease

de **hut** hut, cabin

de **huur** rent ◆ *te ~* for hire

het **huurcontract** lease

de **huurder** tenant

de **huurkoop** hire-purchase

het **huwelijk** wedding, marriage

de **huwelijksreis** honeymoon

huwen marry

de **hygiëne** hygiene

hygiënisch hygienic

de **hyperventilatie** hyperventilatie

hypocriet hypocritical

de **hypotheek** mortgage

hysterisch hysterical

de **icoon** icon

de **ICT** ICT

de **ICT'er** ICT specialist

het **ideaal¹** ideal

ideaal² *bn* ideal

het **idee** (ook: de) idea

identiek identical

de **identificatie** identificatie

identificeren identify

de **identiteit** identity

de **identiteitskaart** identity card

idiomatisch idiomatic

het **idioom** idiom

de **idioot¹** idiot

idioot² *bn* idiotic

het **idool** idol

ieder each, every · everyone

iedereen everyone, everybody · anyone

iemand someone, somebody

de **iep** elm

de **Ier** Irishman

Ierland Ireland

Iers Irish

iets something · some

ijdel vain · idle

het **ijs** ice · icecream

de **ijsbaan** skatingrink

het **ijsje** icecream

de **ijskast** fridge, refrigerator

ijskoud freezing

IJsland Iceland

de **IJslander** Icelander

IJslands Icelandic

het **ijswater** ice water

de **ijver** zeal · diligence

ijverig zealous · diligent

de **ijzel** black ice
het **ijzer** iron
het **ijzerdraad** wire
ijzeren iron
de **ijzerwaren** hardware
ik I
illegaal illegal
de **illusie** illusion
de **illustratie** illustration
illustreren illustrate
de **imam** imam
de **imitatie** imitation
imiteren imitate
de **immigrant** immigrant
de **immigratie** immigration
immigreren immigrate
de **immuniteit** immunity
impliceren imply, involve
imponeren impress
impopulair unpopular
de **import** import
importeren import
de **importeur** importer
impotent impotent
de **impotentie** impotence
improviseren improvise
de **impuls** impulse
impulsief impulsive
in in · into, inside · at

inademen inhale
inbegrepen included ♦ *alles ~* all in
de **inbraak** breaking in · burglary
inbreken burgle
de **inbreker** burglar
incasseren cash
het **incident** incident
incl. *(inclusief)* inclusive, included
inclusief inclusive
incompleet incomplete
de **incubatietijd** incubation period
indelen classify
zich **indenken** imagine
inderdaad indeed
de **index** index
India India
de **indiaan** Indian
indiaans Indian
indien in case, if
de **indigestie** indigestion
indirect indirect
het **individu** individual
individueel individual
Indonesië Indonesia
de **Indonesiër** Indonesian

Indonesisch Indonesian

de **indringer** trespasser

de **indruk** impression ◆ ~ *maken op* impress

indrukken press

indrukwekkend impressive, imposing

de **industrie** industry

industrieel industrial

het **industriegebied** industrial area

ineens suddenly · at once

inenten vaccinate, inoculate

de **inenting** vaccination, inoculation

de **infanterie** infantry

de **infarct** infarct

de **infectie** infection

inferieur inferior

de **inflatie** inflation

de **informatica** computer science

de **informatie** information · enquiry ◆ ~ *inwinnen* inquire

het **informatiebureau** inquiry office

informeel informal

informeren enquire · inform

infrarood infrared

het **infuus** drip

ingaan enter · take* effect

de **ingang** entrance, way in · entry ◆ *met* ~ *van* as from

de **ingenieur** engineer

ingenomen pleased

ingevolge in accordance with

de **ingewanden** bowels pl, intestines, insides

ingewikkeld complicated · complex

het **ingrediënt** ingredient

ingrijpen intervene

inhalen overtake* · *(Am)* pass ◆ ~ *verboden* no overtaking; *(Am)* no passing

de **inham** creek, inlet

inheems native

de **inhoud** contents

inhouden contain · imply · restrain

de **inhoudsopgave** table of contents

het **initiatief** initiative

de **injectie** shot, injection

het **inkomen** revenue, income

de **inkomsten** earnings

de **inkomstenbelasting** income tax

de **inkt** ink

inleiden introduce

inleidend preliminary

de **inleiding** introduction

inlichten inform

de **inlichting** information

het **inlichtingenkantoor** information bureau

inloggen log on · log in

inmaken preserve

de **inmenging** interference

inmiddels in the meantime

innemen take* up · occupy · capture

de **inneming** capture

innen cash

inpakken wrap · pack up, pack

inrichten furnish

de **inrichting** institution

inschakelen switch on · plug in

inschenken pour

inschepen embark

de **inscheping** embarkation

inschrijven enter, book ♦ *zich ~* register, check in

het **inschrijvingsformulier** registration form

de **inscriptie** inscription

het **insect** insect · *(Am)* bug

de **insecticide** insecticide

inslikken swallow

insluiten shut* in · encircle · include · enclose

de **inspanning** strain, effort

inspecteren inspect

de **inspecteur** inspector

de **inspectie** inspection

inspuiten inject

de **installatie** installation

installeren install

instappen get* on · embark

instellen institute

de **instelling** institution, institute

instemmen consent ♦ *~ met* approve of

de **instemming** approval, consent

het **instinct** instinct

het **instituut** institute

instorten collapse

de **instructie** direction

het **instrument** instrument

de **insuline** insulin

intact intact

integendeel on the contrary

het **intellect** intellect

intellectueel intellectual

intelligent clever, intelligent

de **intelligentie** intelligence

intens intense

de **intensive care** intensive care

interactief interactive

de **intercity** intercity

interessant interesting

de **interesse** interest

interesseren interest

het **intermezzo** interlude

intern internal · resident

het **internaat** boardingschool

internationaal international

het **internet** Internet ♦ *op het ~ surfen* surf the Net

het **internetcafé** Internet café

de **internetpagina** web page

internetten surf the Net

het **interview** interview

intiem intimate

introduceren introduce

intussen meanwhile

de **inval** brainwave, idea · raid, invasion

de **invalide**[1] invalid

invalide[2] *bn* disabled, invalid

de **invasie** invasion

de **inventaris** inventory

de **investeerder** investor

investeren invest

de **investering** investment

inviteren invite

de **invloed** influence

invloedrijk influential

invoegen insert

de **invoer** import

invoeren introduce · import

het **invoerrecht** duty, import duty

invullen fill in · *(Am)* fill out

inwendig inner · internal

inwilligen grant

de **inwoner** inhabitant · resident

de **inzet** bet

inzetten launch

het **inzicht** insight

inzien see*

i.p.v. *(in plaats van)* in the place of

het **IQ** IQ

ir. *(ingenieur)* engineer

Iraaks Iraqi

Iraans Iranian

Irak Iraq

de **Irakees** Iraqi

Iran Iran

de **Iraniër** Iranian

de **ironie** irony

ironisch ironical

irritant irritating · annoying

irriteren annoy, irritate

de **islam** Islam

islamitisch Islamic

de **isolatie** insulation · isolation

de **isolator** insulator

het **isolement** insulation · isolation

isoleren insulate · isolate

Israël Israel

de **Israëliër** Israeli

Israëlisch Israeli

de **Italiaan** Italian

Italiaans Italian

Italië Italy

het **ivoor** ivory

ja yes

het **jaar** year

het **jaarboek** yearbook

het **jaargetijde** season

jaarlijks¹ *bn* annual, yearly

jaarlijks² *bw* per annum

de **jacht¹** hunt · chase

het **jacht²** yacht

het **jachthuis** lodge

het **jack** jacket

het **jade** (ook: de) jade

jagen hunt

de **jager** hunter

jaloers envious, jealous

de **jaloezie** jealousy · blind

de **jam** jam

jammer! what a pity!

januari January

Japan Japan

de **Japanner** Japanese

Japans Japanese

de **japon** dress · gown

de **jarretelgordel** suspender belt · *(Am)* garter belt

de **jas** coat

het **jasje** jacket

je you · yourself · yourselves

de **jeans** jeans

de **jeep** jeep

jegens towards

de **jetlag** jet lag

de **jetski**ᴹᴱᴿᴷ jet-ski

de **jeugd** youth

de **jeugdherberg** youth hostel

jeugdig juvenile

de **jeuk** itch

jeuken itch

de **jicht** gout

jij you

jl. *(jongstleden)* last

het **joch** boy, lad

de **jockey** jockey

het **jodium** iodine

jong young ♦ ~*er* junior

de **jongen** boy · lad

de **jongere** young person · youngster

de **jood** Jew

joods Jewish

Jordaans Jordanian

Jordanië Jordan

de **Jordaniër** Jordanian

jou you

het **journaal** news

de **journalist** journalist

de **journalistiek** journalism

jouw your

het **jubileum** jubilee

het **judo** judo

juichen cheer

juist right, correct, just · proper, appropriate

de **juistheid** correctness

het **juk** yoke

het **jukbeen** cheekbone

juli July

jullie you · your

de **jungle** jungle

juni June

juridisch legal

de **jurist** lawyer

de **jurk** frock, robe, dress

de **jury** jury

de **jus** gravy

de **jus d'orange** orange juice

het **juweel** jewel · gem ♦ *juwelen* jewellery

de **juwelier** jeweller

de **kaak** jaw

kaal bold · naked, bare

de **kaap** cape

de **kaars** candle

de **kaart** map · card ♦ *groene*
~ green card

de **kaartenautomaat** ticket
machine

het **kaartje** ticket

de **kaas** cheese

het **kabaal** racket

de **kabel** cable

de **kabelbaan** cableway

de **kabeljauw** cod

het **kabinet** cabinet

KACB *(Koninklijke Automobielclub van België)* Royal
Automobile Association
of Belgium

de **kachel** heater · stove

de **kade** quay · embankment
· dock, wharf

het **kader** cadre

de **kajak** kayak

de **kajuit** cabin

het **kaki** khaki

de **kalender** calendar

het **kalf** calf

het **kalfsleer** calf skin

het **kalfsvlees** veal

de **kalk** lime

de **kalkoen** turkey

kalm calm · sedate, quiet,
serene

kalmeren calm down

de **kam** comb

de **kameel** camel

de **kamer** room · chamber

de **kameraad** comrade

de **kamerbewoner** lodger

de **kamerjas** dressinggown

het **kamerlid** Member of Parliament

het **kamermeisje** chambermaid

de **kamertemperatuur** room
temperature

kammen comb

het **kamp** camp

de **kampeerder** camper

het **kampeerterrein** camping
site

de **kampeerwagen** *(Am)*
trailer

kamperen camp

de **kampioen** champion

het **kampvuur** campfire

de **kan** jug

het **kanaal** canal · channel ♦ *het Kanaal* English Channel

de **kanarie** canary

de **kandelaar** candelabrum

de **kandidaat** candidate

de **kaneel** cinnamon

de **kangoeroe** kangaroo

de **kanker** cancer

de **kano** canoe

het **kanon** gun

de **kans** chance · opportunity

de **kansel** pulpit

de **kant**¹ side · way · edge ♦ *aan de andere ~ van* across

het **kant**² lace

de **kantine** canteen

de **kantlijn** margin

het **kantoor** office

de **kantoorbediende** clerk

de **kantoorboekhandel** stationer's

de **kantooruren** business hours, office hours

de **kap** hood

de **kapel** chapel

de **kapelaan** chaplain

kapen hijack

de **kaper** hijacker

het **kapitaal** capital

het **kapitalisme** capitalism

de **kapitein** captain

kapot broken

de **kapper** barber · hairdresser

het **kapsel** hairdo

de **kapstok** hat rack

de **kar** cart

het **karaat** carat

de **karaf** carafe

het **karakter** character

karakteristiek characteristic

de **karaktertrek** characteristic

de **karamel** caramel

de **karbonade** cutlet, chop

de **kardinaal**¹ cardinal

kardinaal² *bn* cardinal

de **karnemelk** buttermilk

de **karper** carp

het **karton** cardboard

kartonnen cardboard ♦ *~ doos* cardboard box

het **karwei** job

de **kas** greenhouse

het **kasjmier** cashmere

de **kassa** pay desk · box office

de **kassier** cashier

de **kast** cupboard, closet

de **kastanje** chestnut

kastanjebruin auburn

het **kasteel** castle

de **kat** cat

de **kathedraal** cathedral

katholiek Catholic

het **katoen** (ook: de) cotton

katoenen cotton

de **katrol** pulley

het **kattenkwaad** mischief

kauwen chew

de **kauwgom** (ook: het) chewing gum

de **kaviaar** caviar

de **kazerne** barracks

de **keel** throat

de **keelontsteking** laryngitis

de **keelpijn** sore throat

de **keer** time

het **keerpunt** turning point

de **keerzijde** reverse

de **kegelbaan** bowling alley

het **kegelspel** bowling

de **keizer** emperor

de **keizerin** empress

keizerlijk imperial

het **keizerrijk** empire

de **kelder** cellar

de **kelner** waiter

Kenia Kenya

het **kenmerk** characteristic, feature

kenmerken characterize, mark

kenmerkend characteristic, typical

de **kennel** kennel

kennen know*

de **kenner** connoisseur

de **kennis**¹ knowledge

de **kennis**² ~sen acquaintance

kennismaken get acquainted · meet

het **kenteken** registration number · *(Am)* licence number

het **kentekenbewijs** vehicle registration document

de **keramiek** ceramics

de **kerel** fellow

keren turn

de **kerk** church · chapel

het **kerkhof** cemetery, graveyard, churchyard

de **kerktoren** steeple

de **kermis** fair

de **kern** nucleus · heart, core · essence ♦ *kern-* nuclear

de **kernenergie** nuclear energy

de **kerosine** kerosene

de **kerrie** curry

de **kers** cherry

Kerstmis Xmas, Christmas

kerven carve

de **ketel** kettle

de **keten** chain

de **ketting** chain

de **kettingbotsing** multiple collision

de **keuken** kitchen

keurig neat

de **keus** pick, choice

de **keuze** selection, choice

de **kever** beetle · bug

de **keycard** keycard

het **kiekje** snapshot

de **kiel** keel

de **kiem** germ

de **kier** chink

de **kies** molar

het **kiesdistrict** constituency

kieskeurig particular

het **kiesrecht** franchise, suffrage

kietelen tickle

de **kievit** peewit

de **kiezel** pebble · gravel

kiezen choose* · pick · elect

kijken look ♦ *~ naar* look at; watch

de **kijker** spectator

het **kijkje** look

de **kikker** frog

kil chilly

het **kilo** kilogram

de **kilometer** kilometre

het **kilometertal** distance in kilometres

de **kim** horizon

de **kin** chin

het **kind** child · kid

de **kinderjuffrouw** nurse

de **kinderkamer** nursery

de **kinderverlamming** polio

de **kinderwagen** pram · *(Am)* baby carriage

de **kinine** quinine

de **kiosk** kiosk

de **kip** hen · chicken

het **kippenvel** gooseflesh

de **kist** chest

kitesurfen kite surf

klaar ready

klaarblijkelijk apparently

klaarmaken prepare · cook

de **klacht** complaint

het **klachtenboek** complaints book

klagen complain

de **klank** sound · tone

de **klant** customer · client

de **klap** blow · smack, slap

klappen clap

de **klaproos** poppy

de **klas** class · form

de **klasgenoot** classmate

de **klasse** class

klassiek classical

de **klauw** claw

de **klaver** clover · shamrock

zich **kleden** dress

de **kleding** clothes

het **kleedhokje** cabin

het **kleedje** rug

de **kleedkamer** dressing room

de **kleerborstel** clothes brush

de **kleerhanger** hanger, coat hanger

de **kleerkast** (Am) closet

de **kleermaker** tailor

de **klei** clay

klein little, small · minor, petty, short ♦ ~er minor; ~st least

de **kleindochter** granddaughter

het **kleingeld** change, petty cash

de **kleinhandel** retail trade

de **kleinhandelaar** retailer

het **kleinood** gem

de **kleinzoon** grandson

de **klem** clamp

de **klemschroef** clamp

de **klemtoon** stress

de **kleren** clothes

de **klerenhaak** peg

de **klerenkast** wardrobe

de **klerk** clerk

kletsen chat · talk rubbish

de **kleur** colour

kleurecht fast-dyed

kleurenblind colour-blind

de **kleurenfilm** colour film

kleurrijk colourful

de **kleurstof** colourant

de **kleuter** tot

de **kleuterschool** kindergarten

kleven stick*

kleverig sticky

de **klier** gland

het **klimaat** climate

klimmen climb

de **klimop** ivy

de **kliniek** clinic

klinken sound

de **klinker** vowel

de **klip** cliff

de **klok** clock · bell

het **klokhuis** core

de **klomp** wooden shoe

de **klont** lump

klonterig lumpy

de **kloof** cleft · chasm

het **klooster** monastery · convent, cloister

de **klop** knock, tap

kloppen knock, tap · whip

de **klucht** farce

de **kluis** safe, vault

km/u *(kilometer per uur)* kilometres per hour

de **knaap** boy

KNAC *(Koninklijke Nederlandse Automobielclub)* Royal Dutch Automobile Association

knap smart, clever, pretty, handsome, good-looking

knapperig crisp

de **knapzak** knapsack

kneuzen bruise

de **kneuzing** bruise

de **knie** knee

knielen kneel*

de **knieschijf** kneecap

knijpen pinch

de **knijper** (clothes) peg

de **knik** nod

knikken nod

de **knikker** marble

knippen cut*

KNMI *(Koninklijk Nederlands Meteorologisch Instituut)* Royal Dutch Meteorological Institute

het **knoflook** (ook: de) garlic

de **knokkel** knuckle

de **knoop** button · knot

het **knooppunt** junction

het **knoopsgat** buttonhole

de **knop** bud · knob
knopen button · tie, knot

de **knots** club
knuffelen cuddle

de **knuppel** club · cudgel
knus cosy

de **koe** cow

de **koeienhuid** cowhide

de **koek** cake

de **koekenpan** frying pan

het **koekje** biscuit, *(Am)* cracker
koekoek cuckoo
koel cool

de **koelbox** cool box

de **koelkast** fridge, refrigerator

het **koelsysteem** cooling system

de **koeltas** ice bag

de **koepel** dome

de **koepeltent** dome tent

de **koers** exchange rate · course

de **koets** carriage, coach

de **koffer** case, suitcase, bag · trunk

de **kofferbak** boot · *(Am)* trunk

de **kofferruimte** boot · *(Am)* trunk

de **koffie** coffee

de **kogel** bullet

de **kok** cook
koken cook · boil

de **kokosnoot** coconut

de **kolen** coal

de **kolom** column

de **kolonel** colonel

de **kolonie** colony

de **kom** basin

de **komedie** comedy
komen come*

de **komiek** comedian
komisch comic

de **komkommer** cucumber

de **komma** comma

het **kompas** compass

de **komst** coming · arrival

het **konijn** rabbit

de **koning** king

de **koningin** queen
koninklijk royal

het **koninkrijk** kingdom

de **kont** bottom

de **kooi** cage · bunk, berth

de **kookboek** cookery book · *(Am)* cookbook

de **kool** cabbage

de **koop** purchase ♦ *te ~* for sale

de **koophandel** trade

het **koopje** bargain

de **koopman** dealer, merchant

de **koopprijs** purchase price

de **koopwaar** merchandise

het **koor** choir

het **koord** cord

de **koorts** fever

koortsig feverish

de **koortslip** cold sore

de **koortsthermometer** clinical thermometer

de **kop** head · headline

kopen buy* · purchase

de **koper¹** buyer, purchaser

het **koper²** brass · copper

het **koperwerk** brassware

de **kopie** copy

kopiëren copy

het **kopje** cup

de **koplamp** headlight, headlamp

de **koppeling** clutch

het **koppelteken** hyphen

koppig obstinate, headstrong

de **koraal** coral

de **Koran** Koran

het **koren** corn, grain

het **korenveld** cornfield

de **korrel** corn, grain

het **korset** corset

de **korst** crust

kort brief, short

de **korting** discount, reduction, rebate

de **kortsluiting** short circuit

de **kost** food, fare · livelihood ♦ *~ en inwoning* room and board, board and lodging, bed and board

kostbaar precious, valuable, expensive

de **kostbaarheden** valuables

kosteloos free of charge

de **kosten¹** cost, expenditure

kosten² *ww* cost*

de **koster** sexton

de **kostganger** boarder

het **kostuum** suit

de **kotelet** chop

de **kou** cold ♦ *~vatten* catch a

cold

koud cold

de **kous** stocking

de **kraag** collar

de **kraai** crow

het **kraakbeen** cartilage

de **kraal** bead

de **kraam** stand, stall · booth

de **kraan** tap · *(Am)* faucet

de **krab** crab

krabben scratch

de **kracht** force, strength · energy, power

krachtig strong

kraken creak, crack

het **kralensnoer** beads

de **kramp** cramp · convulsion

krankzinnig insane · lunatic, crazy, mad

de **krankzinnige** lunatic

de **krankzinnigheid** lunacy

de **krant** newspaper, paper

de **krantenkiosk** newsstand

de **krantenverkoper** newsagent

krap tight

de **kras** scratch

krassen scratch

het **krat** crate

de **krater** crater

het **krediet** credit

de **kredietbrief** letter of credit

de **kreeft** lobster

de **kreek** stream · *(Am)* creek

de **kreet** cry

de **krekel** cricket

krenken offend, injure

de **krent** currant

kreuken crease

kreunen moan, groan

kreupel lame, crippled

de **kribbe** manger

de **kriebel** itch

krijgen get* · receive

de **krijgsgevangene** prisoner of war

de **krijgsmacht** military force

het **krijt** chalk

de **krik** jack

krimpen shrink*

krimpvrij shrink-resistant

de **kring** ring, circle

de **kringloop** cycle

kriskras criss-cross

het **kristal** crystal

kristallen crystal

de **kritiek**[1] criticism

kritiek² *bn* critical
kritisch critical
de **kroeg** public house · pub
de **kroes** mug
de **krokodil** crocodile
krom crooked · curved, bent
de **kromming** curve, bend
de **kronen** crown
kronkelen wind*
kronkelig winding
de **kroon** crown
het **kruid** herb ♦ ~*en* spices
kruiden flavour
de **kruidenier** grocer
de **kruidenierswaren** groceries
de **kruidenierswinkel** grocer's
de **kruier** porter
de **kruik** pitcher
de **kruimel** crumb
kruipen creep*, crawl
het **kruis** cross
het **kruisbeeld** crucifix
de **kruisbes** gooseberry
kruisigen crucify
de **kruisiging** crucifixion
de **kruising** crossing, junction

het **kruispunt** crossroads, intersection
de **kruissnelheid** cruising speed
de **kruistocht** crusade
het **kruit** gunpowder
de **kruiwagen** wheelbarrow
de **kruk** crutch
de **krukas** crankshaft
de **krul** curl
krullen curl ♦ ~*d* curly
de **krulspeld** curler
de **krultang** curling tongs
de **kubus** cube
de **kudde** herd, flock
het **kuiken** chicken
de **kuil** hole · pit
kuis chaste
de **kuit¹** calf
de **kuit²** ~*en* roe
kundig capable
kunnen can*, be* able to · might*, may*
de **kunst** art ♦ *schone* ~*en* fine arts
de **kunstacademie** art school
de **kunstenaar** artist
de **kunstenares** artist

de **kunstgalerij** art gallery

het **kunstgebit** denture, false teeth

de **kunstgeschiedenis** art history

de **kunstijsbaan** skating rink

het **kunstje** trick

kunstmatig artificial

de **kunstnijverheid** arts and crafts

de **kunsttentoonstelling** art exhibition

de **kunstverzameling** art collection

het **kunstwerk** work of art

de **kunstzijde** rayon

kunstzinnig artistic

de **kurk** cork

de **kurkentrekker** corkscrew

de **kus** kiss

het **kussen¹** cushion · pillow ♦ ~*tje* pad

kussen² *ww* kiss

de **kussensloop** (ook: het) pillowcase

de **kust** coast, shore · seaside, seashore

de **kut** cunt ♦ ~*! fuck!

de **kuur** cure

het **kwaad¹** mischief, harm

kwaad² *bn* angry, cross, mad

kwaadaardig malignant

de **kwaal** ailment

het **kwadraat** square

de **kwakzalver** quack

de **kwal** jellyfish

kwalijk ~ *nemen* resent; *neem me niet ~!* sorry!

de **kwaliteit** quality

de **kwark** fromage frais

het **kwart** quarter

het **kwartaal** quarter

de **kwartel** quail

het **kwartier** quarter of an hour

de **kwast** brush

kweken cultivate, grow*

kwellen torment

de **kwelling** torment

de **kwestie** matter, question, issue

kwetsbaar vulnerable

kwetsen injure · hurt*, wound

kwijtraken lose*, mislay*

het **kwik** mercury

kwistig lavish

de **kwitantie** receipt

de **la** drawer

de **laag¹** layer

laag² *bn* low ♦ *lager* inferior

het **laagland** lowlands

de **laan** avenue

de **laars** boot

laat late ♦ *te* ~ late; overdue

laatst¹ *bn* last · ultimate, final

laatst² *bw* lately

het **label** label

labiel unstable

het **laboratorium** laboratory

de **lach** laugh

lachen laugh

de **ladder** ladder

de **lade** drawer

de **ladekast** chest of drawers

laden load · charge

de **lading** charge, load · freight, cargo

laf cowardly

de **lafaard** coward

de **lagune** lagoon

de **lak** lacquer, varnish

het **laken** sheet

lakken varnish

het **lam¹** lamb

lam² *bn* lame

de **lambrisering** panelling

de **lamp** lamp

de **lampenkap** lampshade

het **lamsvlees** lamb

lanceren launch

het **land** country, land ♦ *aan* ~ ashore; *aan* ~ *gaan* land

de **landbouw** agriculture ♦ *landbouw-* agrarian

landen land

de **landengte** isthmus

de **landgenoot** countryman

het **landgoed** estate

het **landhuis** country house

de **landing** landing

de **landkaart** map

de **landloper** tramp

de **landloperij** vagrancy

het **landschap** scenery, landscape

de **landsgrens** border

de **landtong** headland

lang long · tall

langdurig long

langlaufen ski cross-country

langs along · past
langwerpig oblong
langzaam slow
langzamerhand gradually
de **lantaarn** lantern
de **lantaarnpaal** lamp post
de **laptop** laptop
de **las** joint
de **laser** laser
lassen weld
de **last** charge · load, burden · trouble, nuisance, bother
de **laster** slander
lastig troublesome, inconvenient · difficult
lastigvallen bother
de **lastminutereis** last-minute trip
laten let* · allow to, leave* · have*
later afterwards
het **Latijn** Latin
Latijns-Amerika Latin America
Latijns-Amerikaans Latin American
lauw lukewarm, tepid
de **lava** lava

het **lawaai** noise
lawaaierig noisy
de **lawine** avalanche
het **laxeermiddel** laxative
de **leaseauto** leased car
de **lectuur** reading (matter)
de **ledemaat** limb
lederen leather
ledigen empty
het **ledikant** bed
het **leed** affliction, sorrow
de **leeftijd** age
leeg empty
de **leek** layman
de **leer¹** teachings
het **leer²** leather
het **leerboek** textbook
de **leerling** pupil, scholar
leerzaam instructive
leesbaar legible
de **leeslamp** reading lamp
de **leeszaal** reading room
de **leeuw** lion
de **leeuwerik** lark
het **lef** guts
legaal legal
de **legalisatie** legalization
de **legatie** legation
het **leger** army

leggen lay*, put*

de **legionella** Legionella

de **legitimatie** identification

legitimeren legitimize ◆
zich ~ identify oneself

de **legpuzzel** jigsaw puzzle

het **lei** slate

leiden head, direct ·
guide, lead*, conduct

de **leider** leader

het **leiderschap** leadership

de **leiding**[1] lead

de **leiding**[2] ~*en* pipe

het **lek**[1] leak

lek[2] *bn* leaky · punctured

de **lekkage** leak(age)

lekken leak

lekker good · nice, enjoyable, delicious, tasty

de **lekkernij** delicacy

de **lelie** lily

lelijk ugly

het **lemmet** blade

lenen lend · borrow

de **lengte** length ◆ *in de* ~
lengthways

de **lengtegraad** longitude

lenig supple

de **lening** loan

de **lens** lens

de **lente** spring

de **lepel** spoon · spoonful

de **lepra** leprosy

de **leraar** master, teacher ·
instructor

de **lerares** teacher

leren[1] *bn* leather

leren[2] *ww* teach*, learn*

de **les** lesson

de **lesbienne** lesbian

lesbisch lesbian

het **leslokaal** classroom

de **lessenaar** desk

het **letsel** injury

letten op attend to, pay*
attention to · watch,
mind

de **letter** letter

de **lettergreep** syllable

letterkundig literary

de **leugen** lie

leuk enjoyable · funny,
jolly

leunen lean*

de **leuning** arm · rail

de **leunstoel** easy chair, armchair

de **leus** slogan

het **leven¹** life · lifetime ♦ *in ~* alive

leven² *ww* live ♦ *~d* alive; live

levendig lively · brisk, vivid

levensgevaarlijk perilous

de **levensmiddelen** foodstuffs

de **levensstandaard** standard of living

de **levensverzekering** life insurance

de **lever** liver

leveren furnish, provide, supply

de **levering** delivery, supply

lezen read*

de **lezing** lecture

de **Libanees¹** Lebanese

Libanees² *bn* Lebanese

Libanon Lebanon

liberaal liberal

Liberia Liberia

de **Liberiaan** Liberian

Liberiaans Liberian

de **licentie** licence

het **lichaam** body

het **licht¹** light

licht² *bn* fight · pale · gentle, slight

lichtbruin fawn

lichtgevend luminous

de **lichting** collection

lichtpaars mauve

het **lid** member · associate

het **lidmaatschap** membership

het **lidwoord** article

het **lied** song

lief dear · sweet · affectionate, adorable

de **liefdadigheid** charity

de **liefde** love

de **liefdesgeschiedenis** love story

liefhebben love

de **liefhebberij** hobby

het **liefje** sweetheart

liegen lie

de **lies** groin

de **lieveling** darling, sweetheart · favourite, pet ♦ *~s-* favourite, pet

liever sooner, rather ♦ *~ hebben* prefer

de **lift** lift · *(Am)* elevator

liften hitchhike

de **lifter** hitchhiker
liggen lie* ♦ *gaan* ~ lie* down

de **ligging** location · situation, site

light lite, diet

de **ligstoel** deckchair

het **lijden¹** suffering

lijden² suffer

het **lijf** body

de **lijfwacht** bodyguard

het **lijk** corpse

lijken seem, appear · look
♦ ~ *op* resemble

de **lijm** glue, gum

de **lijn** fine · leash

de **lijnboot** liner

de **lijnvlucht** scheduled flight

de **lijst** list · frame

de **lijster** thrush

lijvig bulky

de **likdoorn** corn

de **likeur** liqueur

likken lick

de **limiet** limit

de **limoen** lime

de **limonade** lemonade

de **linde** limetree, lime

de **lingerie** lingerie

de **liniaal** ruler

links left · left-hand

linksaf (to the) left

linkshandig left-handed

het **linnen** linen

het **linnengoed** linen

het **lint** ribbon · tape

de **lip** lip

de **lippenboter** lipsalve

de **lippenstift** lipstick

de **list** ruse, artifice

listig sly

de **liter** litre

literair literary

de **literatuur** literature

het **lits-jumeaux** twinbeds

het **litteken** scar

live live

de **locomotief** engine, locomotive

loeien roar

de **lof** glory, praise

de **logé** guest

de **logeerkamer** spare room, guest room

logeren stay

de **logica** logic

het **logies** lodgings pl, accommodation ♦ ~ *en ontbijt*

bed and breakfast
logisch logical
lokaal local
het **loket** ticket office · counter
de **lol** fun
lonen pay*
de **long** lung
de **longontsteking** pneumonia
de **lont** fuse
het **lood** lead
de **loodgieter** plumber
loodrecht perpendicular
de **loods** pilot
loodvrij lead-free
het **loon** wages · salary, pay
de **loonsverhoging** (Am) raise
de **loop** course · gait, walk
de **loopbaan** career
de **loopplank** gangway
lopen walk · go*
lopend walking · current
los loose
het **losgeld** ransom
losknopen unbutton · untie
losmaken unfasten, undo* · detach · loosen

losschroeven unscrew
lossen unload, discharge
het **lot¹** lot, fortune, destiny, fate
het **lot²** ~en lot
de **loterij** lottery
de **lotion** lotion
de **lounge** lounge
loyaal loyal
de **lpg** LPG · LP gas
de **lucht** air · breath · sky
luchtdicht airtight
de **luchtdruk** atmospheric pressure
luchten air, ventilate
het **luchtfilter** air filter
de **luchthaven** airport
luchtig airy
de **luchtpost** airmail
de **luchtvaartmaatschappij** airline
de **luchtverversing** air conditioning, ventilation
de **luchtziekte** airsickness
de **lucifer** match
het **lucifersdoosje** matchbox
lui lazy · idle
luid loud
de **luidspreker** loud speaker

de **luier** nappy · *(Am)* diaper

het **luik** hatch · shutter

de **luis** louse

de **luisteraar** listener

luisteren listen

luisterrijk magnificent

lukken succeed

de **lul** prick

de **lunch** lunch

de **lus** loop

lusten like · fancy

de **luxe** luxury

luxueus luxurious

de **maag** stomach ♦ *maag-* gastric

de **maagd** virgin

de **maagpijn** stomach ache

het **maagzuur** heartburn

het **maagzweer** gastric ulcer

de **maal¹** time

het **maal²** meal

maal³ *vz* times

de **maaltijd** meal ♦ *warme ~* dinner

de **maan** moon

de **maand** month

de **maandag** Monday

het **maandblad** monthly magazine

maandelijks monthly

het **maandverband** sanitary towel

het **maanlicht** moonlight

het **maanzaad** poppyseed

maar¹ *bw* only

maar² *vw* but · yet

de **maart** March

de **maas** mesh

de **maat** size, measure ♦ *extra grote ~* outsize; *op ~ gemaakt* tailor-made; made to order

de **maatregel** measure

maatschappelijk social

de **maatschappij** company · society

de **maatstaf** standard

de **machine** engine, machine

de **machinerie** machinery

de **macht** power · force, might · authority

machteloos powerless

machtig powerful, mighty

de **machtiging** authorization

het **magazijn** store house, warehouse

mager lean, thin

de **magie** magic

de **magistraat** magistrate

de **magneet** magnet

magnetisch magnetic

de **magnetron** microwave

de **mail** mail

de **mailbox** mail box

de **maillot** tights

de **mais** maize

de **maiskolf** corn on the cob

de **maître d'hôtel** head waiter

de **maîtresse** mistress

de **majoor** major

mak tame

de **makelaar** broker, estate agent

maken make* ♦ *te ~ hebben met* deal* with

de **make-up** make-up

de **makreel** mackerel

mal foolish, silly

de **malaria** malaria

het **Maleis** Malay

Maleisië Malaysia

Maleisisch Malaysian

malen grind*

mals tender

de **mammoet** mammoth

de **man** man · husband

de **manager** manager

de **manchet** cuff

de **manchetknopen** cufflinks

de **mand** hamper, basket

het **mandaat** mandate

de **mandarijn** mandarin, tangerine

de **manege** riding school

de **manicure** manicure

manicuren manicure

de **manier** manner · way, fashion

mank lame

het **mankement** defect

mankeren be wrong

mannelijk male · masculine

de **mannequin** model, mannequin

de **mantel** coat, cloak

de **manufacturier** draper

het **manuscript** manuscript

marcheren march

de **margarine** margarine

de **marge** margin

de **marine** navy ♦ *marine-* naval

maritiem maritime

de **markt** market ♦ *zwarte ~* black market

het **marktplein** market place

de **marmelade** marmalade

het **marmer** marble

de **Marokkaan** Moroccan
Marokkaans Moroccan
Marokko Morocco

de **mars** march

de **martelaar** martyr
martelen torture

de **marteling** torture

de **mascara** mascara

het **masker** mask

de **massa** bulk, mass · crowd

de **massage** massage

de **massaproductie** mass production
masseren massage

de **masseur** masseur
massief solid, massive

de **mast** mast

de **master** Master

de **mat¹** mat
mat² *bn* dull, mat, dim

het **materiaal** material

de **materie** matter
materieel material
matig moderate

de **matras** mattress

de **matroos** sailor

het **mausoleum** mausoleum
m.a.w. *(met andere woorden)* in other words
maximaal maximum

het **maximum** maximum

de **mayonaise** mayonnaise

de **mazelen** measles
me me · myself
mechanisch mechanical

het **mechanisme** mechanism · machinery

de **medaille** medal
mededelen notify, communicate, inform

de **mededeling** communication, information

het **medegevoel** sympathy

de **medeklinker** consonant

het **medelijden** pity ♦ *~ hebben met* pity

de **medeplichtige** accessory

de **medewerking** co-operation

het **medicijn** medicine
medisch medical
mediteren meditate
meebrengen bring*

meedelen communicate

het **meel** flour

meemaken go* through

meenemen take* away

het **meer¹** lake

meer² bn more ◆ ~ dan over; niet ~ no longer

de **meerderheid** majority · bulk

meerderjarig of age

het **meervoud** plural

meest most

meestal mostly

de **meester** master · schoolmaster, teacher

de **meesteres** mistress

het **meesterwerk** masterpiece

meetellen count

de **meetkunde** geometry

de **meeuw** gull · seagull

mei May

de **meid** housemaid, maid

de **meineed** perjury

het **meisje** girl

de **meisjesnaam** maiden name

melden report

de **melding** mention

de **melk** milk

de **melkboer** milkman

de **melodie** melody · tune

melodieus tuneful

het **melodrama** melodrama

de **meloen** melon

het **memorandum** memo

men one

meneer mister · sir

menen consider · mean*

mengen mix

het **mengsel** mixture

de **menigte** crowd

de **mening** opinion · view ◆ van ~ verschillen disagree

de **mens** man ◆ ~en people

menselijk human ◆ ~ wezen human being

de **mensheid** humanity, mankind

de **menstruatie** menstruation

het **menu** menu

de **menukaart** menu

de **merel** blackbird

het **merg** marrow

het **merk** brand

merkbaar noticeable, perceptible

merken notice · mark

het **merkteken** mark

merkwaardig peculiar

de **merrie** mare

het **mes** knife

het **messing** brass

de **mest** dung, manure

de **mesthoop** dunghill

met with · by

het **metaal** metal

metalen metal

meteen at once, straight away, immediately, instantly · presently

meten measure

de **meter** metre · meter · gauge

de **metgezel** companion

de **methode** method

methodisch methodical

metrisch metric

de **metro** underground · *(Am)* subway

de **metselaar** bricklayer

metselen lay* bricks

het **meubilair** furniture

meubileren furnish

mevr. *(mevrouw)* Mrs.

mevrouw madam

de **Mexicaan** Mexican

Mexicaans Mexican

Mexico Mexico

de **microfoon** microphone

de **middag** afternoon · midday · noon

het **middageten** luncheon, lunch · dinner

het **middel**¹ ~*en* means · remedy ♦ *antiseptisch* ~ antiseptic; *insectenwerend* ~ insect repellent; *kalmerend* ~ tranquillizer, sedative; *pijnstillend* ~ anaesthetic; *stimulerend* ~ stimulant; *verdovend* ~ drug

het **middel**² ~*s* waist

de **middeleeuwen** Middle Ages

middeleeuws medieval

Middellandse Zee Mediterranean

middelmatig moderate · medium

het **middelpunt** centre

middelst middle

het **midden** midst, middle ♦ *midden-* medium; ~*in*

amid; *te ~ van* amid;
among
de **middengolf** medium
wave
de **middernacht** midnight
de **midzomer** midsummer
de **mier** ant
de **mierikswortel** horseradish
de **migraine** migraine
mij me
Mij. *(maatschappij)* company
de **mijl** mile
de **mijlpaal** milestone · landmark
de **mijn¹** mine
mijn² *vnw* my
de **mijnbouw** mining
mijnheer mister
de **mijnwerker** miner
mikken op aim at
het **mikpunt** target
mild liberal
het **milieu** milieu · environment
de **militair¹** soldier
militair² *bn* military
het **miljard** billion

het **miljoen** million
de **miljonair** millionaire
min minus
de **minachting** contempt
minder less
de **minderheid** minority
minderjarig under age
de **minderjarige** minor
minderwaardig inferior
het **mineraal** mineral
het **mineraalwater** mineral
water
de **miniatuur** miniature
minimaal minimal
het **minimum** minimum
de **minister** minister
het **ministerie** ministry
de **minnaar** lover
minst least
minstens at least
minuscuul tiny, minute
de **minuut** minute
de **mis** Mass
het **misbruik** misuse, abuse
de **misdaad** crime
misdadig criminal
de **misdadiger** criminal
zich **misdragen** misbehave
het **misdrijf** criminal offence

misgunnen grudge

de **miskraam** miscarriage

de **mislukking** failure

mislukt unsuccessful

mismaakt deformed

misplaatst misplaced

misschien perhaps · maybe

misselijk sick · disgusting

de **misselijkheid** nausea, sickness

missen lack · miss · spare

de **misstap** slip

de **mist** fog, mist

mistig foggy, misty

de **mistlamp** foglamp

misverstaan misunderstand*

het **misverstand** misunderstanding

misvormd deformed

de **mitella** sling

mits provided that

de **mixer** mixer

mobiel mobile

het **mobieltje** mobile

de **modder** mud

modderig muddy

de **mode** fashion

het **model** model

modelleren model

modern modern

modieus fashionable

de **modiste** milliner

moe tired · weary

de **moed** courage

de **moeder** mother

de **moedertaal** native language, mother tongue

de **moedervlek** birthmark

moedig brave, courageous

moeilijk difficult · hard

de **moeilijkheid** difficulty

de **moeite** trouble · pains, difficulty ♦ *de ~ waard zijn* be* worthwhile; *~ doen* bother

de **moer** nut

het **moeras** swamp · bog, marsh

moerassig marshy

de **moerbei** mulberry

de **moestuin** kitchen garden

moeten must*, have* to · need to, ought* to, be* obliged to, should*

mogelijk possible

de **mogelijkheid** possibility
mogen be* allowed · may*
· like

de **mogendheid** power

het **mohair** mohair

de **mokka** mocha (coffee)

de **mol** mole

de **molen** mill · windmill

de **molenaar** miller

mollig plump

het **moment** moment

de **momentopname** snap-
shot

de **monarchie** monarchy

de **mond** mouth

mondeling oral, verbal

de **monding** mouth

monetair monetary

de **monnik** monk

de **monoloog** monologue

het **monopolie** monopoly

het **monster** sample

monteren assemble

de **monteur** mechanic

het **montuur** frame

het **monument** monument

mooi beautiful, pretty,
fine · nice, lovely, fair

de **moord** assassination,
murder

de **moordenaar** murderer

de **mop** joke

mopperen grumble

de **moraal** moral

de **moraliteit** morality

moreel moral

de **morfine** morphine

de **morgen**¹ morning

morgen² *bw* tomorrow

de **morning-afterpil** mornin-
gafter pill

morsen spill*

het **mos** moss

de **moskee** mosque

de **moslim** Muslim

de **moslima** moslima

de **mossel** mussel

de **mosterd** mustard

de **mot** moth

het **motel** motel

de **motie** motion

het **motief** motive · pattern

de **motor** engine, motor

de **motorboot** motorboat

de **motorfiets** motorcycle

de **motorkap** bonnet · *(Am)*
hood

de **motorpech** breakdown

het **motorschip** launch

de **motregen** drizzle

de **mountainbike** mountain bike

mousserend sparkling

de **mouw** sleeve

het **mozaïek** mosaic

de **mp3-speler** MP3 player

mr. *(meester in de rechten)* barrister, lawyer

de **MRI-scan** MRI scan

de **muesli** muesli

de **mug** mosquito

de **muil** mouth

het **muildier** mule

de **muilezel** mule

de **muis** mouse

de **muiterij** mutiny

de **mul** mullet

de **munt** coin · token · mint

de **munteenheid** monetary unit

het **muntstuk** coin

de **mus** sparrow

het **museum** museum

de **musical** musical comedy, musical

de **musicus** musician

de **muskiet** mosquito

het **muskietennet** mosquito net

de **muts** cap

de **muur** wall

de **muziek** music

het **muziekinstrument** musical instrument

muzikaal musical

het **mysterie** mystery

mysterieus mysterious

de **mythe** myth

na after

de **naad** seam

naadloos seamless

naaien sew

de **naaimachine** sewing machine

de **naaister** dressmaker

naakt nude, naked, bare

het **naaktstrand** nudist beach

de **naald** needle

de **naam** name, reputation · denomination ♦ *in ~ van* on behalf of

naar[1] *bn* nasty, unpleasant

naar[2] *vz* to, towards · at, for

naast next to, beside

nabij near, close

de **nabijheid** vicinity

nabijzijnd nearby

nabootsen imitate

naburig neighbouring

de **nacht** night ♦ *'s ~s* by night; overnight

de **nachtclub** nightclub, cabaret

de **nachtcrème** night cream

de **nachtegaal** nightingale

nachtelijk nightly

de **nachtjapon** nightdress

de **nachtmerrie** nightmare

het **nachttarief** night rate

de **nachttrein** night train

de **nachtvlucht** night flight

nadat after

het **nadeel** disadvantage

nadelig harmful

nadenken think*

nadenkend thoughtful

nader further

naderen approach ♦ *~d* oncoming

naderhand afterwards

nadien afterwards

nadoen imitate, copy

de **nadruk** stress · accent

de **nagedachtenis** memory

de **nagel** nail

de **nagelborstel** nail brush

de **nagellak** nail polish

de **nagelschaar** nail scissors

de **nagelvijl** nail file

het **nagerecht** dessert

naïef naive

het **najaar** autumn

najagen chase

nakijken check

nalaten fail

nalatig neglectful

de **namaak** imitation

namaken copy

namelijk namely

namens on behalf of, in the name of

de **namiddag** afternoon

de **narcis** daffodil

de **narcose** narcosis

het **narcoticum** narcotic

de **narigheid** misery

het **naseizoen** low season

nastreven aim at, pursue

nasynchroniseren dub

nat wet · damp, moist

de **natie** nation

nationaal national ♦ *natio-*

nale klederdracht national dress

nationaliseren nationalize

de **nationaliteit** nationality

de **natuur** nature

de **natuurkunde** physics

de **natuurkundige** physicist

natuurlijk[1] *bn* natural

natuurlijk[2] *bw* of course, naturally

het **natuurreservaat** national park

nauw narrow · tight

nauwelijks hardly · scarcely, barely

nauwkeurig accurate · precise, careful, exact

de **navel** navel

de **navigatie** navigation

NAVO *(Noord-Atlantische Verdragsorganisatie)* NATO, North Atlantic Treaty Organization

de **navraag** inquiry · demand

navragen query, inquire

nazenden forward

n.Chr. *(na Christus)* A.D.

nederig humble

de **nederlaag** defeat

Nederland the Netherlands

de **Nederlander** Dutchman

Nederlands Dutch

nee no

de **neef** cousin · nephew

neer down · downwards

neerlaten lower

neerslaan knock down

neerslachtig down, low, blue, depressed

de **neerslachtigheid** depression

de **neerslag** precipitation

neerstorten crash

negatief negative

negen nine

negende ninth

negentien nineteen

negentiende nineteenth

negentig ninety

negeren ignore

het **negligé** negligee

neigen be* inclined to ♦ ~ *tot* tend to

de **neiging** inclination, tendency ♦ *de ~ hebben* tend

de **nek** nape of the neck

nemen take* ♦ *op zich* ~ take* charge of

het **neon** neon

de **nep** fake

nergens nowhere

het **nerts** mink

nerveus nervous

het **nest** nest · litter

het **net¹** net

net² *bn* tidy, neat

het **netnummer** area code

netto net

het **netvlies** retina

het **netwerk** network

neuken fuck

neuriën hum

de **neurose** neurosis

de **neus** nose

de **neusbloeding** nosebleed

het **neusgat** nostril

de **neushoorn** rhinoceros

neutraal neutral

de **nevel** haze, mist

de **nicht** cousin · niece

de **nicotine** nicotine

niemand nobody, no one

de **nier** kidney

niet not

nietig petty, insignificant

· void

het **nietje** staple

niets nothing · nil

nietsbetekenend insignificant

nietszeggend meaningless

niettemin nevertheless

nieuw new

nieuwjaar New Year

het **nieuws** news · tidings

de **nieuwsberichten** news

nieuwsgierig curious, inquisitive

de **nieuwsgierigheid** curiosity

Nieuw-Zeeland New Zealand

niezen sneeze

Nigeria Nigeria

de **Nigeriaan** Nigerian

Nigeriaans Nigerian

de **nijptang** pincers

het **nikkel** nickel

niks nothing

nimmer never

het **niveau** level

nivelleren level

nl. *(namelijk)* namely

nm. *(namiddag)* afternoon

NMBS *(Nationale Maatschappij der Belgische Spoorwegen)* Belgian National Railways

noch ... noch neither ... nor

nodig necessary ♦ ~ *hebben* need

noemen call · name, mention

nog still, yet ♦ ~ *een* another; ~ *eens* once more; ~ *wat* some more

de **noga** nougat

nogal pretty, fairly, rather, quite

nogmaals once more

no-iron no-iron

de **nokkenas** camshaft

nominaal nominal

de **nominatie** nomination

de **non** nun

het **nonnenklooster** nunnery

de **nood** distress · misery · need

noodgedwongen by force

het **noodgeval** emergency

het **noodlot** destiny, fate

noodlottig fatal

de **noodrem** emergency brake

het **noodsein** distress signal

de **noodtoestand** emergency

de **nooduitgang** emergency exit

de **noodzaak** need, necessity

noodzakelijk necessary

noodzaken force

nooit never

de **Noor** Norwegian

de **noord** north

noordelijk northern, northerly, north

het **noorden** north

het **noordoosten** north-east

de **noordpool** North Pole

het **noordwesten** north-west

Noors Norwegian

Noorwegen Norway

de **noot** nut · note

de **nootmuskaat** nutmeg

de **norm** standard

normaal normal, regular

de **nota** bill

de **notaris** notary

de **notendop** nutshell

de **notenkraker** nutcrackers

noteren note · list

de **notie** notion

de **notitie** note

het **notitieboek** notebook

de **notulen** minutes

nou now

november November

NP *(niet parkeren)* no parking

NS *(Nederlandse Spoorwegen)* Dutch National Railways

nu now ♦ *nu en dan* now and then; *tot nu toe* so far

nuchter sober · down-to-earth, matter-of-fact

nucleair nuclear

de **nul** nought, zero

het **nummer** number · act

het **nummerbord** registration plate · *(Am)* licence plate

het **nut** utility, use

nutteloos useless

nuttig useful

nv *(naamloze vennootschap)* Ltd. or Inc.

de **oase** oasis

de **ober** waiter

het **object** object

objectief objective

de **obligatie** bond

obsceen obscene

obscuur obscure

de **observatie** observation

het **observatorium** observatory

observeren observe

de **obsessie** obsession

de **obstipatie** constipation

de **oceaan** ocean

de **ochtend** morning

het **ochtendblad** morning paper

de **ochtendeditie** morning edition

de **ochtendschemering** dawn

de **octopus** octopus

het **octrooi** patent

oefenen practise, exercise

de **oefening** exercise

oeroud ancient

het **oerwoud** jungle

de **oester** oyster

de **oever** river bank · bank, shore

of or · whether ♦ *of ... of* either ... or; whether ... or

het **offensief¹** offensive

offensief² *bn* offensive

het **offer** sacrifice

de **offerte** offer

officieel official

de **officier** officer

officieus unofficial

ofschoon although, though

het **ogenblik** moment, instant

ogenblikkelijk instantly

de **oksel** armpit

oktober October

de **olie** oil

olieachtig oily

de **oliebron** oil well

de **oliedruk** oil pressure

het **oliefilter** oil filter

oliën lubricate

de **olieraffinaderij** oil refinery

het **olieverfschilderij** oil painting

de **olifant** elephant

de **olijf** olive

de **olijfolie** olive oil

om round, about, around ♦ *om te* to, in order to

de **oma** grandmother

ombrengen kill

omcirkelen encircle

omdat because · as

omdraaien turn · invert ♦ *zich ~* turn round

het **omelet** omelette

omgaan met associate with, mix with

de **omgang** intercourse

omgekeerd reverse

omgeven surround, circle

de **omgeving** environment, surroundings · setting

omheen about

de **omheining** fence

omhelzen hug, embrace

de **omhelzing** hug, embrace

omhoog up

omhooggaan ascend

omkeren turn over, turn, turn round

omkomen perish

omkopen bribe, corrupt

de **omkoping** bribery, corruption

omlaag down

de **omleiding** detour

omliggend surrounding

de **omloop** circulation

omrekenen convert

de **omrekentabel** conversion chart

omringen encircle, surround, circle

de **omroep** broadcasting corporation

omschrijven define

de **omslag** (ook: het) cover, jacket

de **omslagdoek** shawl

de **omstandigheid** circumstance · condition

omstreden controversial

omstreeks about

de **omtrek** contour, outline

omtrent about, concerning

de **omvang** bulk, size · extent

omvangrijk bulky, big · extensive

omvatten comprise

omver down, over

de **omweg** detour

de **omwenteling** revolution

omwisselen switch

de **omzet** turnover

de **omzetbelasting** turnover tax · sales tax

onaangenaam unpleasant, disagreeable

onaanvaardbaar unacceptable

onaardig unkind

onafgebroken continuous

onafhankelijk independent

de **onafhankelijkheid** independence

onbeantwoord unanswered

onbebouwd adj uncultivated

onbeduidend petty, insignificant

onbegaanbaar impassable

onbegrijpelijk puzzling

onbehaaglijk uneasy

onbekend unfamiliar, unknown

onbekwaam unable, incompetent, incapable

onbelangrijk unimportant · insignificant

onbeleefd impolite

onbemind unpopular

onbepaald indefinite ♦ ~e wijs infinitive

onbeperkt unlimited

onbeschaamd impudent, impertinent, insolent

de **onbeschaamdheid** impertinence, insolence

onbescheiden immodest

onbeschermd unprotected

onbeschoft impertinent

onbetrouwbaar untrustworthy, unreliable

onbevoegd unqualified · unauthorized

onbevredigend unsatisfactory

onbewoonbaar uninhabitable

onbewoond uninhabited

onbewust unaware

onbezet unoccupied

onbezonnen rash

onbezorgd carefree

onbillijk unfair

onbreekbaar unbreakable

ondankbaar ungrateful

ondanks despite, in spite of

ondenkbaar inconceivable

onder under · beneath, below · among, amid

onderaan below

onderbreken interrupt

de **onderbreking** interruption

onderbrengen accommodate

de **onderbroek** briefs, pants, panties · shorts · *(Am)* underpants

de **onderdaan** subject

het **onderdak** accommodation

het **onderdeel** spare part

onderdrukken suppress

ondergaan suffer

de **ondergang** destruction · ruination, ruin

ondergeschikt subordinate · secondary, minor

de **ondergetekende** undersigned

het **ondergoed** underwear

ondergronds underground

de **ondergrondse** underground, *(Am)* subway

onderhandelen negotiate

de **onderhandeling** negotiation

onderhevig aan subject to · liable to ♦ *aan bederf onderhevig* perishable

het **onderhoud** upkeep · maintenance

onderhouden entertain

onderling mutual

ondernemen undertake*

de **onderneming** enterprise, undertaking · concern, company

het **onderpand** pledge

onderrichten instruct

de **onderrok** slip

onderschatten underestimate

het **onderscheid** distinction · difference ♦ *~ maken* distinguish

onderscheiden distinguish

onderst bottom

onderstboven upside-down

ondersteunen hold* up, support

onderstrepen underline

ondertekenen sign

de **ondertitel** subtitle

ondertitelen subtitle

ondertussen in the meantime, meanwhile

ondervinden experience

de **ondervoeding** malnutrition

ondervragen interrogate

onderweg on the way

het **onderwerp** subject · topic, theme

onderwerpen subject ♦ *zich ~* submit

het **onderwijs** tuition · education, instruction

onderwijzen teach*

de **onderwijzer** schoolteacher, schoolmaster, master, teacher

de **onderzetter** mat

het **onderzoek** enquiry, investigation, inquiry · check-up, examination · research

onderzoeken enquire, investigate, examine · explore

ondeugend naughty, mis-

chievous
ondiep shallow
ondoeltreffend inefficient
ondraaglijk unbearable
onduidelijk ambiguous
onecht false
oneens *het ~ zijn* disagree
oneerlijk crooked, dishonest · unfair
oneetbaar inedible
oneffen uneven
oneindig infinite, endless · immense
de **onenigheid** dispute
onervaren inexperienced
oneven odd
onevenwichtig unsteady
onfatsoenlijk indecent
ongeacht in spite of · regardless
ongebruikelijk unusual
ongedeerd unhurt
het **ongedierte** vermin
ongeduldig impatient · eager
ongedurig restless
ongedwongen casual
de **ongedwongenheid** ease
ongeldig invalid

ongelegen inconvenient
ongelijk unequal · uneven
♦ *~ hebben* be* wrong
ongelofelijk incredible
het **ongeluk** accident · misfortune
ongelukkig unhappy · unlucky, unfortunate
ongelukkigerwijs unfortunately
het **ongemak** inconvenience
ongemakkelijk uncomfortable
ongemeubileerd unfurnished
ongeneeslijk incurable
ongepast unsuitable · improper
het **ongerief** inconvenience
ongerijmd absurd
ongerust worried ♦ *zich ~ maken* worry
ongeschikt unfit
ongeschoold uneducated · unskilled
ongesteld *zij is ~* she is having a period
ongetrouwd single
ongetwijfeld undoubtedly

het **ongeval** accident

ongeveer about, approximately

ongevoelig insensitive

ongewenst undesirable

ongewoon uncommon, unusual

ongezond unhealthy, unsound

ongunstig unfavourable

onhandig clumsy, awkward

het **onheil** calamity, disaster · mischief

onheilspellend sinister · ominous

onherroepelijk irrevocable

onherstelbaar irreparable

onjuist incorrect

de **onkosten** expenses

het **onkruid** weed

onlangs recently · lately

onleesbaar illegible

online on-line

onmetelijk vast, immense

onmiddellijk¹ *bn* immediate, prompt

onmiddellijk² *bw* immediately, instantly

onmogelijk impossible

onnauwkeurig inaccurate · incorrect

onnodig unnecessary

onontbeerlijk essential

onopvallend inconspicuous

onopzettelijk unintentional

onoverkomelijk prohibitive

onovertroffen unsurpassed

onpartijdig impartial

onpersoonlijk impersonal

onplezierig unpleasant

het **onrecht** injustice · wrong
♦ ~ *aandoen* wrong

onrechtvaardig unjust

onredelijk unreasonable

onregelmatig irregular

onrein unclean

de **onrust** unrest

onrustig restless

ons our · us · ourselves

onschadelijk harmless

onschatbaar priceless

de **onschuld** innocence

onschuldig innocent

het **ontbijt** breakfast

ontbijten breakfast

ontbinden dissolve

ontbreken fail ♦ ~*d* missing

ontdekken detect, discover

de **ontdekking** discovery

ontdooien thaw

ontevreden dissatisfied · discontented

ontgaan escape

ontglippen slip

het **onthaal** reception

ontheffen exempt ♦ ~ *van* discharge of

onthouden remember · deny ♦ *zich* ~ *van* abstain from

onthullen reveal

de **onthulling** revelation

onthutsen overwhelm

ontkennen deny

ontkennend negative

ontkoppelen disconnect

ontkurken uncork

ontleden analyse · break* down

ontlenen borrow

ontmoeten encounter · meet*

de **ontmoeting** encounter, meeting

ontnemen deprive of

ontoegankelijk inaccessible

ontploffen explode

ontplooien expand

ontroeren move

de **ontroering** emotion

ontrouw unfaithful

ontruimen vacate

ontschepen disembark

ontslaan dismiss, fire

ontslag nemen resign

de **ontslagneming** resignation

ontsmetten disinfect

het **ontsmettingsmiddel** disinfectant

ontsnappen escape

de **ontsnapping** escape

ontspannen[1] *bn* easy going

zich **ontspannen**[2] *ww* relax

de **ontspanning** relaxation · recreation

ontstaan arise*
ontsteken become* septic
de **ontsteking** ignition · ignition coil · inflammation
ontstemmen displease
ontvangen receive · entertain
de **ontvangst** receipt · reception
ontvlambaar inflammable
ontvluchten escape
ontvouwen unfold
ontwaken wake* up
het **ontwerp** design
ontwerpen design
ontwijken avoid
ontwikkelen develop
de **ontwikkeling** development
ontwricht dislocated
het **ontzag** respect
ontzeggen deny
ontzettend dreadful, terrible
onuitstaanbaar intolerable
onvast unsteady
onveilig unsafe
onverdiend unearned

onverklaarbaar unaccountable
onvermijdelijk unavoidable, inevitable
onverschillig indifferent
onverstandig unwise
onverwacht unexpected
onvoldoende insufficient · inadequate
onvolledig incomplete
onvolmaakt imperfect
onvoorwaardelijk unconditional
onvoorzien unexpected
onvriendelijk unkind, unfriendly
onwaar untrue, false
onwaarschijnlijk unlikely, improbable
het **onweer** thunderstorm
onweerachtig thundery
onwel unwell
onwerkelijk unreal
onwetend ignorant
onwettig unlawful, illegal
onwillig unwilling
het **onyx** onyx
onzeker doubtful, uncertain

onzelfzuchtig unselfish
onzichtbaar invisible
onzijdig neuter
de **onzin** nonsense, rubbish
het **oog** eye
de **oogarts** oculist
de **ooggetuige** eyewitness
het **ooglid** eyelid
de **oogschaduw** eye shadow
de **oogst** harvest · crop
de **ooievaar** stork
ooit ever
ook also, too · as well
de **oom** uncle
het **oor** ear
de **oorbel** earring
het **oordeel** judgment
oordelen judge
de **oorlog** war
het **oorlogsschip** warship
de **oorpijn** earache
de **oorsprong** origin
oorspronkelijk original
oorverdovend deafening
de **oorzaak** cause · reason
de **oost** east ♦ *oost-* eastern
oostelijk eastern, easterly
het **oosten** east
Oostenrijk Austria

de **Oostenrijker** Austrian
Oostenrijks Austrian
oosters oriental
op¹ *bw* up · finished
op² *vz* on, upon · at, in
de **opa** grandfather, grand-dad
de **opaal** opal
opbellen call, ring up, phone · *(Am)* call up
opbergen put* away
opblaasbaar inflatable
opblazen inflate
de **opbouw** construction
opbouwen erect · construct
de **opbrengst** produce
opdat so that
de **opdracht** order · assignment
opdragen aan assign to
opeens suddenly
opeisen claim
open open
openbaar public
openbaren reveal
opendraaien turn on
openen unlock · open
openhartig open

de **opening** opening

de **openingstijden** business hours

de **opera** opera · opera house

de **operatie** operation, surgery

opereren operate

de **operette** operetta

opgaan rise*

opgeruimd good-humoured

opgetogen delighted

opgeven declare · give* up

opgewekt cheerful

opgewonden excited

de **opgraving** excavation

opgroeien grow up

de **ophaalbrug** drawbridge

ophalen collect, pick up

ophangen hang*

de **ophanging** suspension

de **ophef** fuss

opheffen discontinue

ophelderen clarify

ophouden cease ♦ ~ *met* stop, quit

de **opinie** opinion

opklaren brighten up

de **opkomst** rise · attendance

opladen charge

de **oplader** charger

de **oplage** issue

opleiden educate

opletten pay* attention

oplettend attentive

oplichten cheat, swindle

de **oplichter** swindler

oplopen increase · contract

oplosbaar soluble

oplossen dissolve · solve

de **oplossing** solution

opmaken finish (up), use up · draw up ♦ *zich* ~ make oneself up

opmerkelijk remarkable · noticeable, striking

opmerken notice, note · remark

de **opmerking** remark

de **opname** recording · shot

opnemen draw*

opnieuw again

opofferen sacrifice

het **oponthoud** delay

de **oppas** babysitter

oppassen look out, beware

de **oppasser** attendant

het **opperhoofd** chieftain

oppervlakkig superficial

de **oppervlakte** surface · area

de **oppositie** opposition

oprapen pick up

oprecht honest, sincere

oprichten found · erect

oprijzen arise*

de **oprit** drive · approach road

de **oproep** call

het **oproer** revolt, rebellion

opruimen tidy up

de **opruiming** clearance sale

opscheppen boast

opschieten hurry

opschorten put* off

opschrijven write* down

opslaan store

de **opslag** storage · rise · *(Am)* raise

de **opslagplaats** depot

opsluiten lock up

opsporen trace

opstaan get* up, rise*

de **opstand** rising, revolt, rebellion ♦ *in ~ komen* revolt

opstapelen pile

het **opstel** essay

opstellen draw* up, make* up

opstijgen ascend

optellen add · count

de **optelling** addition

de **opticien** optician

de **optie** option

optillen lift · raise

het **optimisme** optimism

de **optimist** optimist

optimistisch optimistic

de **optocht** parade

het **optreden¹** appearance

optreden² act · appear

opvallen attract attention

opvallend striking

de **opvang** relief

opvatten conceive

de **opvatting** view

opvoeden bring* up, educate

de **opvoeding** education

opvolgen succeed

opvouwen fold

opvrolijken cheer up

opvullen fill up

opwinden wind* · excite

de **opwinding** excitement

opzettelijk deliberate, intentional · on purpose

het **opzicht** respect

de **opzichter** supervisor · warden

opzienbarend sensational

opzij aside · sideways

opzoeken look up

oranje orange

de **orde¹** order · method ♦ *in ~* in order; *in ~!* okay!, all right!

de **orde²** *~n, ~s* congregation

ordenen arrange

ordinair common, vulgar

het **orgaan** organ

de **organisatie** organization

organisch organic

organiseren organize

het **orgel** organ

zich **oriënteren** orientate

de **origine** origin

origineel original

de **orkaan** hurricane

het **orkest** orchestra · band

het **orlon** Orlon

ornamenteel ornamental

orthodox orthodox

de **os** ox

oud old · ancient · aged ♦ *~er* elder; *~st* eldest, elder

oudbakken stale

de **ouderdom** age · old age

de **ouders** parents

ouderwets old-fashioned, ancient · out of date · quaint

de **oudheid** antiquity

de **oudheidkunde** archaeology

ovaal oval

de **oven** oven · furnace

over¹ *bw* over

over² *vz* about · over · across · in

overal everywhere · anywhere, throughout

de **overall** overalls

het **overblijfsel** remnant

overblijven remain

overbodig superfluous · redundant

overboord overboard

overbrengen transfer

overdag by day

overdenken think* over

de **overdosis** overdose

overdrijven exaggerate ♦ *overdreven* extravagant; exaggerated

overeenkomen agree · correspond

de **overeenkomst** agreement, settlement

overeenkomstig¹ bn similar

overeenkomstig² vz according to

de **overeenstemming** agreement

overeind upright · erect

de **overgang** transition

de **overgave** surrender

overgeven vomit ♦ *zich ~* surrender

het **overgewicht** overweight

overhaast rash

overhalen persuade

de **overheersing** domination

de **overheid** authorities

het **overhemd** shirt

overig remaining

overigens though

de **overjas** topcoat, overcoat

overkant *aan de ~* across

de **overlast** inconvenience

het **overleg** deliberation

overleggen deliberate

overleven survive

de **overleving** survival

overlijden depart, die

overmaken remit

overmoedig presumptuous

overmorgen the day after tomorrow

overnachten stay the night

overnemen take* over

overreden persuade

overschatten overestimate

het **overschot** surplus

overschrijden exceed

de **overschrijving** money order

overslaan skip

overspannen overstrung

overstappen change

de **oversteekplaats** crossing

oversteken cross

de **overstroming** flood

overstuur upset

de **overtocht** crossing, passage

overtreden offend

de **overtreding** offence

overtreffen outdo*, exceed

overtuigen convince · persuade

de **overtuiging** conviction · persuasion

de **overval** hold-up

overvallen hold up · surprise

oververmoeid overtired

de **overvloed** abundance · plenty

overvloedig abundant, plentiful

overvol crowded

de **overweg** level crossing, crossing

overwegen consider

de **overweging** consideration

overweldigen overwhelm

zich **overwerken** overwork

overwinnen conquer · overcome*

de **overwinning** victory

overzees overseas

het **overzicht** survey

p/a *(per adres)* in care of

de **paal** post, pole

het **paar** pair · couple

het **paard** horse

de **paardenbloem** dandelion

de **paardenkracht** horsepower

de **paardensport** riding

paardrijden ride*

het **paarlemoer** mother-of-pearl

paars purple

de **pacemaker** pacemaker

de **pacht** lease

het **pacifisme** pacifism

de **pacifist** pacifist

pacifistisch pacifist

de **pad¹** ~*den* toad

het **pad²** path · lane, trail

de **paddenstoel** toadstool · mushroom

de **padvinder** scout, Boy Scout

de **padvindster** Girl Guide

de **pagina** page

het **pak** package

het **pakhuis** warehouse

de **Pakistaan** Pakistani

Pakistaans Pakistani

Pakistan Pakistan

het **pakje** parcel, packet

pakken take*

het **pakket** parcel

het **pakpapier** wrapping paper

het **paleis** palace

de **paling** eel

de **palm** palm

de **pan** pan

het **pand** security · house, premises

de **pandjesbaas** pawnbroker

het **paneel** panel

het **paneermeel** breadcrumbs

de **paniek** panic

de **pannenkoek** pancake

de **pantoffel** slipper

de **panty** pantyhose

de **pap** porridge

de **papa** daddy, papa

de **papaver** poppy

de **papegaai** parrot

de **paperclip** paperclip

het **papier** paper

papieren paper ♦ ~ *servet* paper napkin; ~ *zak* paper bag; ~ *zakdoek* kleen-

ex

de **paprika** (sweet) pepper

de **paps** dad

de **parachute** parachute

parachutespringen parachuting

de **parade** parade

paraferen initial

de **paragraaf** paragraph

parallel parallel

de **paraplu** umbrella

de **parasol** sunshade

pardon! sorry!

de **parel** pearl

het **parfum** perfume

het **park** park

de **parkeergarage** car park

de **parkeermeter** parking meter

de **parkeerplaats** car park · *(Am)* parking lot

het **parkeertarief** parking fee

de **parkeerzone** parking zone

parkeren park

de **parkiet** parakeet

het **parlement** parliament

parlementair parliamentary

de **parochie** parish

particulier private

de **partij** party · side · hatch

partijdig partial

de **partner** partner · associate

parttime part-time

de **pas¹** step

pas² bw just

Pasen Easter

de **pasfoto** passport photograph

de **paskamer** fitting room

het **paspoort** passport

de **paspoortcontrole** passport control

de **passage** excerpt · passage

de **passagier** passenger

passen try on · fit ♦ ~ bij match; ~ op look after; attend to

passend appropriate · convenient, adequate, proper

passeren pass · bypass, pass by

de **passie** passion

passief passive

de **pasta** paste

de **pastoor** (parish) priest

de **pastorie** parsonage, vicarage, rectory

de **patates frites** chips, French fries

het **patent** patent

de **pater** father

de **patiënt** patient

de **patrijs** partridge

de **patrijspoort** porthole

de **patriot** patriot

de **patroon¹** cartridge

het **patroon²** pattern

de **patrouille** patrol

de **paus** pope

de **pauw** peacock

de **pauze** pause · break · interval, intermission

pauzeren pause

het **paviljoen** pavilion

de **pc** pc

de **pech** bad luck

het **pedaal** (ook: de) pedal

de **pedaalemmer** pedal bin

de **peddel** paddle

de **pedicure** pedicure, chiropodist

de **pedofiel** paedophile

de **peen** carrot

de **peer** pear · lightbulb

de **pees** sinew, tendon

de **peetvader** godfather

de **peil** level

de **pelgrim** pilgrim

de **pelikaan** pelican

de **pels** fur

de **pen** pen

de **penicilline** penicillin

de **penis** penis

de **penningmeester** treasurer

het **penseel** paint brush

het **pensioen** pension

het **pension** board · boarding house, guest house, pension ♦ *volpension* full board, board and lodging, bed and board

de **peper** pepper

de **pepermunt** peppermint

per by

het **perceel** plot

het **percentage** percentage

de **percolator** percolator

de **perfectie** perfection

de **periode** period · term

periodiek periodical

permanent¹ permanent

wave

permanent² *bn* permanent

de **permissie** permission

het **perron** platform

de **pers** press

de **persconferentie** press conference

persen press

de **personalia** personal particulars

het **personeel** personnel

de **personentrein** passenger train

de **persoon** person ♦ *per ~* per person

persoonlijk personal · private

de **persoonlijkheid** personality

het **perspectief** perspective

de **perzik** peach

het **pessimisme** pessimism

de **pessimist** pessimist

pessimistisch pessimistic

de **pet** cap

de **peterselie** parsley

de **petitie** petition

de **petroleum** petroleum ·

kerosene, paraffin

de **peuter** toddler

de **pianist** pianist

de **piano** piano

de **piccolo** pageboy, bellboy

de **picknick** picnic

picknicken picnic

pienter bright, smart, clever

de **pier** pier, jetty

de **piercing** piercing

het **pierenbad** paddling pool

de **pijl** arrow

de **pijn** ache, pain ◆ ~ *doen* hurt*; ache

pijnlijk sore, painful · embarrassing, awkward

pijnloos painless

de **pijnstiller** painkiller

de **pijp** pipe · tube

de **pijpenstoker** pipe cleaner

de **pijptabak** pipe tobacco

pikant spicy · savoury

de **pil** pill

de **pilaar** column, pillar

de **piloot** pilot

het **pils** beer

de **pinautomaat** cash dispenser · ATM

de **pincet** tweezers

de **pincode** PIN code

de **pinda** peanut

de **pinguïn** penguin

de **pink** little finger

Pinksteren Whitsun

pinnen pay by switch card · withdraw cash from a cashpoint

de **pinpas** cash card

de **pinpasje** switch card

de **pion** pawn

de **pionier** pioneer

pips washed out

de **piraat** pirate

de **piste** ring

het **pistool** pistol

de **pit** stone, pip

pittig lively · spicy · tough

pittoresk picturesque

de **pizza** pizza

de **pizzeria** pizzeria

pk *(paardenkracht)* horsepower

de **plaag** plague

de **plaat** plate, sheet, picture

de **plaats** place · spot, locality, site · seat · room ◆ *in ~ van* instead of

plaatselijk local · regional

plaatsen lay*, put*, place · locate

plaatshebben take* place

het **plaatskaartenbureau** box office

de **plaatsvervanger** deputy, substitute

het **plafond** ceiling

plagen tease

het **plakband** adhesive tape · *(Am)* scotch tape

het **plakboek** scrapbook

plakken stick*, paste

het **plan** plan · project, scheme ♦ *van ~ zijn* intend

de **planeet** planet

het **planetarium** planetarium

de **plank** board, plank, shelf

plannen plan

de **plant** plant

de **plantage** plantation

planten plant

de **plantengroei** vegetation

de **plantkunde** botany

het **plantsoen** public garden

de **plas** puddle

plassen pee

plastic plastic

plat flat · even, level

het **platina** platinum

de **plattegrond** map, plan

het **platteland** countryside, country ♦ *~-s-* rural

platzak broke

plaveien pave

het **plaveisel** pavement

plechtig solemn

de **pleegouders** foster parents

plegen commit

het **pleidooi** plea

het **plein** square

de **pleister¹** plaster

het **pleister²** plaster

pleiten plead

de **plek** spot ♦ *blauwe ~* bruise; *zere ~* sore

het **plezier** pleasure · fun

de **plicht** duty

de **ploeg** plough · team shift, gang

ploegen plough

de **plooi** crease

plotseling sudden

plukken pick

plus plus

pneumatisch pneumatic

het **pocketboek** paperback

het **poeder** (ook: de) powder

het **poederdons** powder puff

de **poederdoos** powder compact

de **poelier** poulterer

de **poep** crap

poepen have a crap

de **poes** pussy cat

poetsen brush · polish

pogen try

de **poging** try, attempt, effort

de **poker** poker

de **pokken** smallpox

de **polder** polder

Polen Poland

de **poliep** polyp

de **polikliniek** outpatient clinic

de **polio** polio

de **polis** policy

de **politicus** politician

de **politie** police

de **politieagent** policeman

het **politiebureau** police station

de **politiek¹** politics

politiek² *bn* political

de **pols** wrist · pulse

het **polshorloge** wrist watch

de **polsslag** pulse

de **pomp** pump

de **pompelmoes** grapefruit

pompen pump

het **pond** pound

de **pony** pony

de **Pool** Pole

Pools Polish

de **poort** gate

het **poosje** while

de **poot** leg · paw

pootjebaden paddle

de **pop** doll

de **popmuziek** pop music

de **poppenkast** puppetshow

populair popular

het **porselein** porcelain, china

de **portefeuille** pocket book, wallet

de **portemonnee** purse

de **portie** portion · helping

de **portier** doorman, door keeper, porter

het **portret** portrait

Portugal Portugal

Portugees Portuguese

de **positie** position

positief positive

de **post**[1] mail, post

de **post**[2] ~en entry

de **postbode** postman

de **postbus** postoffice box

de **postcode** (Am) zipcode · postcode

posten mail, post

de **poster** poster

poste restante poste restante

de **posterijen** postal service

het **postkantoor** post office

de **postwissel** postal order

de **postzegel** postage stamp, stamp

de **postzegelautomaat** stamp machine

de **pot** pot · jar

het **potlood** pencil

de **pottenbakker** potter

de **pr** PR

het **praatje** chat

de **praatpaal** emergency telephone

de **pracht** splendour

prachtig lovely, wonderful, marvellous, splendid, gorgeous, fine

de **praktijk** practice

praktisch practical

de **praten** talk

precies[1] bn precise, very, exact

precies[2] bw exactly

de **predikant** clergyman, minister, vicar, rector

de **preek** sermon

de **preekstoel** pulpit

preken preach

de **premie** premium

de **premier** premier, Prime Minister

de **prent** picture, print, engraving

de **prentbriefkaart** picture postcard

prepaid pay-as-you-go

de **president** president

de **prestatie** achievement · feat

presteren achieve

het **prestige** prestige

de **pret** fun · gaiety, pleasure

pretpark amusement park

prettig enjoyable, pleasant · nice

preuts prudish

de **preventie** prevention

preventief preventive

de **priester** priest

de **prijs** pricelist · charge, cost, rate · prize, award ◆ op ~ *stellen* appreciate

de **prijsdaling** slump

de **prijslijst** pricelist

de **prijsvraag** competition

prijzen¹ price

prijzen² praise

prijzig expensive

de **prik¹** ~*ken* sting

de **prik²** fizz

de **prikkel** impulse

prikkelbaar irritable

het **prikkeldraad** barbed wire

prikkelen irritate

prikken prick

prima first-rate

primair primary

het **principe** principle

de **prins** prince

de **prinses** princess

printen print

de **printer** printer

de **prioriteit** priority

de **privacy** privacy

privé private

het **privéleven** privacy

proberen try · attempt · test

het **probleem** problem

het **procedé** process

de **procedure** procedure

het **procent** per cent, *(Am)* percent

het **proces** process · lawsuit

de **processie** procession

het **proces-verbaal** charge

de **producent** producer

produceren produce

het **product** product · produce

de **productie** production, output

de **proef** experiment · trial, test

proeven taste

de **profeet** prophet

de **professor** professor

profiteren profit, benefit

het **programma** programme

progressief progressive

het **project** project

de **promenade** esplanade, promenade

de **promotie** promotion

prompt prompt
proost cheers
de **propaganda** propaganda
de **propeller** propeller
de **proportie** proportion
de **prospectus** prospectus
de **prostaat** prostate
de **prostituee** prostitute
het **protest** protest
protestants Protestant
protesteren protest
de **prothese** prothesis · dentures
de **provider** provider
provinciaal provincial
de **provincie** province
de **provisiekast** larder
de **pruik** wig
de **pruim** plum · prune
de **prullenmand** waste paper basket
de **psychiater** psychiatrist
psychisch psychic
de **psychologie** psychology
psychologisch psychological
de **psycholoog** psychologist
de **puber** adolescent
de **publicatie** publication

publiceren publish
het **publiek¹** audience, public
publiek² bn public
de **pudding** pudding
het **puimsteen** pumice stone
het **puistje** pimple
de **pukkel** pimple, spot
de **pullover** pullover
de **punaise** drawing pin · (Am) thumbtack
punctueel punctual
de **punt¹** full stop, (Am) period · tip
het **punt²** ~en point · item, issue
de **puntenslijper** pencil sharpener
de **puntkomma** semicolon
de **pupil** pupil
de **put** well
puur neat · sheer
de **puzzel** puzzle
de **pyjama** pyjamas
de **quarantaine** quarantine
de **quiz** quiz
de **quota** quota
de **raad¹** advice, counsel
de **raad²** raden council
raadplegen consult

de **raadpleging** consultation	**rangschikken** arrange · sort, grade
het **raadsel** riddle, puzzle · mystery, enigma	het **rantsoen** ration
het **raadslid** councillor	**ranzig** rancid
de **raadsman** counsellor · solicitor	het **rapport** report
de **raaf** raven	**rapporteren** report
het **raam** window	de **rariteit** curio
raar curious, odd, strange, queer, quaint	het **ras** race · breed ♦ ~*sen-* racial
de **rabarber** rhubarb	de **rasp** grater
de **race** race	**raspen** grate
het **racket** racquet	de **rat** rat
raden guess	**rauw** raw
de **radiator** radiator	de **rauwkost** vegetables eaten raw
radicaal radical	het **ravijn** gorge
de **radijs** radish	**razen** rage
de **radio** radio	**razend** furious
rafelen fray	de **razernij** rage
de **raffinaderij** refinery	de **reactie** reaction
de **rage** craze	**reageren** react
raken hit*	**recent** recent
de **raket** rocket	het **recept** recipe · prescription
de **ramadan** Ramadan	de **receptie** reception office
de **ramp** calamity, disaster	de **receptioniste** receptionist
rampzalig disastrous	het **recht**¹ right, law, justice
de **rand** edge, border · brim, rim, verge	**recht**² *bn* straight
de **rang** rank · class	**recht**³ *bw* directly

de **rechtbank** court

rechtdoor straight on, straight ahead

de **rechter**[1] judge

rechter[2] *bn* right-hand

de **rechthoek** oblong, rectangle

rechthoekig rectangular

rechtopstaand erect, upright

rechts right-hand, right

rechtsaf to the right

rechtschapen honourable

rechtstreeks direct

de **rechtszaak** trial

rechtuit straight ahead

rechtvaardig just, righteous, right

de **rechtvaardigheid** justice

recital recital

de **reclame** advertising, publicity

de **reclamespot** commercial

het **record** record

de **recreatie** recreation

het **recreatiecentrum** recreation centre

de **rector** headmaster, principal

het **reçu** receipt

recyclen recycle

de **redacteur** editor

redden save, rescue

de **redder** saviour

de **redding** rescue

de **reddingsgordel** lifebelt

de **rede**[1] sense · reason

de **rede**[2] ~s speech

redelijk reasonable

de **reden** reason

redeneren reason

de **reder** shipowner

redetwisten argue

reduceren reduce

de **reductie** discount, reduction, rebate

reeds already

het **reekalf** fawn

de **reeks** series · sequence

de **reep** strip · bar

de **referentie** reference

de **reflector** reflector

de **reformatie** reformation

het **refrein** refrain

de **regel** fine · rule ♦ *in de* ~ as a rule

regelen arrange · settle · regulate

de **regeling** arrangement · settlement · regulation

regelmatig regular

de **regen** rain

regenachtig rainy

de **regenboog** rainbow

de **regenbui** shower

regenen rain

de **regenjas** mackintosh, raincoat

regeren rule, govern, reign

de **regering** government · reign

de **regie** direction

het **regime** regime

regionaal regional

de **regisseur** director

het **register** record · index

de **registratie** registration

het **reglement** regulation

de **reiger** heron

rein pure

reinigen clean ♦ *chemisch* ~ dry-clean

de **reiniging** cleaning

het **reinigingsmiddel** cleaning fluid

de **reis** journey · trip, voyage

de **reisagent** travel agent

het **reisbureau** travel agency

de **reischeque** traveller's cheque

de **reiskosten** fare · travelling expenses

het **reisplan** itinerary

de **reisroute** itinerary

de **reisverzekering** travel insurance

de **reiswieg** carry cot

reizen travel

de **reiziger** traveller

de **rek** elasticity

rekbaar elastic

rekenen reckon

de **rekening** account · bill · *(Am)* check

de **rekenkunde** arithmetic

de **rekenmachine** adding machine

rekken stretch

de **rekruut** recruit

de **rel** riot

de **relatie** relation · connection

relatief relative · comparative

het **reliëf** relief

het **relikwie** relic

de **reling** rail

de **rem** brake

de **remlichten** brakelights

remmen brake

de **remtrommel** brake drum

de **renbaan** racecourse · track · racetrack

rendabel paying

het **rendier** reindeer

rennen run*

het **renpaard** racehorse

de **rente** interest

de **reparatie** repair

repareren repair, fix · mend

het **repertoire** repertory

repeteren rehearse

de **repetitie** rehearsal

representatief representative

reproduceren reproduce

de **reproductie** reproduction

het **reptiel** reptile

de **republiek** republic

republikeins republican

de **reputatie** reputation · fame

de **reserve** reserve ◆ *reserve-* spare

de **reserveband** spare tyre

reserveren reserve · book

de **reservering** reservation · booking

het **reservewiel** spare wheel

het **reservoir** reservoir · container

resoluut resolute

het **respect** respect · esteem, regard

respectabel respectable

respecteren respect

respectievelijk respective

de **rest** rest · remainder · remnant

het **restant** remainder · remnant

het **restaurant** restaurant

de **restauratiewagen** dining car

de **restrictie** qualification

het **resultaat** result · outcome, issue

resulteren result

het **retour** return journey, *(Am)* round trip

de **retourvlucht** return flight

de **reuma** rheumatism

de **reumatiek** rheumatism

de **reus** giant

reusachtig huge · gigantic, enormous, immense

het **reuzenrad** Ferris wheel

de **revalidatie** rehabilitation

reviseren overhaul

de **revolutie** revolution

revolutionair revolutionary

de **revolver** gun, revolver

de **rib** rib

het **ribfluweel** corduroy

richten direct ◆ ~ op aim at

de **richting** direction · way

de **richtingaanwijzer** indicator · (Am) directional signal

de **richtlijn** directive

de **ridder** knight

de **riem** belt · strap · lead

het **riet** reed · cane

het **rietje** straw

het **rif** reef

de **rij** row, rank · line · file, queue ◆ in de ~ staan queue; (Am) stand in line

de **rijbaan** carriageway · (Am) roadway

het **rijbewijs** driving licence

rijden drive* · ride*

rijgen thread

het **rijk**¹ kingdom, empire ◆ ~s- imperial

rijk² bn rich · wealthy

de **rijkdom** wealth, riches

het **rijm** rhyme

rijp ripe, mature

de **rijpheid** maturity

de **rijst** rice

de **rijstrook** lane

het **rijtuig** carriage · coach

de **rijweg** drive

het **rijwiel** cycle · bicycle

rillen shiver · tremble

rillerig shivery

de **rilling** chill · shiver, shudder

de **rimpel** wrinkle

de **ring** ring

de **ringtone** ringtone

de **ringweg** bypass

het **riool** sewer

het **risico** risk · chance, hazard

riskant risky

de **rit** ride

het	**ritme** rhythm	het	**roest** rust
de	**ritssluiting** zipper, zip		**roestig** rusty
de	**rivaal** rival	het	**roet** soot
	rivaliseren rival	de	**rogge** rye
de	**rivaliteit** rivalry	de	**rok** skirt
de	**rivier** river		**roken** smoke
de	**riviermonding** estuary	de	**roker** smoker
de	**rivieroever** riverside	de	**rol** roll
	r.-k. *(rooms-katholiek)* Roman Catholic	het	**rolgordijn** blind
		de	**rollator** Zimmer frame
de	**rob** seal		**rollen** roll
de	**robijn** ruby	de	**rolstoel** wheelchair
	roddelen gossip	de	**roltrap** escalator
de	**rodehond** German measles	de	**roman** novel
		de	**romance** romance
de	**roede** rod	de	**romanschrijver** novelist
de	**roeiboot** rowing boat		**romantisch** romantic
	roeien row		**romig** creamy
de	**roeiriem** oar	de	**rommel** mess · litter · trash, junk
de	**roem** glory · celebrity, fame		
		de	**rommelmarkt** flea market
de	**Roemeen** Rumanian	de	**romp** trunk · shell
	Roemeens Rumanian		**rond**[1] *bn* round
	Roemenië Rumania		**rond**[2] *vz* around
de	**roep** call, cry	de	**ronde** round
	roepen call · cry, shout	het	**rondje** round
het	**roer** rudder, helm		**rondom**[1] *bw* around
	roeren stir		**rondom**[2] *vz* round
	roerend movable	de	**rondreis** tour

rondreizend itinerant
rondtrekken tramp
rondzwerven wander
de **röntgenfoto** X-ray
rood red
het **roodborstje** robin
het **roodkoper** copper
de **roodvonk** scarlet fever
de **roof** robbery
het **roofdier** beast of prey
de **rook** smoke
de **rookcoupé** smoker
de **rookkamer** smoking room
de **room** cream
de **roomboter** butter
roomkleurig cream
rooms-katholiek Roman Catholic
de **roos¹** *rozen* rose
de **roos²** dandruff
het **rooster** grate · schedule
roosteren grill, roast
rot rotten
het **rotan** rattan
de **rotonde** roundabout
de **rots** rock · cliff
rotsachtig rocky
het **rotsblok** boulder
de **rouge** (ook: het) rouge

de **roulette** roulette
de **route** route
de **routine** routine
de **rouw** mourning
royaal generous · liberal
roze rose, pink
de **rozenkrans** rosary, beads
de **rozijn** raisin
de **RSI** RSI
het **rubber** rubber
de **rubriek** column
de **rug** back
de **ruggengraat** spine, backbone
de **rugpijn** backache
de **rugzak** rucksack
ruiken smell*
de **ruil** exchange
ruilen exchange · swap
het **ruim¹** hold
ruim² *bn* broad, large · roomy, spacious
de **ruimte** room, space
de **ruïne** ruins
ruïneren ruin
de **ruit** cheek · pane
de **ruitenwisser** windscreen wiper · (Am) windshield wiper

de **ruiter** horseman · rider

de **ruk** tug, wrench

het **rumoer** noise

het **rund** cow

het **rundvlees** beef

de **Rus** Russian

Rusland Russia

Russisch Russian

de **rust** rest · quiet · half-time

de **rusteloosheid** unrest

rusten rest

het **rusthuis** rest home

rustiek rustic

rustig calm, quiet · restful, tranquil

ruw rough, harsh

de **ruzie** row, quarrel, dispute ♦ ~ *maken* quarrel

saai dull, boring

de **sacharine** saccharin

de **safe sex** safe sex

het **saffier** sapphire

salade salad

het **salaris** salary · pay

het **saldo** balance

de **salmonella** salmonella

de **salon** drawing room, lounge · salon

samen together

samenbinden bundle

samenbrengen combine

de **samenhang** coherence

de **samenleving** community

de **samenloop** concurrence

samenstellen compose, compile

de **samenstelling** composition

samenvallen coincide

de **samenvatting** résumé, summary

samenvoegen join

samenwerken cooperate

de **samenwerking** co-operation

samenwonen live together

samenzweren conspire

de **samenzwering** plot

het **sanatorium** sanatorium

de **sandaal** sandal

sanitair sanitary

het **sap** juice

sappig juicy

de **sardine** sardine

de **satelliet** satellite

het **satijn** satin

Saudi-Arabië Saudi Ara-

bia
Saudi-Arabisch Saudi Arabian

de **sauna** sauna

de **saus** sauce

Scandinavië Scandinavia

de **Scandinaviër** Scandinavian

Scandinavisch Scandinavian

de **scanner** scanner

de **scène** scene

de **schaafwond** graze

schaak! check!

het **schaakbord** *(Am)* checkerboard

het **schaakspel** chess

de **schaal** dish · bowl · scale

het **schaaldier** shellfish

de **schaamte** shame

het **schaap** sheep

de **schaar** scissors

schaars scarce

de **schaarste** scarcity

de **schaats** skate

schaatsen skate

de **schade** damage · harm, mischief

de **schadeclaim** insurance claim (for damage)

schadelijk harmful · hurtful

de **schadeloosstelling** indemnity

schaden harm

de **schadevergoeding** compensation, indemnity

de **schaduw** shade · shadow

schaduwrijk shady

de **schakel** link

de **schakelaar** switch

het **schakelbord** switchboard

schakelen change gear

schaken play chess

zich **schamen** be* ashamed

het **schandaal** scandal

de **schande** disgrace, shame

het **schapenvlees** mutton

het **scharnier** hinge

de **schat** treasure · darling

de **schatkist** treasury

schatten evaluate, estimate, value · appreciate

de **schatting** estimate · appreciation

de **schedel** skull

scheef slanting

scheel cross-eyed

het **scheenbeen** shinbone

de **scheepswerf** shipyard

de **scheepvaart** navigation

de **scheepvaartlijn** shipping line

het **scheerapparaat** safety razor, electric razor, shaver

de **scheercrème** shaving cream

de **scheerkwast** shaving brush

de **scheerlijn** guy rope

het **scheermesje** razor blade

de **scheerzeep** shaving soap

de **scheet** fart

scheiden separate · divide, part · divorce

de **scheiding** division · parting

de **scheidsrechter** umpire · referee

de **scheikunde** chemistry

scheikundig chemical

schelden scold

de **schelm** rascal

de **schelp** shell

de **schelvis** haddock

het **schema** diagram · scheme

de **schemering** twilight

de **schemerlamp** floor lamp

de **schending** violation

schenken pour · donate

de **schenking** donation

de **schep** scoop

scheppen create

het **schepsel** creature

zich **scheren** shave

de **scherf** fragment

het **scherm** screen

schermen fence

scherp sharp · keen

de **schets** sketch

het **schetsboek** sketchbook

schetsen sketch

de **scheur** tear

scheuren rip, tear*

de **scheut** dash

het **schiereiland** peninsula

schieten shoot*, fire

de **schietschijf** mark

de **schijf** disc

de **schijn** semblance

schijnbaar apparent

schijnen appear, seem · shine*

schijnheilig hypocritical

de **schijnwerper** spotlight, searchlight

schikken suit

de **schikking** settlement

de **schil** skin · peel

de **schilder** painter

schilderachtig scenic, picturesque

schilderen paint

het **schilderij** painting, picture

de **schildpad** turtle

de **schilfer** scale

de **schillen** peel

de **schimmel** mildew

het **schip** ship, boat, vessel

schitterend brilliant, splendid

de **schittering** glare

de **schnitzel** schnitzel

de **schoen** shoe

de **schoenmaker** shoemaker

de **schoensmeer** shoepolish

de **schoenveter** shoelace

de **schoenwinkel** shoe shop

de **schoft** bastard

de **schok** shock

de **schokbreker** shock absorber

de **schokdemper** shock absorber

schokken shock

de **schol** plaice

de **schommel** swing

schommelen rock, swing*

de **school** school · college ◆ *middelbare* ~ secondary school

de **schoolbank** desk

het **schoolbord** blackboard

het **schoolhoofd** headmaster, head teacher

de **schooljongen** schoolboy

de **schoolmeester** teacher

het **schoolmeisje** schoolgirl

schools scholastic

de **schoolslag** breaststroke

de **schooltas** satchel

schoon clean

de **schoonheid** beauty

de **schoonheidsbehandeling** beauty treatment

het **schoonheidsmasker** face pack

de **schoonheidsmiddelen** cosmetics

de **schoonheidssalon** beauty salon, beauty parlour

de **schoonmaak** cleaning

schoonmaken clean

de **schoonmoeder** mother-in-law

de **schoonouders** parents-in-law

de **schoonvader** father-in-law

de **schoonzoon** son-in-law

de **schoonzuster** sister-in-law

de **schoorsteen** chimney

de **schop** kick · spade, shovel

schoppen kick

schor hoarse

schorsen suspend

het **schort** apron

het **schot** shot

de **Schot** Scot

de **schotel** dish ♦ ~*tje* saucer

de **schotelantenne** satellite dish

Schotland Scotland

Schots Scottish

de **schouder** shoulder

de **schouwburg** theatre

het **schouwspel** spectacle

de **schram** scratch

schrappen scrape

de **schrede** pace

de **schreeuw** scream, cry, shout

schreeuwen scream, cry, shout

schriftelijk written, in writing

de **schrijfbehoeften** stationery

het **schrijfblok** writing pad

de **schrijfmachine** typewriter

het **schrijfpapier** notepaper · writing paper

de **schrijftafel** bureau · desk

de **schrijn** shrine

schrijven write*

de **schrijver** author, writer

de **schrik** fright, scare ♦ ~ *aanjagen* terrify

het **schrikdraad** electric fence

het **schrikkeljaar** leap year

schrikken be* frightened ♦ *doen* ~ frighten, scare

schrobben scrub

de **schroef** screw · propeller

de **schroefsleutel** spanner

schroeven screw

de **schroevendraaier** screwdriver

het **schroot** scrap iron

de **schub** scale

schudden shake* · shuffle

de **schuifdeur** sliding door

de **schuilplaats** cover · shelter

het **schuim** froth, lather, foam

schuimen foam

de **schuimkraag** head

het **schuimrubber** foam rubber

de **schuimspaan** skimmer

schuin slanting

schuiven push

de **schuld**¹ guilt · fault, blame ♦ de ~ geven aan blame

de **schuld**² debt

de **schuldeiser** creditor

schuldig guilty ♦ ~ bevinden convict; ~ zijn owe

de **schuur** barn · shed

het **schuurpapier** sandpaper

schuw shy

de **scooter** (motor) scooter

scoren score

scrollen scroll

de **seconde** second

de **secretaresse** secretary

de **secretaris** secretary · clerk

de **sectie** section

secundair secondary

secuur precise

sedert since

het **sein** signal

seinen signal

het **seizoen** season ♦ buiten het ~ off season

de **seks** sex

de **sekse** sex

de **seksualiteit** sexuality

seksueel sexual

de **sekte** sect

de **selderij** celery

select select

selecteren select

de **selectie** selection

de **senaat** senate

de **senator** senator

seniel senile

de **sensatie** sensation

sensationeel sensational

sentimenteel sentimental

september September

septisch septic

de **serie** series

serieus serious

seropositief HIV-positive

het **serum** serum

de **serveerster** waitress

serveren serve

het **servet** napkin, serviette

de **service** service

het **servies** service

de **sfeer** atmosphere · sphere

de **shag** cigarette tobacco

de **shampoo** shampoo

de **sherry** sherry

Siamees Siamese

de **sifon** syphon, siphon

de **sigaar** cigar

de **sigarenwinkel** cigar shop

de **sigarenwinkelier** tobacconist

de **sigaret** cigarette

de **sigarettenkoker** cigarette case

het **sigarettenpijpje** cigarette holder

het **signaal** signal

het **signalement** description

de **simkaart** SIM card

simpel simple

de **sinaasappel** orange

sinds since

sindsdien since

de **singel** canal

de **sirene** siren

de **siroop** syrup

de **site** site

de **situatie** situation

de **sjaal** shawl · scarf

de **skeelers** skeelers

het **skelet** skeleton

de **ski** ski

de **skibroek** skipants

skiën ski

de **skiër** skier

de **skilift** ski lift

de **skischoenen** ski boots

de **skistokken** ski sticks · *(Am)* ski poles

de **sla** lettuce · salad

de **slaaf** slave

slaan beat* · hit*, strike* · smack, slap

de **slaap¹** sleep ♦ *in* ~ asleep

de **slaap²** *slapen* temple

de **slaapkamer** bedroom

de **slaappil** sleeping pill

de **slaapwagen** sleeping car

de **slaapzaal** dormitory

de **slaapzak** sleeping bag

het **slachtoffer** victim · casualty

de **slag¹** ~*en* blow · battle

het **slag²** sort

de **slagader** artery

de **slagboom** barrier

slagen manage, succeed · pass

de **slager** butcher

de **slagerij** butcher's (shop)

de **slagroom** whipped cream

de **slagzin** slogan

de **slak** snail

de **slang** snake

slank slim, slender

de **slaolie** salad oil

slap limp · weak

slapeloos sleepless

de **slapeloosheid** insomnia

slapen sleep*

slaperig sleepy

slecht bad · poor · wicked, evil ♦ ~er worse; ~st worst

slechts only, merely

de **slede** sledge

de **slee** sleigh, sledge

de **sleepboot** tug

slepen drag, haul · tug, tow

de **sleutel** key · wrench

het **sleutelbeen** collarbone

het **sleutelgat** keyhole

het **slijm** mucus

slijpen sharpen

de **slijtage** wear (and tear)

de **slijterij** off-licence

slikken swallow

slim clever

de **slip** briefs · panties

slippen slip · skid

het **slippertje** een ~ maken have a bit on the side

de **slof** slipper · carton

de **slok** sip

de **slokdarm** gullet

het **slokje** sip

sloom listless

de **sloot** ditch

slopen demolish

slordig untidy · slovenly, sloppy, careless

het **slot**[1] ~en lock · castle ♦ op ~ doen lock

het **slot**[2] end, issue

de **sluier** veil

de **sluiproute** short cut

de **sluipschutter** sniper

de **sluis** lock, sluice

sluiten close, shut* · fasten

de **sluiting** fastener

sluw cunning

de **smaak** taste · flavour

smakelijk savoury, tasty · appetizing

smakeloos tasteless

smaken taste

smal narrow

het **smaragd** emerald

de **smart** grief

het **smartengeld** damages

de **smartlap** tear jerker

de **smeerolie** lubrication oil

het **smeersysteem** lubrication system

smeken beg

smelten melt

de **smeltsneeuw** slush

smeren lubricate, grease

smerig dirty · foul, filthy

de **smering** lubrication

de **smet** blot

de **smid** smith, blacksmith

de **smoking** dinner jacket · (Am) tuxedo

smokkelen smuggle

sms'en text

smullen feast

de **snaar** string

de **snack** snack

de **snackbar** snack bar

snappen get

de **snavel** beak

de **snee** cut · slice

de **sneeuw** snow

sneeuwen snow

de **sneeuwstorm** snow-storm, blizzard

snel fast, swift, rapid

de **snelheid** speed ♦ maximumsnelheid speed limit

de **snelheidsbeperking** speed limit

de **snelheidsmeter** speedometer

de **snelheidsovertreding** speeding

de **snelkookpan** pressure cooker

snellen dash

de **sneltram** express tram

de **sneltrein** express train

de **snelweg** motorway

snijden cut* · carve

de **snijwond** cut

de **snipper** scrap

de **snipperdag** day off

de **snoek** pike

het **snoep** sweets · (Am) can-

dy
snoepen eat sweets
het **snoepgoed** sweets · *(Am)* candy
het **snoepje** sweet · *(Am)* candy
de **snoepwinkel** sweetshop · *(Am)* candy store
het **snoer** fine, cord · flex · electric cord
de **snor** moustache
de **snorkel** snorkel
het **snot** (nasal) mucus
snugger bright
de **snuit** snout
snuiten blow (one's nose)
snurken snore
de **soa** VD
sociaal social
het **socialisme** socialism
de **socialist** socialist
socialistisch socialist
de **sociëteit** club
het **sodawater** sodawater
de **soep** soup
het **soepbord** soup plate
soepel supple, flexible
de **soeplepel** soup spoon
de **sofa** sofa

het **softijs** soft ice-cream
de **software** software
de **soja** soy
de **sok** sock
de **soldaat** soldier
de **soldeerbout** soldering iron
solderen solder
solide solid
de **sollicitatie** application
solliciteren apply
de **som** sum · amount ♦ *ronde* ~ lump sum
somber gloomy, sombre
sommige some
soms sometimes
de **soort** (ook: het) sort, kind · breed, species
het **sop** (soap)suds
sorry sorry
sorry! sorry!
sorteren assort, sort
de **sortering** assortment
het **souterrain** basement
het **souvenir** souvenir
de **spaak** spoke
Spaans Spanish
de **spaarbank** savings bank
het **spaargeld** savings

spaarzaam economical

de **spade** spade

de **spalk** splint

de **Spanjaard** Spaniard

Spanje Spain

spannend exciting

de **spanning** tension · pressure, strain, stress

de **spar** spruce

sparen save · economize

de **spat** stain, spot, speck

de **spatader** varicose vein

het **spatbord** mudguard

de **spatie** space

spatiëren space

spatten splash

de **specerij** spice

de **specht** woodpecker

speciaal special · particular, peculiar

zich **specialiseren** specialize

de **specialist** specialist

de **specialiteit** speciality

specifiek specific

het **specimen** specimen

speculeren speculate

het **speeksel** spit

het **speelgoed** toy

de **speelgoedwinkel** toyshop

de **speelkaart** playing card

de **speelplaats** playground

het **speelterrein** recreation ground

de **speeltuin** playground

de **speer** spear

het **spek** bacon

het **spel**[1] ~en game

het **spel**[2] ~len play

de **speld** pin

spelen play

de **speler** player

spellen spell*

de **spelling** spelling

de **spelonk** cave

het **sperma** sperm

de **spiegel** looking glass, mirror

het **spiegelbeeld** reflection

de **spier** muscle

spijbelen play truant

de **spijker** nail

de **spijkerbroek** jeans

de **spijskaart** menu

de **spijsvertering** digestion

de **spijt** regret

de **spin** spider

de **spinazie** spinach

spinnen spin*

het **spinnenweb** spiderweb, cobweb

de **spion** spy

de **spiritusbrander** spirit stove

het **spit¹** ~ten spit

het **spit²** lumbago

de **spits¹** peak · spire

spits² bn pointed

het **spitsuur** rush hour, peak hour

splijten split*

de **splinter** splinter

splinternieuw brand new

zich **splitsen** fork

de **spoed** haste, speed

de **spoedcursus** intensive course

het **spoedgeval** emergency

spoedig soon, shortly

de **spoel** spool

spoelen rinse

de **spoeling** rinse

de **spons** sponge

het **spook** ghost, phantom · spook

het **spoor** trace · trail, track

de **spoorbaan** railway · *(Am)* railroad

het **spoorboekje** timetable

de **spoorweg** railway · *(Am)* railroad

de **sport** sport

sporten practise a sport

het **sportjasje** sports jacket, blazer

de **sportkleding** sportswear

de **sportman** sportsman

de **sportwagen** sports car

de **spot** mockery

de **spraak** speech ♦ *ter sprake brengen* bring* up

spraakzaam talkative

spraakloos speechless

de **spreekkamer** surgery

het **spreekuur** consultation hours

het **spreekwoord** proverb

de **spreeuw** starling

de **sprei** counterpane, quilt

spreiden spread*

spreken speak*, talk

springen jump · leap*

de **springstof** explosive

de **sprinkhaan** grasshopper

de **sproeier** atomizer

de **sprong** jump · hop, leap

het **sprookje** fairytale

de **spruitjes** sprouts

de **spuit** syringe

de **spuitbus** atomizer

het **spuitwater** sodawater

het **spul** stuff, things

het **spuug** spit

spuwen spit*

het **staal** steel ♦ *roestvrij* ~ stainless steel

staan stand* ♦ *goed* ~ become*; suit

de **staart** tail

de **staat** state ♦ *in* ~ *stellen* enable; *in* ~ *zijn om* be* able to; ~*s*- national

het **staatsburgerschap** citizenship

het **staatshoofd** head of state

de **staatsman** statesman

stabiel stable

de **stacaravan** caravan

de **stad** town · city

het **stadhuis** town hall

het **stadion** stadium

het **stadium** stage

het **stadscentrum** town centre

het **stadslicht** parking light

de **stadsmensen** townspeople

de **staf** staff

staken strike* · stop, discontinue

de **staking** strike

de **stal** stable

stallen garage

de **stalles** stall · *(Am)* orchestra seat

de **stam** trunk · tribe

stamelen falter

stampen stamp, thump

stampvol chock-full

de **stand** score ♦ *tot* ~ *brengen* realize

het **standbeeld** statue

het **standpunt** point of view

standvastig steadfast

de **stang** rod, bar

de **stank** stench

de **stap** step · pace · move

de **stapel** stack, heap, pile

stappen step

staren gaze, stare

de **start** take-off

de **startbaan** runway

starten take* off

de **startmotor** starter motor

het **statiegeld** deposit

het **station** station, *(Am)* depot

de **stationschef** station master

de **statistiek** statistics

stedelijk urban

steeds continually

de **steeg** alley, lane

de **steek** stitch, sting, bite

de **steel** stem, handle

de **steelpan** saucepan

de **steen** stone · brick

de **steengroeve** quarry

de **steenpuist** boil

de **steigers** scaffolding

steil steep

het **stekelvarken** porcupine

steken sting*

de **stekker** plug

het **stel** set

stelen steal*

stellen put*

de **stelling** thesis

het **stelsel** system ♦ *tientallig* ~ decimal system

de **stem** voice, vote

stemmen vote

de **stemming¹** mood · atmosphere · spirits

de **stemming²** ~*en* vote

de **stempel** stamp

het **stemrecht** suffrage

stenen stone

de **stenograaf** stenographer

de **stenografie** shorthand

de **ster** star

sterfelijk mortal

het **sterfgeval** death

steriel sterile

steriliseren sterilize

sterk powerful, strong ♦ ~*edrank* spirits

de **sterkte** strength

het **sterrenbeeld** sign of the zodiac

de **sterrenkunde** astronomy

sterven die

de **steun** assistance, support relief

steunen support

de **steunkousen** support hose

de **steunzool** arch support

de **steurgarnaal** prawn

stevig solid, firm

de **steward** steward

de **stewardess** stewardess

stichten found

de **stichting** foundation

de **sticker** sticker

het **stiefkind** stepchild

de **stiefmoeder** stepmother

de **stiefvader** stepfather

stiekem in secret

de **stier** bull

het **stierengevecht** bullfight

de **stift** felt-tip · style

stijf stiff

het **stijfsel** starch

de **stijgbeugel** stirrup

stijgen rise* · climb

de **stijging** rise · climb, ascent

de **stijl** style

stijven starch

stikken choke

de **stikstof** nitrogen

stil silent · quiet · still

Stille Oceaan Pacific Ocean

stilstaand stationary

de **stilte** silence · stillness, quiet

stimuleren stimulate

stinken smell* · stink*

stinkend smelly

stipt punctual

de **stoel** chair · seat

de **stoelgang** stool

de **stoep** *(Am)* sidewalk · pavement

de **stoet** procession

de **stof¹** ~*fen* fabric, cloth, material · matter ♦ ~*fen* drapery; *vaste* ~ solid

het **stof²** dust

stoffelijk substantial, material

stoffig dusty

de **stofwisseling** metabolism

stofzuigen hoover · *(Am)* vacuum

de **stofzuiger** vacuum cleaner

de **stok** stick · cane

het **stokbrood** baguette

het **stokpaardje** hobby horse

de **stola** stole

stollen coagulate

stom mute, dumb

de **stomerij** drycleaner's

stomp blunt

stompen punch

de **stookolie** fuel oil

de **stoom** steam

de **stoomboot** steamer

de **stoot** bump

de **stop** stopper, cork

het **stopcontact** socket

het **stopgaren** darning wool

het **stoplicht** traffic light

stoppen stop, halt · put* · darn

de **stoptrein** stopping train, local train

storen disturb · trouble

de **storing** disturbance

de **storm** storm · gale, tempest

stormachtig stormy

de **stormlamp** hurricane lamp

de **stortbui** downpour

storten shed* · deposit

de **storting** remittance, deposit

stoten bump

stotteren stutter

stout naughty, bad

de **straal** squirt, spout, jet · ray, beam · radius

het **straalvliegtuig** turbojet, jet

de **straat** street · road

de **straatweg** causeway

de **straf** punishment · penalty

strafbaar punishable

straffen punish

het **strafrecht** criminal law

de **strafschop** penalty kick

strak tight ♦ ~ker maken tighten

straks in a moment

de **straling** radiation

het **strand** beach

de **streek** region · district, country, area · trick

de **streep** line · stripe

de **streepjescode** bar code

streng strict, harsh · severe

de **stress** stress

de **stretcher** camp bed · (Am) cot

streven aspire

de **strijd** fight, combat, battle · struggle, strife, contest

strijden fight* · struggle

de **strijdkrachten** armed forces

strijken iron · strike*, lower

het **strijkijzer** iron

de **strijkplank** ironing board

het **strikje** bow tie

strikt strict

het **stripverhaal** comics

het **stro** straw

het **strodak** thatched roof

stromen stream, flow

de **stroming** current

de **strook** strip

de **stroom** stream · current

stroomafwaarts downstream

stroomopwaarts upstream

de **stroomverdeler** distributor

de **stroomversnelling** rapids

de **stroop** syrup

de **stropdas** tie

stropen poach

de **structuur** structure · fabric, texture

de **struik** scrub, bush, shrub

struikelen stumble

de **struisvogel** ostrich

de **studeerkamer** study

de **student** student

de **studente** student

studeren study

de **studie** study

de **studiebeurs** scholarship

stuitend revolting

het **stuk**[1] part, piece, lump, chunk · fragment · stretch

stuk[2] bn broken

stukgaan break* down

sturen send* · navigate

het **stuur** steering wheel

het **stuurboord** starboard

de **stuurkolom** steering column

de **stuurman** steersman, helmsman

het **stuurwiel** steering wheel

het **stuwmeer** storage reservoir

de **subsidie** subsidy

de **substantie** substance

subtiel subtle

het **succes** success

succesvol successful

het **suède** (ook: de) suede

suf dumb

de **suggestie** suggestion

de **suiker** sugar

het **Suikerfeest** Sugar feast

het **suikerklontje** lump of

sugar
de **suikerzieke** diabetic
de **suikerziekte** diabetes
de **suite** suite
summier concise
de **super¹** super
super² bw super
superieur superior
de **superlatief** superlative
de **supermarkt** supermarket
het **supplement** supplement
de **suppoost** custodian, usher
de **supporter** supporter
surfen be surfing · be windsurfing · surf
de **surfplank** surfboard
surveilleren patrol
Swahili Swahili
de **sweater** sweater
het **symbool** symbol
de **symfonie** symphony
de **sympathie** sympathy
sympathiek nice
het **symptoom** symptom
de **synagoge** synagogue
het **synoniem** synonym
synthetisch synthetic
Syrië Syria

de **Syriër** Syrian
Syrisch Syrian
het **systeem** system
systematisch systematic
taai tough
de **taak** task · duty
de **taal** language · speech
de **taalgids** phrase book
de **taart** cake
de **tabak** tobacco
de **tabakswinkel** tobacconist's
de **tabakszak** tobacco pouch
de **tabel** chart, table
het **tablet** tablet
het **taboe** taboo
tachtig eighty
de **tactiek** tactics
de **tafel** table
het **tafellaken** table cloth
het **tafeltennis** table tennis, ping-pong
de **taille** waist
de **tak** branch, bough
het **talenpracticum** language laboratory
het **talent** faculty, talent
het **talkpoeder** (ook: de) talcum powder

talrijk numerous

tam tame

tamelijk pretty, fairly, quite, rather

de **tampon** tampon

de **tand** tooth

de **tandarts** dentist

de **tandem** tandem

de **tandenborstel** toothbrush

de **tandenstoker** toothpick

de **tandpasta** (ook: het) toothpaste

de **tandpijn** toothache

het **tandpoeder** (ook: de) toothpowder

het **tandvlees** gum

de **tang** tongs, pliers

de **tanga** tanga

de **tank** tank

het **tankschip** tanker

de **tante** aunt

het **tapijt** carpet

het **tarief** rate, tariff · fare

de **tarwe** wheat

de **tas** bag

tastbaar palpable · tangible

de **tastzin** touch

de **tatoeage** tattoo

taxeren estimate

de **taxi** cab, taxi

de **taxichauffeur** cab driver, taxi driver

de **taximeter** taximeter

de **taxistandplaats** taxi rank · (Am) taxistand

te too

het **team** team

de **tearoom** tea room

de **technicus** technician

de **techniek** technique

technisch technical

de **technologie** technology

teder delicate, tender

de **teef** bitch

de **teek** tick

de **teen** toe

de **teer**¹ (ook: het) tar

teer² *bn* gentle, tender

de **tegel** tile

tegelijk at the same time · at once

tegelijkertijd simultaneously

de **tegemoetkoming** concession

tegen against

het **tegendeel** contrary, reverse

tegengesteld contrary, opposite

tegenkomen come* across, meet* · run* into

tegenover opposite, facing

de **tegenslag** misfortune · reverse

tegenspreken contradict

de **tegenstander** opponent

de **tegenstelling** contrast

tegenstrijdig contradictory

tegenvallen be* disappointing

tegenwerpen object

de **tegenwerping** objection

tegenwoordig¹ bn present

tegenwoordig² bw nowadays

de **tegenwoordigheid** presence

de **tegenzin** aversion

het **tehuis** home · asylum

de **teint** complexion

het **teken** sign · indication, signal · token

tekenen draw*, sketch ·

sign

de **tekenfilm** cartoon

de **tekening** drawing, sketch

het **tekort** shortage · deficit

de **tekortkoming** shortcoming

tekortschieten fail

de **tekst** text

de **tekstverwerker** word processor

de **tel** second

telefoneren phone

de **telefoniste** operator, telephonist

de **telefoon** phone, telephone

het **telefoonboek** telephone directory · (Am) telephone book

de **telefooncel** telephone booth

de **telefooncentrale** telephone exchange

het **telefoongesprek** telephone call

de **telefoongids** telephone directory · (Am) telephone book

de **telefoonhoorn** receiver

de **telefoonkaart** phonecard

het **telefoontje** call

telegraferen cable, telegraph

het **telegram** cable, telegram

de **telelens** telephoto lens

de **telepathie** telepathy

de **teletekst** teletext

teleurstellen disappoint · let* down

de **teleurstelling** disappointment

de **televisie** television

het **televisietoestel** television set

telkens again and again

tellen count

het **telwoord** numeral

temmen tame

de **tempel** temple

de **temperatuur** temperature

het **tempo** pace

de **tendens** tendency

tenminste at least

het **tennis** tennis

de **tennisbaan** tennis court

de **tennisschoenen** tennis shoes

tenslotte at last

de **tent** tent

het **tentdoek** canvas

tentoonstellen exhibit · show*

de **tentoonstelling** exposition, exhibition · display, show

tenzij unless

de **tepel** nipple

de **teraardebestelling** burial

terecht¹ bn just

terecht² bw rightly

de **terechtstelling** execution

terloops casual

de **term** term

de **termijn** term

de **terpentijn** turpentine

het **terras** terrace

het **terrein** terrain · grounds

de **terreur** terrorism

het **terrorisme** terrorism

de **terrorist** terrorist

terug back

terugbetalen repay* · reimburse, refund

de **terugbetaling** repayment, refund

terugbrengen bring* back

teruggaan go* back, get*

back

de **teruggang** depression, recession

de **terugkeer** return

terugkeren return · turn back

terugkomen return

de **terugreis** return journey

terugroepen recall

terugsturen send* back

terugtrekken withdraw*

terugvinden recover

de **terugweg** way back

terugzenden send* back

terwijl whilst, while

terzijde aside

de **test** test

het **testament** will

testen test

de **testikel** testicle

de **teug** draught

de **teugel** rein

tevens also

tevergeefs in vain

tevoren before ♦ *van ~* in advance

tevreden satisfied, content

de **tewaterlating** launching

teweegbrengen effect

tewerkstellen employ

de **tewerkstelling** employment

de **textiel** (ook: het) textile

de **tgv** High Speed Train

Thailand Thailand

de **Thailander** Thai

Thais Thai

thans now

het **theater** theatre

de **thee** tea

de **theedoek** tea cloth

het **theekopje** teacup

de **theelepel** teaspoon

de **theepot** teapot

het **theeservies** tea set

het **thema** theme · exercise

de **theologie** theology

theoretisch theoretical

de **theorie** theory

de **therapie** therapy

de **thermometer** thermometer

de **thermosfles**MERK vacuum flask, thermos flask

de **thermostaat** thermostat

thuis at home

het **ticket** ticket

tien ten

tiende tenth

de **tiener** teenager

de **tiet** boob

de **tijd** time ♦ *de laatste ~* lately; *op ~* in time; *vrije ~* spare time, leisure

tijdbesparend time-saving

tijdelijk temporary

tijdens during

de **tijdgenoot** contemporary

het **tijdperk** period

het **tijdschrift** review, periodical, journal

de **tijger** tiger

de **tijm** thyme

tikken type

het **timmerhout** timber

de **timmerman** carpenter

het **tin** tin, pewter

de **tip** tip

de **tiran** tyrant

de **tissue** paper handkerchief

de **titel** title · heading · degree

t/m *(tot en met)* up to and including

de **toast** (piece, slice of) toast

toch¹ *bw* still

toch² *vw* yet

de **tocht** draught

tochten be draughty

toe closed

het **toebehoren¹** accessories

toebehoren² *ww* belong

toedienen administer

de **toegang** admittance, admission, access · entry, entrance · approach

toegankelijk accessible

toegeven admit, acknowledge · give* in, indulge

de **toehoorder** auditor

toekennen award

de **toekomst** future

toekomstig future

de **toelage** allowance, grant

toelaten admit

de **toelating** admission

toelichten elucidate

de **toelichting** explanation

toen¹ *bw* then

toen² *vw* when

de **toename** increase

toenemen increase

toenemend progressive

toenmalig contemporary

toepassen apply

de **toepassing** application

toereikend adequate

het **toerisme** tourism

de **toerist** tourist

de **toeristenklasse** tourist class

het **toernooi** tournament

de **toeschouwer** spectator

toeschrijven aan assign to

toeslaan strike*

de **toeslag** surcharge

de **toespraak** speech

toestaan allow, permit

de **toestand** state · condition

het **toestel** apparatus, appliance · aircraft · extension

toestemmen agree, consent

de **toestemming** authorization, permission · consent

het **toetje** sweet

het **toetsenbord** keyboard

het **toeval** chance · luck

toevallig¹ bn accidental, casual, incidental

toevallig² bw by chance

toevertrouwen commit

toevoegen add

de **toevoeging** addition

toewijden dedicate

toewijzen allot

de **toezegging** promise

het **toezicht** supervision ♦ ~ houden op supervise

de **toffee** toffee

het **toilet** toilet, lavatory, (Am) bathroom · (Am) washroom

de **toiletbenodigdheden** toiletries

het **toiletpapier** toilet paper

de **toilettafel** dressing table

de **toilettas** toilet case

de **tol** toll

de **tolk** interpreter

tolken interpret

de **tolweg** (Am) turnpike

de **tomaat** tomato

de **ton** cask, barrel · ton

het **toneel** drama · stage

de **toneelkijker** binoculars

de **toneelschrijver** dramatist, playwright

de **toneelspeelster** actress

toneelspelen act

de **toneelspeler** actor · comedian

het **toneelstuk** play

tonen show* · display

de **tong** tongue · sole

het **tonicum** tonic

de **tonijn** tuna

de **toon** tone · note

de **toonbank** counter

de **toonladder** scale

de **toonzaal** showroom

de **toorn** anger

de **top** peak · top, sum

het **topje** tip

topless topless

het **toppunt** height · zenith

de **toren** tower

de **tornado** tornado

de **tosti** toasted ham and cheese sandwich

tot¹ vz until, to, till

tot² vw till ♦ ~ aan till; ~ zover so far

het **totaal¹** total ♦ in ~ altogether

totaal² bn total, overall · utter

de **totalisator** totalizator

totalitair totalitarian

total loss total loss

totdat till

de **touringcar** coach

de **touroperator** tour operator

het **touw** twine, rope, string

t.o.v. (ten opzichte van) with regard to

de **toverkunst** magic

traag slow · slack

de **traan** tear

trachten try, attempt

de **tractor** tractor

de **traditie** tradition

traditioneel traditional

de **tragedie** tragedy

tragisch tragic

trainen drill, train

de **trainer** trainer

de **training** training

het **traject** route

trakteren treat

de **tralie** bar

de **tram** tram, (Am) streetcar

de **trampoline** trampoline

de **transactie** deal, transaction

trans-Atlantisch transatlantic

de **transformator** transformer

de **transpiratie** perspiration

transpireren perspire

het **transport** transportation

transporteren transport

de **trap** stairs pl, staircase · kick

de **trapleuning** banisters

trappen kick

het **trauma** trauma

de **trechter** funnel

de **trede** step

treffen hit* · strike*

het **trefpunt** meeting place

de **trein** train ◆ *doorgaande ~* through train

de **trek¹** trait

de **trek²** appetite

trekken pull · draw* · extract · hike

de **trekker** trigger

de **trekking** draw

de **trekpleister** attraction

het **trema** diaeresis

treuren grieve

treurig sad

het **treurspel** drama

de **tribune** stand

triest depressing

trillen tremble · vibrate

de **triomf** triumph

triomfantelijk triumphant

het **troep** mess

de **troepen** troops

de **trombose** thrombosis

de **trommel** canister · drum

het **trommelvlies** eardrum

de **trompet** trumpet

de **troon** throne

de **troost** comfort

troosten comfort

de **troostprijs** consolation prize

de **tropen** tropics

tropisch tropical

de **trots¹** pride

trots² bn proud

het **trottoir** pavement · *(Am)* sidewalk

trouw true, faithful

trouwen marry

trouwens besides

de **trouwring** weddingring

de **trui** jersey · sweater

de **trut** cow

het **T-shirt** T-shirt

de **Tsjech** Czech

Tsjechië Czech Republic
Tsjechisch Czech
de **tube** tube
de **tuberculose** tuberculosis
de **tuin** garden
de **tuinbouw** horticulture
de **tuinman** gardener
de **tuit** nozzle
de **tulp** tulip
de **tumor** tumour
Tunesië Tunisia
de **Tunesiër** Tunisian
Tunesisch Tunisian
de **tunnel** tunnel
de **Turk** Turk
Turkije Turkey
Turks Turkish ♦ ~ *bad* Turkish bath
tussen between · among, amid
tussenbeide ~ *komen* interfere
de **tussenpersoon** intermediary
de **tussenpoos** interval
de **tussenruimte** space
het **tussenschot** partition, diaphragm
de **tussentijd** interim

de **tv** TV
twaalf twelve
twaalfde twelfth
twee two
tweede second
tweedehands second-hand
tweedelig twopiece
de **tweeling** twins
tweemaal twice
de **tweesprong** fork, road fork
tweetalig bilingual
de **twijfel** doubt
twijfelachtig doubtful
twijfelen doubt
de **twijg** twig
twintig twenty
twintigste twentieth
de **twist** quarrel
twisten quarrel, dispute
de **tyfus** typhoid
het **type** type
typen type
typisch typical
de **typiste** typist
u you
überhaupt at all
de **ui** onion

de **uil** owl

uit¹ *bw* out

uit² *vz* from, out of · for

uitademen expire, exhale

de **uitbarsting** outbreak

uitbenen bone

uitblinken excel

uitbreiden extend, enlarge, expand

de **uitbreiding** extension

uitbuiten exploit

uitbundig exuberant

uitdagen dare, challenge

de **uitdaging** challenge

uitdelen distribute · deal*

uitdoen put* out

de **uitdraai** print-out

uitdrogen dry out · dehydrate

uitdrukkelijk express, explicit

uitdrukken express

de **uitdrukking** expression · phrase

uiteindelijk¹ *bn* eventual

uiteindelijk² *bw* at last

uiten express · utter

uiteraard of course, naturally

het **uiterlijk¹** outside · look

uiterlijk² *bn* outward, external, exterior

uiterst extreme · utmost, very

het **uiterste** extreme

uitgaan go* out

de **uitgang** way out, exit · issue

het **uitgangspunt** starting point

de **uitgave** expense, expenditure · edition, issue

uitgebreid comprehensive, extensive

uitgelezen select

uitgeput exhausted

uitgestrekt vast

uitgeven spend* · publish, issue

de **uitgever** publisher

uitgezonderd except

de **uitgifte** issue

uitglijden slip

het **uithoudingsvermogen** stamina

de **uiting** expression

de **uitkering** payment

uitkiezen select

uitkijken watch out, look out ◆ ~ *naar* watch for

zich **uitkleden** undress

uitkomen come* out · come* true · be* convenient ◆ ~ *op* open on

de **uitkomst** issue

de **uitlaat** exhaust

de **uitlaatgassen** exhaust gases

de **uitlaatpijp** exhaust pipe

uitladen unload, discharge

de **uitleg** explanation

uitleggen explain

uitlenen lend*

uitleveren extradite

uitloggen log off

uitlokken provoke

uitmaken matter · determine · put* out

uitnodigen invite · ask

de **uitnodiging** invitation

uitoefenen exercise

uitpakken unpack · unwrap

uitputten exhaust

uitrekenen calculate

de **uitrit** exit

de **uitroep** exclamation

uitroepen exclaim

het **uitroepteken** exclamation mark

uitrusten rest · equip

de **uitrusting** equipment · gear, kit, outfit

uitschakelen switch off · disconnect

uitscheiden quit

uitschelden call names

de **uitslag** result · rash

uitslapen have a good lie-in

uitsluiten exclude

uitsluitend solely, exclusively

de **uitspraak** pronunciation · verdict

uitspreiden expand

uitspreken pronounce

het **uitstapje** trip, excursion

uitstappen get* off

uitstekend fine, excellent

het **uitstel** delay · respite

uitstellen delay, postpone · adjourn

uittrekken extract

de **uitvaart** funeral

uitverkocht sold out
de **uitverkoop** sales
uitvinden invent
de **uitvinder** inventor
de **uitvinding** invention
de **uitvoer** exportation
uitvoerbaar feasible
uitvoeren carry out · implement, perform, execute · export
uitvoerend executive ♦ ~e *macht* executive
uitvoerig detailed
uitwendig external
uitwerken elaborate
uitwijzen expel
uitwisselen exchange
het **uitzendbureau** employment agency
uitzenden broadcast*, transmit
de **uitzending** broadcast, transmission
het **uitzicht** view
de **uitzondering** exception
uitzonderlijk exceptional
uitzuigen bleed*
ultraviolet ultraviolet
unaniem unanimous

de **unie** union
uniek unique
het **uniform**¹ (ook: de) uniform
uniform² *bn* uniform
universeel universal
de **universiteit** university
uploaden upload
urgent pressing
de **urgentie** urgency
de **urine** urine
het **urinoir** urinal
Uruguay Uruguay
de **Uruguayaan** Uruguayan
Uruguayaans Uruguayan
het **uur** hour ♦ *om ...* ~ at ... o'clock; *uur-* hourly
uw your
v.a. *(volgens anderen, vanaf)* from
vaag vague · faint · dim
vaak often
het **vaandel** banner
vaardig skilled, skillful
de **vaardigheid** skill · art
de **vaart** speed, voyage
het **vaartuig** vessel
het **vaarwater** waterway
de **vaas** vase
het **vaatje** keg

het **vaatwerk** crockery

VAB *(Vlaamse Automobilistenbond)* Flemish Automobile Association

vacant vacant

de **vacature** vacancy

het **vaccin** vaccine

de **vacht** fur

het **vacuüm** vacuum

de **vader** father · dad

het **vaderland** native country, mother country

de **vagebond** tramp

de **vagina** vagina

het **vak** profession, trade · section

de **vakantie** holiday, vacation ♦ *met* ~ on holiday

het **vakantiekamp** holiday camp

het **vakantieoord** holiday resort

de **vakbond** trade union

vakkundig skilled

de **vakman** expert

de **val¹** fall

de **val²** ~*len* trap

de **valhelm** helmet

het **valium**ᴹᴱᴿᴷ Valium

de **valk** hawk

de **vallei** valley

vallen fall* ♦ *laten* ~ drop

vals false

de **valuta** currency

van of · from · off, with

vanaf from, as from

vanavond tonight ♦ *vannacht* last night

vandaag today

het **vandalisme** vandalism

vangen catch* · capture

de **vangrail** crash barrier

de **vangst** capture

de **vanille** vanilla

vanmiddag this afternoon

vanmorgen this morning

vannacht tonight · last night

vanochtend this morning

vanwege on account of, for, owing to, because of

vanzelfsprekend self-evident

varen sail, navigate

variëren vary

het **variététheater** variety theatre · music hall

de **variétévoorstelling** variety show

het **varken** pig

het **varkensleer** pigskin

het **varkensvlees** pork

de **vaseline** vaseline

vast¹ *bn* fixed, firm · steady, permanent ♦ ~ *menu* set menu

vast² *bw* tight

vastberaden resolute

vastbesloten determined

het **vasteland** mainland · continent

vasthouden hold ♦ *zich* ~ hold on

vastmaken fasten · attach

vastomlijnd definite

vastspelden pin

vaststellen establish, determine

het **vat** cask, barrel · vessel

vatbaar susceptible to

v.Chr. *(voor Christus)* B.C.

vechten fight* · combat, battle

het **vee** cattle

de **veearts** veterinary surgeon

veel¹ *bn* much, many

veel² *bw* much, far

veelbetekenend significant

veelomvattend extensive

veelvuldig frequent

veelzijdig all-round

het **veen** moor

de **veer** feather · spring

de **veerboot** ferry boat

veertien fourteen ♦ ~ *dagen* fortnight

veertiende fourteenth

veertig forty

vegen sweep* · wipe

de **vegetariër** vegetarian

veilig safe · secure

de **veiligheid** safety · security

de **veiligheidsgordel** safety belt · seatbelt

de **veiligheidsspeld** safety pin

de **veiling** auction

het **vel** skin

het **veld** field

het **veldbed** camp bed

de **veldkijker** field glasses

de **velg** rim · hubcap

de **Venezolaan** Venezuelan

Venezolaans Venezuelan

Venezuela Venezuela

de **vennoot** associate

het **venster** window

de **vensterbank** window sill

de **vent** chap, guy

het **ventiel** valve

de **ventilatie** ventilation

de **ventilator** ventilator, fan

de **ventilatorriem** fan belt

ventileren ventilate

ver far · remote, far-away, distant

verachten scorn, despise

de **verachting** scorn, contempt

de **verademing** relief

de **veranda** veranda

veranderen change · alter, transform · vary ♦ *~ in* turn into

de **verandering** change · alteration · variation

veranderlijk variable

verantwoordelijk responsible

de **verantwoordelijkheid** responsibility

verantwoorden account for

het **verband** connection, relation · bandage

de **verbandkist** first-aid kit

verbazen astonish, amaze, surprise ♦ *zich ~* marvel

de **verbazing** astonishment, amazement, surprise

zich **verbeelden** fancy, imagine

de **verbeelding** imagination

verbergen hide* · conceal

verbeteren improve · correct

de **verbetering** improvement · correction

verbieden prohibit, forbid*

verbinden link, connect, join · dress ♦ *zich ~* engage

de **verbinding** link · connection ♦ *zich in ~ stellen met* contact

het **verblijf** stay

de **verblijfsvergunning** residence permit

verblijven stay

verblinden blind ♦ *~d*

glaring

het **verbod** prohibition, ban

verboden prohibited ♦ ~ *te parkeren* no parking; ~ *te roken* no smoking; ~ *toegang* no entry, no admittance; ~ *voor voetgangers* no pedestrians

het **verbond** union

verbouwen cultivate, raise

verbranden burn*

verbruiken use up

de **verbruiker** consumer

verdacht suspicious

de **verdachte** suspect · accused

verdampen evaporate

verdedigen defend

de **verdediging** defence

verdelen divide

verdenken suspect

de **verdenking** suspicion

verder[1] *bn* further ♦ ~ *dan* beyond

verder[2] *bw* beyond

verdienen earn · make* · deserve, merit

de **verdienste** merit ♦ ~*n*

earnings

de **verdieping** storey, floor

verdikken thicken

verdomme! damned!

de **verdoving** anaesthesia

verdraaien wrench, distort

het **verdrag** treaty

verdragen endure, bear* · sustain

het **verdriet** grief, sorrow

verdrietig sad

verdrijven chase away

verdrinken drown · be* drowned

verdrukken oppress

verduidelijken clarify

de **verduistering** eclipse

verdunnen dilute

verdwaald lost

verdwalen lose one's way

verdwijnen vanish, disappear

vereisen demand, require ♦ *vereist* requisite

de **vereiste** requirement

Verenigde Staten United States, the States

verenigen join · unite ♦

verenigd joint; united

de **vereniging** association, union, society, club

de **verf** paint · dye

de **verfdoos** paintbox

verfrissen refresh

de **verfrissing** refreshment

de **vergadering** meeting · assembly

vergeefs¹ *bn* vain

vergeefs² *bw* in vain

vergeetachtig forgetful

vergelijken compare

de **vergelijking** comparison

vergeten forget*

vergeven forgive*

zich **vergewissen van** ascertain

vergezellen accompany

het **vergezicht** view

het **vergiet** strainer, colander

het **vergif** poison

vergiftig toxic

vergiftigen poison

zich **vergissen** be* mistaken · err

de **vergissing** oversight · error, mistake

vergoeden make* good,

reimburse · remunerate

de **vergoeding** remuneration

het **vergrootglas** magnifying glass

vergroten enlarge

de **vergroting** enlargement

verguld gilt

de **vergunning** licence, permit, permission ♦ *een ~ verlenen* license

het **verhaal** story · tale

de **verhandeling** essay

verheugd glad

verhinderen prevent

verhogen raise

de **verhoging** rise, increase

het **verhoor** examination, interrogation

de **verhouding** affair

verhuizen move

de **verhuizing** move

verhuren let* · lease

verifiëren verify

de **vering** suspension

de **verjaardag** birthday · anniversary

verjagen chase away/ off

het **verkeer** traffic

verkeerd false, wrong

het **verkeersbureau** tourist office

de **verkeersopstopping** traffic jam

verkennen explore

de **verkering** courtship

verkiezen elect

de **verkiezing** election

verklaarbaar accountable

verklappen give away

verklaren state, declare · explain

de **verklaring** statement, declaration · explanation

zich **verkleden** change

verkleuren fade · discolour

verknoeien muddle

de **verkoop** sale

verkoopbaar saleable

de **verkoopster** salesgirl

verkopen sell* ♦ *in het klein* ~ retail

de **verkoper** salesman · shop assistant

verkorten shorten

verkouden ~ *zijn* have a cold

de **verkoudheid** cold

verkrachten rape

verkrijgbaar obtainable, available

verkrijgen obtain

verlagen lower, reduce · cut*

het **verlangen**[1] wish · longing

verlangen[2] *ww* wish, desire ♦ ~ *naar* long for

verlaten[1] desert

verlaten[2] leave* · desert

het **verleden**[1] past

verleden[2] *bn* previous

verlegen shy · embarrassed

de **verlegenheid** shyness, timidity ♦ *in* ~ *brengen* embarrass

verleiden seduce, tempt

de **verleiding** temptation

verlenen grant · extend

verlengen lengthen · extend · renew

de **verlenging** extension, renewal

het **verlengsnoer** extension cord

verlichten illuminate · relieve

de **verlichting** lighting, illumination · relief

verliefd in love

het **verlies** loss

verliezen lose*

het **verlof** leave · permission

verloofd engaged

de **verloofde** fiancé · fiancée

verlossen deliver · redeem

de **verlossing** delivery

de **verloving** engagement

de **verlovingsring** engagement ring

het **vermaak** entertainment, amusement

vermageren slim

vermakelijk entertaining

vermaken entertain, amuse

vermeerderen increase

vermelden mention

de **vermelding** mention

vermenigvuldigen multiply

de **vermenigvuldiging** multiplication

vermijden avoid

verminderen decrease, lessen, reduce

de **vermindering** decrease

de **vermiste** missing person

vermoedelijk presumable, probable

vermoeden suspect

vermoeid weary, tired

vermoeien tire

het **vermogen** ability, faculty · capacity

zich **vermommen** disguise

de **vermomming** disguise

vermoorden murder

vernielen wreck, destroy

vernietigen destroy

de **vernietiging** destruction

vernieuwen renew

het **vernis** varnish

veronderstellen assume, suppose

de **verontreiniging** pollution

verontschuldigen excuse

♦ zich ~ apologize

de **verontschuldiging** apology

de **verontwaardiging** indignation

de **veroordeelde** convict

veroordelen sentence

de **veroordeling** conviction
veroorloven allow, permit
♦ *zich ~* afford
veroorzaken cause
de **veroveraar** conqueror
veroveren conquer
de **verovering** conquest
verpachten lease
de **verpakking** packing
verpanden pawn
verplaatsen move
de **verpleegster** nurse
verplegen nurse
verplicht obligatory, compulsory ♦ *~ zijn om* be*
obliged to
verplichten oblige
de **verplichting** engagement,
obligation
het **verraad** treason
verraden betray
de **verrader** traitor
verrassen surprise
de **verrassing** surprise
de **verrekijker** binoculars
verreweg by far
verrichten perform
verrukkelijk delightful,
wonderful

de **verrukking** delight ♦ *in ~
brengen* delight
het **vers**¹ verse
vers² *bn* fresh
verschaffen furnish, provide
verscheidene various ·
several
de **verscheidenheid** variety
verschepen ship
verschieten fade
verschijnen appear
de **verschijning** apparition
het **verschijnsel** phenomenon
het **verschil** difference · distinction, contrast
verschillen differ · vary
verschillend unlike, different · distinct
verschrikkelijk terrible ·
horrible, frightful, awful
verschuldigd due ♦ *~ zijn*
owe
de **versie** version
de **versiering** decoration
het **versiersel** ornament
verslaan defeat, beat*
het **verslag** report, account
de **verslaggever** reporter

zich **verslapen** oversleep*

de **verslaving** addiction

versleten worn out, worn, threadbare

verslijten wear* out

zich **verslikken** choke

versnellen accelerate

de **versnelling** gear

de **versnellingsbak** gearbox

de **versnellingspook** gear lever

versperren block

verspillen waste

de **verspilling** waste

verspreiden scatter, shed*

verstaan understand*

het **verstand** brain · wits, reason ♦ *gezond* ~ sense

verstandig sensible

verstellen patch

de **versterker** amplifier

verstijfd numb

verstoppen hide*

verstoren disturb · upset*

verstrijken expire

verstuiken sprain

de **verstuiking** sprain

de **verstuiver** atomizer

versturen send* off, dis-

patch

vertalen translate

de **vertaler** translator

de **vertaling** translation · version

verteerbaar digestible

vertegenwoordigen represent

de **vertegenwoordiger** agent

de **vertegenwoordiging** representation · agency

vertellen tell* · relate

de **vertelling** tale

verteren digest

verticaal vertical

vertolken interpret

vertonen exhibit · display

vertragen delay, slow down

de **vertraging** delay

het **vertrek¹** departure

het **vertrek²** room

vertrekken leave* · depart, set* out, pull out

de **vertrektijd** departure time

vertrouwd familiar

vertrouwelijk confidential

het **vertrouwen¹** confidence,

trust, faith
vertrouwen² *ww* trust ♦ ~
op rely on
vervaardigen manufacture

de **vervaldag** expiryday
vervallen¹ expired · due
vervallen² expire
vervalsen forge, counterfeit

de **vervalsing** fake
vervangen replace, substitute

de **vervanging** substitute
vervelen bore · bother
vervelend dull, boring, annoying · unpleasant
verven paint · dye
vervloeken curse

het **vervoer** transport

het **vervolg** sequel · consequence
vervolgen continue · pursue
vervolgens then

de **vervuiling** pollution
verwaand conceited, snooty
verwaarlozen neglect

de **verwaarlozing** neglect
verwachten expect · anticipate

de **verwachting** expectation
· outlook ♦ *in* ~ pregnant
verwant related

de **verwante** relation
verward confused
verwarmen heat, warm

de **verwarming** heating
verwarren confuse · mistake*

de **verwarring** confusion · disturbance ♦ *in* ~ *brengen* embarrass
verwekken generate
verwelkomen welcome
verwennen spoil*
verwerpen turn down, reject
verwerven acquire
verwezenlijken realize
verwijden widen
verwijderen remove

de **verwijdering** removal

het **verwijt** reproach · blame
verwijten reproach · blame
verwijzen naar refer to

de **verwijzing** reference

verwonden wound, injure

verwonderen amaze

de **verwondering** wonder

de **verwonding** injury

verzachten soften

de **verzamelaar** collector

verzamelen gather · collect

de **verzameling** collection

verzekeren assure · insure

de **verzekering** insurance

de **verzekeringspolis** insurance policy

verzenden despatch, dispatch

de **verzending** dispatch · shipment

het **verzet** resistance

zich **verzetten** oppose

verzilveren cash

verzinnen invent

het **verzinsel** fiction

het **verzoek** request

verzoeken request, ask

de **verzoening** reconciliation

verzorgen look after, take* care of · tend to

de **verzorging** care

verzwikken sprain

het **vest** cardigan · waistcoat · *(Am)* vest

vestigen establish ♦ *zich* ~ settle down

de **vesting** fortress

het **vet¹** fat · grease

vet² *bn* fat · greasy

de **veter** lace

vettig greasy, fatty

de **vezel** fibre

via via

de **viaduct** (ook: het) viaduct

de **vibratie** vibration

de **vicepresident** vice president

de **videocamera** video camera

vier four

vierde fourth

vieren celebrate

de **viering** celebration

het **vierkant¹** square

vierkant² *bn* square

vies dirty

de **vijand** enemy

vijandig hostile

vijf five

vijfde fifth

vijftien fifteen
vijftiende fifteenth
vijftig fifty
de **vijg** fig
de **vijl** file
de **vijver** pond
de **villa** villa
het **vilt** felt
de **viltstift** felt-tip pen
vinden find* · come*
across · consider
vindingrijk inventive
de **vinger** finger
de **vingerafdruk** fingerprint
de **vingerhoed** thimble
de **vink** finch
violet violet
de **viool** violin
het **viooltje** violet
het **virus** virus
de **virusscanner** virus scanner
de **vis** fish
de **visakte** fishing licence
de **visgraat** fishbone
de **vishaak** fishing hook
de **visie** vision
de **visite** visit · call
het **visitekaartje** visiting card

de **viskuit** roe
de **vislijn** fishing line
het **visnet** fishing net
vissen fish
de **visser** fisherman
de **visserij** fishing industry
het **vistuig** fishing tackle, fishing gear
het **visum** visa
de **viswinkel** fish shop
de **vitamine** vitamin
de **vitrine** showcase
het **Vlaams¹** Flemish
Vlaams² bn Flemish
de **vlag** flag
vlak flat · smooth · level, plane
de **vlakgom** (ook: het) rubber
de **vlakte** plain
de **vlam** flame
de **vleermuis** bat
het **vlees** meat · flesh
de **vleeswaren** meat products
de **vlek** stain, spot, blot
vlekkeloos stainless, spotless
vlekken stain
het **vlekkenwater** stain re-

mover

de **vleugel** wing · grand piano

de **vlieg** fly
vliegen fly*

de **vliegramp** plane crash

het **vliegtuig** aircraft, aeroplane, plane · (Am) airplane

het **vliegveld** airfield

de **vlijt** diligence

vlijtig industrious · diligent

de **vlinder** butterfly

het **vlinderdasje** bow tie

de **vlinderslag** butterfly stroke

de **vlo** flea

de **vloed** flood

vloeibaar liquid, fluid

vloeien flow

vloeiend fluent

het **vloeipapier** blotting paper

de **vloeistof** fluid

de **vloek** curse
vloeken curse, swear*

de **vloer** floor

het **vloerkleed** carpet

de **vloot** fleet

het **vlot** raft

de **vlotter** float

de **vlucht** flight

de **vluchteling** refugee
vluchten escape

de **vluchtheuvel** traffic island

de **vluchtstrook** hard shoulder

vlug[1] bn fast, quick, rapid

vlug[2] bw soon

vm. (voormiddag) morning

VN (Verenigde Naties) United Nations

vocaal vocal

het **vocabulaire** vocabulary

het **vocht** damp
vochtig humid, moist · damp, wet

de **vochtigheid** humidity, moisture

het **vod** rag
voeden feed*

de **voeding** food · feed

het **voedsel** food · fare

de **voedselvergiftiging** food poisoning

voedzaam nutritious, nourishing

zich **voegen bij** join

de **voelen** feel* · sense

voeren carry

de **voering** lining

het **voertuig** vehicle

de **voet** foot ♦ *te ~* on foot, walking

het **voetbal** soccer

de **voetbalwedstrijd** football match

de **voetganger** pedestrian

het **voetpad** footpath

het **voetpoeder** (ook: de) footpowder

de **voetrem** footbrake

de **voetstap** footstep

de **vogel** bird

de **voicemail** voice mail

vol full · full up

volbloed thoroughbred

volbrengen accomplish

voldaan satisfied

voldoende sufficient, enough ♦ *~ zijn* do*, suffice

de **voldoening** satisfaction

volgen follow

volgend subsequent, next, following

volgens according to

de **volgorde** order, sequence

volhouden keep* up · insist

het **volk** people · nation · folk ♦ *~s-* national; popular; vulgar

volkomen¹ *bn* perfect

volkomen² *bw* completely

het **volkorenbrood** wholemeal bread

de **volksdans** folk dance

het **volkslied** folk song · national anthem

volledig complete

volleybal volleyball

volmaakt perfect

de **volmaaktheid** perfection

volslagen total, utter

de **volt** volt

de **voltage** (ook: het) voltage

voltooien complete

het **volume** volume

volwassen adult · grown-up

de **volwassene** adult · grown-up

de **vonk** spark

het **vonnis** verdict, sentence

de **voogd** tutor, guardian

de **voogdij** custody

voor before · ahead of, in front of · for · to

vooraanstaand leading, outstanding

voorafgaan precede

vooral essentially, especially, most of all

voorbarig premature

het **voorbeeld** example, instance

het **voorbehoedmiddel** contraceptive

het **voorbehoud** qualification

voorbereiden prepare

de **voorbereiding** preparation

voorbij¹ bn past, over

voorbij² vz past, beyond

voorbijgaan pass

de **voorbijganger** passer-by

voordat before

het **voordeel** advantage · profit, benefit

voordelig advantageous · cheap

voordoen¹ demonstrate

zich **voordoen²** occur

voorgaand previous, preceding

de **voorganger** predecessor

het **voorgerecht** hors-d'oeuvre · starter

de **voorgrond** foreground

voorhanden available

voorheen formerly

het **voorhoofd** forehead

het **voorjaar** springtime, spring

de **voorkant** front

de **voorkeur** preference ♦ de ~ geven aan prefer

het **voorkomen¹** look, appearance

voorkomen² ww (gebeuren) occur, happen

voorkomen³ ww (vermijden) prevent · anticipate

voorkomend obliging

de **voorletter** initial

voorlezen read aloud

voorlopig provisional, temporary · preliminary

voormalig former

de **voorman** foreman

de **voornaam**[1] *-namen* first name, Christian name

voornaam[2] *bn* distinguished ♦ *~st* principal, main, leading, chief

het **voornaamwoord** pronoun

voornamelijk especially

het **vooroordeel** prejudice

vooroorlogs prewar

de **voorraad** stock, store, supply · provisions ♦ *in ~ hebben* stock

de **voorrang** priority · right of way

het **voorrecht** privilege

de **voorruit** windscreen · *(Am)* windshield

voorschieten advance

het **voorschot** advance

het **voorschrift** regulation

voorschrijven prescribe

voorspellen predict, forecast

de **voorspelling** forecast

de **voorspoed** prosperity

de **voorsprong** lead

de **voorstad** suburb

de **voorstander** advocate

het **voorstel** proposition, proposal · suggestion

voorstellen propose, suggest · present, introduce · represent ♦ *zich ~* conceive, fancy, imagine

de **voorstelling** show, performance

voortaan henceforth

voortduren continue

voortdurend continuous, continual

voortgaan continue · proceed

voortreffelijk excellent · exquisite

voorts moreover

voortzetten carry on, continue

vooruit ahead, forward · in advance

vooruitbetaald prepaid

vooruitgaan advance

de **vooruitgang** progress, advance

vooruitstrevend progressive

het **vooruitzicht** prospect

de **voorvader** ancestor

de **voorvechter** champion

het **voorvoegsel** prefix

de **voorwaarde** condition · term

voorwaardelijk conditional

voorwaarts onwards, forward

voorwenden pretend

het **voorwendsel** pretext, pretence

het **voorwerp** object ♦ *gevonden ~en* lost and found

het **voorzetsel** preposition

voorzichtig careful · gentle

de **voorzichtigheid** caution

voorzien anticipate ♦ *~ van* furnish with

de **voorzitter** chairman, president

de **voorzorg** precaution

de **voorzorgsmaatregel** precaution

vorderen get* on · confiscate, claim

vorig last · past

de **vork** fork

de **vorm** shape · form

vormen shape · form

de **vorming** background

de **vorst**¹ *~en* ruler, monarch, sovereign

de **vorst**² frost

de **vos** fox

de **vouw** fold · crease

vouwen fold

de **vraag** question · inquiry, query

het **vraaggesprek** interview

het **vraagstuk** problem, question

het **vraagteken** question mark

de **vracht** freight, cargo

de **vrachtwagen** lorry · *(Am)* truck

vragen ask · beg ♦ *~d* interrogative

de **vrede** peace

vreedzaam peaceful

vreemd strange · odd, queer · foreign

de **vreemde** stranger

de **vreemdeling** foreigner · stranger, alien

de **vrees** dread, fear

vreselijk terrible, horrible, dreadful, frightful

de **vreugde** gladness, joy

vrezen dread, fear

de **vriend** friend

vriendelijk friendly · kind

de **vriendin** (girl)friend

de **vriendschap** friendship

vriendschappelijk friendly

het **vriespunt** freezing point

vriezen freeze*

vrij¹ bn free

vrij² bw pretty, fairly, quite, rather

de **vrijdag** Friday

vrijen to have sex ♦ veilig ~ to have safe sex

vrijgesteld exempt

vrijgevig generous, liberal

de **vrijgezel** bachelor

de **vrijheid** freedom, liberty

de **vrijkaart** free ticket

vrijpostig bold

de **vrijspraak** acquittal

vrijstellen exempt

de **vrijstelling** exemption

vrijwel practically

vrijwillig voluntary

de **vrijwilliger** volunteer

de **vroedvrouw** midwife

vroeg early

vroeger¹ bn prior, previous, former

vroeger² bw formerly

vrolijk cheerful, merry, joyful

de **vrolijkheid** gaiety, cheerfulness

vroom pious

de **vrouw** woman · wife

vrouwelijk female · feminine

de **vrouwenarts** gynaecologist

de **vrucht** fruit

vruchtbaar fertile

het **vruchtensap** squash

VS (Verenigde Staten) United States of America

VTB (Vlaamse Toeristenbond) Flemish Tourist Association

het **vuil¹** dirt

vuil² bn filthy, dirty

het **vuilnis** garbage

de **vuilnisbak** rubbish bin, dustbin · (Am) trash can

de **vuist** fist

de **vuistslag** punch

vulgair vulgar

de **vulkaan** volcano

vullen fill

de **vulling** stuffing, filling ·
refill

de **vulpen** fountain pen

de **VUT** early retirement

het **vuur** fire

vuurrood scarlet, crimson

de **vuursteen** flint

de **vuurtoren** lighthouse

vuurvast fireproof

het **vuurwapen** firearm

het **vuurwerk** firework

VVV *(Vereniging voor
Vreemdelingenverkeer)*
tourist information office

waaien blow*

de **waaier** fan

de **waakvlam** pilot light

waakzaam vigilant

de **waanzin** madness

waanzinnig mad

waar¹ *vw* where

waar² *bn* true · very

waar³ *bw* where ◆ ~ *dan
ook* anywhere; ~ *ook*
wherever

de **waarborg** guarantee

waard worthy of ◆ ~ *zijn*
be* worth

de **waarde** worth, value

waardeloos worthless

waarderen appreciate

de **waardering** appreciation

waardevol valuable

waardig dignified

de **waarheid** truth

waarheidsgetrouw truthful

waarnemen observe

de **waarneming** observation

waarom why · what for

waarschijnlijk¹ *bn* probable, likely

waarschijnlijk² *bw* probably

waarschuwen warn · caution · notify

de **waarschuwing** warning

het **waas** haze

wachten wait ◆ ~ *op* wait
for

het **wachtgeld** reduced pay

de **wachtkamer** waiting
room

de **wachtlijst** waiting list

het **wachtwoord** password

waden wade

de **wafel** waffle, wafer

de **wagen**[1] cart

wagen[2] ww dare, venture, risk

de **wagon** carriage, waggon · (Am) passenger car

wakker awake ♦ ~ *worden* wake up

de **wal** quai

walgelijk revolting, disgusting

de **walnoot** walnut

de **wals** waltz

de **walvis** whale

de **wand** wall

de **wandelaar** walker

wandelen stroll, walk

de **wandeling** stroll, walk

de **wandelstok** walking stick

de **wandelwagen** buggy

het **wandkleed** tapestry

de **wandluis** bug

de **wang** check

de **wanhoop** despair

wanhopen despair

wanhopig desperate

wankel unsteady

wankelen falter

wanneer[1] bw when

wanneer[2] vw when ♦ ~ *ook* whenever

de **wanorde** disorder

want because

de **wanten** mittens

het **wantrouwen**[1] suspicion

wantrouwen[2] ww mistrust

het **wapen** weapon, arm

de **warboel** muddle, mess

de **waren** goods, wares

het **warenhuis** department store

warm warm · hot ♦ ~ *eten* dine

de **warmte** warmth, heat

de **warmwaterkruik** hot water bottle

de **was** laundry, washing · wax

wasbaar washable

het **wasbekken** wash basin

de **wasdroger** dryer

wasecht fast-dyed

het **wasgoed** washing

het **washandje** face cloth

de **wasknijper** clothes-peg

de **wasmachine** washing

machine

het **wasmiddel** detergent

het **waspoeder** washing powder

wassen wash

het **wassenbeeldenmuseum** waxworks

de **wasserette** launderette

de **wasserij** laundry

de **wastafel** wash stand

de **wasverzachter** fabric softener

wat[1] *bw* how ◆ *dan ook* whatever; anything

wat[2] *vnw* what

het **water** water ◆ *hoogwater* high tide; *laagwater* low tide; *stromend* ~ running water; *zoet* ~ fresh water

waterdicht rainproof, waterproof

de **waterkers** watercress

de **watermeloen** watermelon

de **waterpas** level

de **waterpokken** chickenpox

de **waterpomp** water pump

de **waterski** water ski

de **waterstof** hydrogen

het **waterstofperoxide** peroxide

de **waterval** waterfall

de **waterverf** watercolour

de **watt** watt

de **watten** cotton wool

het **waxinelichtje** tealight

wazig hazy

de **wc** toilet

we we

het **web** web

de **webcam** webcam

het **weblog** weblog

de **website** website

wedden bet*

de **weddenschap** bet

de **wederverkoper** retailer

wederzijds mutual

wedijveren compete

de **wedloop** race

de **wedstrijd** competition, contest • match

de **weduwe** widow

de **weduwnaar** widower

de **weeën** labour

het **weefsel** tissue

de **weegschaal** weighing machine, scales

de **week** week

de **weekdag** weekday

het **weekend** weekend

de **weemoed** melancholy

het **weer¹** weather

weer² *bw* again

het **weerbericht** weather forecast

weerhouden restrain

weerkaatsen reflect

de **weerkaatsing** reflection

de **weerklank** echo

weerzinwekkend repulsive, repellent, revolting

de **wees** orphan

de **weg¹** way · road ♦ *doodlopende* ~ cul-de-sac; *op* ~ *naar* bound for

weg² *bw* gone, away · lost · off

wegen weigh

de **wegenkaart** road map

het **wegennet** road system

wegens because of, for

de **Wegenwacht** road-service

weggaan go* away

de **wegkant** roadside, wayside

weglaten omit, leave* out

wegnemen take* out, take* away

de **wegomlegging** diversion

het **wegrestaurant** roadhouse · roadside restaurant

wegwerp- disposable

de **wegwijzer** milepost, signpost

wegzenden dismiss

de **wei** meadow

weigeren refuse · deny

de **weigering** refusal

het **weiland** pasture

weinig little · few

wekelijks weekly

weken soak

wekken awake*, wake*

de **wekker** alarmclock

weldra soon, shortly

welk which ♦ ~ *ook* whichever

het **welkom¹** welcome

welkom² *bn* welcome

wellicht perhaps

de **wellust** lust

welnu! well!

welterusten goodnight, sleep well

de **welvaart** prosperity

welvarend prosperous

de **welwillendheid** goodwil'

het **welzijn** welfare

de **wending** turn

de **wenk** sign

de **wenkbrauw** eyebr

wennen accustom

de **wens** wish, desire

wenselijk desirable

wensen wish, desire • want

de **wereld** world

wereldberoemd world-famous

de **wereldbol** globe

het **werelddeel** continent

wereldomvattend global, worldwide

de **wereldoorlog** world war

het **werk** work • labour • occupation, employment • business ♦ te ~ gaan proceed; ~ in uitvoering roadworks

de **werkdag** working day

werkelijk[1] bn actual, true, very

werkelijk[2] bw really

de **werkelijkheid** reality

weven

weven weave*

wever weaver

wezen[1] ~s cre

de **wezen**[2] esse

het **wezenlijk** e

het **whisky** who

de **wie** who

ook any

ever

wie

het **we.**

imple.

de **werkverg**

permit • (Am.

het **werkwoord** ve.

werpen cast*, thro

de **wesp** wasp

de **west** west

westelijk westerly

het **westen** west

westers western

de **wet** law

weten know*

de **wetenschap** science

wetenschappelijk scientific

wettelijk legal

wettig legal, lawful • legitimate

...ature, being
...nce
...ssential
...hisky
· whom ◆ ~ dan
...body; ~ ook who-

...cradle
...wheel
...elklem wheel clamp
...ielrennen bicycle racing
...wielrijder cyclist
...et **wier** alga
de **wierook** incense
de **wiet** weed
de **wig** wedge
...**wij** we
...**wijd** broad, wide
...**wijden** devote
de **wijk** quarter, district
de **wijn** wine
de **wijngaard** vineyard
de **wijnkaart** wine list
de **wijnkelder** wine cellar
de **wijnkelner** wine waiter
de **wijnkoper** wine merchant
de **wijnoogst** vintage

de **wijnstok** vine
de **wijs¹** tune
wijs² bn wise
de **wijsbegeerte** philosophy
de **wijsgeer** philosopher
de **wijsheid** wisdom
de **wijsvinger** index finger
de **wijting** whiting
de **wijze** manner, way
wijzen point · direct
wijzigen change, alter, modify
de **wijziging** change, alteration
de **wil** will
het **wild¹** game
wild² bn wild · savage, fierce
het **wildpark** game reserve
willekeurig arbitrary, random
willen want · will*
de **wilskracht** will power
de **wimper** eyelash
de **wind** wind
winden wind* · twist
winderig windy, gusty
de **windmolen** windmill
de **windstoot** gust

windsurfen go windsurfing

de **windvlaag** blast

de **winkel** store, shop

het **winkelcentrum** shopping centre

winkelen shop

de **winkelier** shopkeeper

de **winnaar** winner

winnen win* · gain

de **winst** profit · gain, winnings pl, benefit

winstgevend profitable

de **winter** winter

de **wintersport** wintersports

de **wip** seesaw

de **wirwar** muddle

de **wiskunde** mathematics

wiskundig mathematical

de **wissel** draft

wisselen change · exchange

het **wisselgeld** change

het **wisselkantoor** money exchange, exchange office

de **wisselkoers** exchange rate

de **wisselstroom** alternating current

wit white

de **wittebroodsweken** honeymoon

de **witvis** whitebait

het **WK** World Championship

de **wodka** vodka

de **woede** anger, rage

woeden rage

woedend furious

de **woensdag** Wednesday

woest wild, fierce, desert

de **woestijn** desert

de **wol** wool

de **wolf** wolf

de **wolk** cloud

de **wolkbreuk** cloud burst

de **wolkenkrabber** skyscraper

wollen woollen

de **wond** wound

het **wonder** wonder, miracle · marvel

wonderbaarlijk miraculous

wonen live · reside

de **woning** house

woonachtig resident

de **woonboot** houseboat

de **woonkamer** living room

de **woonplaats** domicile, residence

de **woonwagen** caravan

het **woord** word

het **woordenboek** dictionary

de **woordenlijst** wordlist

de **woordenschat** vocabulary

de **woordenwisseling** argument

worden become* · go*, get*, grow*

de **worm** worm

de **worp** cast

de **worst** sausage

worstelen struggle · wrestle

de **worsteling** struggle

de **wortel** root · carrot

het **woud** forest

de **wraak** revenge

het **wrak** wreck

de **wrat** wart

wreed harsh, cruel

wrijven rub

de **wrijving** friction

wuiven wave

wurgen strangle, choke

de **xtc** xtc

de **xtc-pil** ecstasy, XTC pill

de **yoghurt** yogurt

het **zaad** seed

de **zaadbal** testicle

de **zaag** saw

het **zaagsel** sawdust

zaaien sow*

de **zaak** cause · case, matter · business

de **zaal** hall

zacht soft · gentle, smooth, mild, mellow

het **zadel** saddle

de **zak** pocket · sack, bag

de **zakdoek** handkerchief ♦ *papieren* ~ tissue

zakelijk business-like

de **zaken** business ♦ *voor* ~ on business; ~ *doen met* deal* with

de **zakenman** businessman

de **zakenreis** business trip

het **zakgeld** pocket money

het **zakhorloge** pocket watch

zakken fail

de **zakkenroller** pickpocket

de **zaklantaarn** torch, flashlight

het **zakmes** pocket knife, penknife

de **zalf** ointment, salve

de **zalm** salmon

het **zand** sand

de **zandbak** sandbox

de **zandbank** sandbank

zanderig sandy

de **zanger** vocalist, singer

de **zangeres** singer

de **zaterdag** Saturday

ze she · they

de **zebra** zebra

het **zebrapad** pedestrian crossing · *(Am)* crosswalk

zedelijk moral

de **zeden** morals

de **zee** sea

de **zee-egel** sea urchin

de **zeef** sieve

het **zeegezicht** seascape

de **zeehaven** seaport

de **zeehond** seal

de **zeekaart** chart

de **zeekust** seacoast

de **zeem** shammy

de **zeeman** seaman

de **zeemeermin** mermaid

de **zeemeeuw** seagull

de **zeep** soap

het **zeeppoeder** soap powder

zeer[1] *bn* sore

zeer[2] *bw* very, quite

de **zeeschelp** seashell

de **zeespiegel** sea level

de **zeevogel** seabird

het **zeewater** sea water

zeeziek seasick

de **zeeziekte** seasickness

het **zegel** seal

de **zegen** blessing

zegenen bless

zegevieren triumph

zeggen say* · tell*

het **zeil** sail

de **zeilboot** sailing boat

de **zeilclub** yachtclub

zeilen sail

de **zeilsport** yachting

zeker[1] *bn* certain, sure

zeker[2] *bw* surely ♦ ~ *niet* by no means

de **zekering** fuse

zelden seldom, rarely

zeldzaam rare · uncommon, infrequent

zelf myself · yourself · himself · herself · oneself · ourselves · yourselves · themselves

de	**zelfbediening** self-service		**zetten** place, lay*, set*, put* ♦ *in elkaar* ~ assemble
het	**zelfbedieningsrestaurant** self-service restaurant		**zeuren** whine
het	**zelfbestuur** self-government	de	**zeurpiet** bore, moaner
	zelfde same		**zeven**[1] *ww* strain, sift, sieve
de	**zelfmoord** suicide		**zeven**[2] *telw* seven
	zelfs even		**zevende** seventh
	zelfstandig independent · self-employed ♦ ~ *naamwoord* noun		**zeventien** seventeen
			zeventiende seventeenth
			zeventig seventy
	zelfstrijkend drip-dry, wash-and-wear		**zgn.** *(zogenaamd)* so-called
	zelfzuchtig egoist		**zich** himself · herself · themselves
	zenden send*	het	**zicht** sight · visibility ♦ *op* ~ on approval
de	**zender** transmitter		**zichtbaar** visible
de	**zending** consignment		**ziek** ill, sick
het	**zenit** zenith	de	**ziekenauto** ambulance
de	**zenuw** nerve	het	**ziekenhuis** hospital
	zenuwachtig nervous	de	**ziekenzaal** infirmary
de	**zenuwpijn** neuralgia	de	**ziekte** disease · ailment, illness, sickness
	zes six		
	zesde sixth	de	**ziel** soul
	zestien sixteen		**zien** see* · notice ♦ *eruitzien* look; *laten* ~ show*
	zestiende sixteenth		
	zestig sixty		
de	**zet** move · push		
de	**zetel** chair · seat		
de	**zetpil** suppository	de	**zienswijze** outlook

de **zigeuner** gipsy

de **zij**[1] side

zij[2] *vnw* she · they

de **zijbeuk** aisle

de **zijde**[1] silk

de **zijde**[2] side

zijden silken

het **zijlicht** sidelight

zijn[1] be*

zijn[2] his

de **zijrivier** tributary

de **zijstraat** side street

het **zilver** silver

zilveren silver

het **zilverpapier** tinfoil

de **zilversmid** silversmith

het **zilverwerk** silverware

de **zin**[1] sense · desire ◆ ~ *hebben in* feel* like, fancy

de **zin**[2] ~*nen* sentence

zingen sing*

het **zink** zinc

zinken sink*

zinloos senseless

het **zintuig** sense

de **zitkamer** sitting room

de **zitplaats** seat

zitten sit* ◆ *gaan* ~ sit* down

de **zitting** session

het **zitvlak** bottom

Z.K.H. *(Zijne Koninklijke Hoogheid)* His Royal Highness

zo so, thus · such ◆ *zo'n* such a

zoals like, as · such as

zodat so that

zodra as soon as

zoeken look for · seek*, search · hunt for

de **zoeker** view finder

de **zoen** kiss

zoenen kiss

zoet sweet · good ◆ ~ *maken* sweeten

het **zoetzuur** pickles

zogen nurse

zogenaamd so-called

zojuist just

de **zolder** attic

de **zomer** summer

de **zomertijd** summertime

de **zon** sun

de **zondag** Sunday

de **zonde** sin

de **zondebok** scapegoat

zonder without

zonderling funny, queer

de **zone** zone

het **zonlicht** sunlight

zonnebaden sunbathe

de **zonnebank** sunbed

de **zonnebloem** sunflower

de **zonnebrand** sunburn

de **zonnebrandolie** suntan oil

de **zonnebril** sunglasses

het **zonnescherm** awning

de **zonneschijn** sunshine

de **zonnesteek** sunstroke

zonnig sunny

de **zonsondergang** sunset

de **zonsopgang** sunrise

het **zoogdier** mammal

de **zool** sole

de **zoölogie** zoology

de **zoom** hem

de **zoomlens** zoom lens

de **zoon** son

de **zorg** concern, worry, care · trouble

zorgen voor look after, take* care of · see* to

zorgvuldig careful

zorgwekkend critical

zorgzaam thoughtful

het **zout¹** salt

zout² bn salty

zoutarm low-salt

het **zoutvaatje** salt cellar

zoveel so much

zowel ... als both ... and

z.o.z. *(zie ommezijde)* pto, please turn over

zuchten sigh

de **zuid** south

Zuid-Afrika South Africa

zuidelijk southern, southerly

het **zuiden** south

het **zuidoosten** south-east

de **zuidpool** South Pole

het **zuidwesten** south-west

de **zuigeling** infant

zuigen suck

de **zuiger** piston

de **zuigerring** piston ring

de **zuigerstang** piston rod

de **zuil** column, pillar

de **zuilengang** arcade

zuinig economical, thrifty

de **zuivelwinkel** dairy

zuiver pure, clean

zulk such

de **zus** sister

de **zuster** sister · nurse

het **zuur¹** acid

zuur² bn sour

de **zuurstof** oxygen

zwaaien swing* · wave

de **zwaan** swan

zwaar heavy

het **zwaard** sword

de **zwaartekracht** gravity

de **zwager** brother-in-law

zwak feeble, weak · faint · dim

de **zwakheid** weakness

de **zwaluw** swallow

zwanger pregnant

zwart black

Zweden Sweden

de **Zweed** Swede

Zweeds Swedish

het **zweefvliegtuig** glider

de **zweep** whip

de **zweer** ulcer, sore

het **zweet** sweat, perspiration

zwellen swell*

de **zwelling** swelling

het **zwembad** swimming pool

de **zwembroek** swimming trunks, bathing trunks

zwemmen swim*

de **zwemmer** swimmer

het **zwempak** swimsuit

het **zwemsport** swimming

het **zwemvlies** web · flipper

de **zwendelarij** swindle

zweren swear*, vow

zwerven roam, wander

de **zwerver** tramp

zweten sweat, perspire

zwijgen be* silent, keep* quiet ♦ *tot ~ brengen* silence; ~d silent

het **zwijn** pig

de **Zwitser** Swiss

Zwitserland Switzerland

Zwitsers Swiss

zwoegen labour

Culinaire woordenlijst

Gerechten

almond amandel
anchovy ansjovis
angel food cake witte, ronde cake, gemaakt van suiker, eiwit en bloem
angels on horseback geroosterde, met spek omwikkelde oesters
appetizer borrelhapje
apple appel
apple charlotte lagen van appels en sneetjes brood met vanille en slagroom
apple dumpling appelbol
apple sauce appelmoes
apricot abrikoos
Arbroath smoky gerookte schelvis
artichoke artisjok
asparagus asperge
asparagus tip aspergepunt
aspic koude schotel in gelei
assorted gevarieerd, gemengd

bacon spek
bacon and eggs spiegeleieren met spek
bagel klein kransvormig broodje
baked in de oven gebakken, gebraden
baked Alaska dessert met cake, ijs en meringue, in de oven gebakken
baked beans witte bonen in tomatensaus
baked potato hele, ongeschilde aardappel, in de oven gebakken
Bakewell tart amandeltaart met jam
baloney worstsoort
banana banaan
banana split in de lengte gehalveerde banaan met ijs, noten en overgoten met vruchtensiroop of vloeibare chocolade
barbecue 1) gehakt rundvlees in tomatensaus in een

broodje geserveerd 2) barbecue;

barbecue sauce zeer scherpe tomatensaus

barbecued geroosterd op
houtskool

basil basilicum

bass baars

bean boon

beef rundvlees

beef olive blinde vink

beefburger gehakte, geroosterde biefstuk geser-
veerd in een broodje

beet, beetroot rode biet

bilberry blauwe bosbes

bill rekening

bill of fare menu

biscuit 1) koekje (GB) 2)
broodje (US)

black pudding bloedworst

blackberry braam

blackcurrant zwarte bes

bloater verse bokking

blood sausage bloedworst

blueberry blauwe bosbes

boiled gekookt

Bologna (sausage) worst-

soort

bone bot

boned ontbeend

Boston baked beans witte
bonen met stukjes spek en
stroop

Boston cream pie taart met
vlavulling en chocoladegla-
zuur

brains hersenen

braised gestoofd

bramble pudding bramen-
pudding, vaak met schijfjes
appel erin

braunschweiger gerookte
leverworst

bread brood

breaded gepaneerd

breakfast ontbijt

bream brasem

breast borst(stuk)

brisket borststuk

broad bean tuinboon

broth bouillon

brown Betty afwisselende
lagen appel, perzik of kers
en paneermeel, met suiker
en kruiderijen, in de oven

gebakken

brunch ontbijt en lunch gecombineerd

brussels sprout spruitje

bubble and squeak soort pannenkoek van gebakken aardappelen en kool, soms met vlees

bun 1) krentenbroodje (GB) 2) klein, luchtig broodje (US)

butter boter

buttered beboterd

cabbage kool

Caesar salad sla met geroosterde, naar knoflook smakende brooddobbelsteentjes, ansjovis en geraspte kaas

cake gebak, koek, cake, taart

cakes koekjes, taartjes

calf kalfsvlees

Canadian bacon gerookt spek in dikke plakken gesneden

canapé belegd sneetje brood

cantaloupe wratmeloen, kanteloep

caper kappertje

capercaillie, **capercailzie** auerhoen

carp karper

carrot wortel

cashew vrucht van de acajouboom

casserole gestoofd

catfish meerval (vis)

catsup ketchup

cauliflower bloemkool

celery selderie

cereal graansoorten voor bij het ontbijt, zoals maisvlokken, havermout, met melk en suiker

hot cereal havermoutpap

chateaubriand dubbele biefstuk van de haas

check rekening

Cheddar (cheese) stevige kaas met een milde, zurige smaak

cheese kaas

cheese board kaasassortiment

cheese cake kaaskoekje
cheeseburger cheeseburger
chef's salad salade van ham, kip, eieren, tomaten, sla en kaas
cherry kers
chestnut tamme kastanje
chicken kip
chicory 1) Brussels lof (GB) 2) andijvie (US)
chili con carne gehakt rundvlees gestoofd met bruine bonen, Spaanse pepers en komijn
chili pepper rode Spaanse pepers
chips 1) patates frites (GB) 2) aardappelchips (US)
chitt(er)lings varkensspens
chive bieslook
chocolate chocolade
chocolate pudding 1) chocoladepudding bereid met verkruimelde koekjes, suiker, eieren en bloem (GB) 2) chocolademousse (US)
choice keus
chop kotelet

chop suey gerecht, bereid uit fijngesneden varkensvlees en kip, groenten en rijst (tjaptjoi)
chopped fijngehakt
chowder dikke soep van vis, schaal- en schelpdieren of kip, met groenten
Christmas pudding speciaal kerstgebak, soms geflambeerd
chutney sterke Indische kruiderij
cinnamon kaneel
clam steenmossel
club sandwich dubbele sandwich met kip, spek, sla, tomaat en mayonaise
cobbler vruchtenmoes met deeg, soms met ijs
cock-a-leekie soup preisoep met kip
coconut kokosnoot
cod kabeljauw
Colchester oyster beste soort Engelse oester
cold cuts/meat koud vlees
coleslaw koolsla

compote vruchten op sap

condiment kruiderij

consommé heldere soep

cooked gekookt

cookie koekje

corn 1) koren (GB) 2) mais (US)

corn on the cob maiskolf

cornflakes maisvlokken

cottage cheese witte, verse kaas

cottage pie gehakt vlees met uien, bedekt met aardappelpuree in de oven gebakken

course gerecht

cover charge couvert

crab krab

cracker droge beschuit van bladerdeeg

cranberry veenbes

cranberry sauce veenbessengelei

crawfish, crayfish 1) rivierkreeft 2) langoest (GB) 3) steurgarnaal (US)

cream 1) room 2) vlaai (dessert) 3) gebonden soep;

cream cheese roomkaas

cream puff roomsoes

creamed potatoes aardappelen in witte roomsaus

creole op creoolse wijze bereid; over het algemeen zeer pikant, met tomaten, paprika's en uien, geserveerd met rijst

cress waterkers

crisps chips

croquette kroket

crumpet rond, licht broodje, geroosterd en beboterd

cucumber komkommer

Cumberland ham zeer fijne, gerookte Engelse ham

Cumberland sauce rodebessengelei, op smaak gemaakt met wijn, sinaasappelsap en kruiderijen

cupcake klein rond gebakje

cured gezouten, gerookt, gepekeld (vis en vlees)

currant krent

curried met kerrie

curry kerrie

custard custardvla

cutlet vleeslapje, kotelet

dab schar

Danish pastry soort luchtig koffiebrood

date dadel

Derby cheese gele kaas met pikante smaak

devilled sterk gekruid

devil's food cake machtige chocoladetaart

devils on horseback gekookte pruimen, gevuld met amandelen en ansjovis, omwikkeld met spek, geroosterd en geserveerd op toost

Devonshire cream dikke, klonterige room

diced in dobbelsteentjes gesneden

diet food volgens voedselleer bereid

dill dille

dinner diner, avondeten

dish schotel, gerecht

donut, doughnut soort oliebol

double cream volle room

Dover sole tong uit Dover, in Engeland zeer gewaardeerd

dressing 1) slasaus 2) vulsel voor kalkoen (US)

Dublin Bay prawn steurgarnaal

duck eend

duckling jonge eend

dumpling knoedel

Dutch apple pie appeltaart bedekt met een mengsel van boter en bruine suiker

éclair langwerpig, met chocolade of karamel geglaceerd roomtaartje

eel paling

egg ei

boiled egg gekookt ei

fried egg spiegelei

hard-boiled egg hardgekookt ei

poached egg gepocheerd ei

scrambled egg roerei

soft-boiled egg zachtgekookt ei

eggplant aubergine, eierplant

endive 1) andijvie (GB) 2) Brussels lof (US)

entrecôte entrecote

entrée 1) voorgerecht (GB) 2) hoofdgerecht (US)

escalope schnitzel

fennel venkel

fig vijg

filet mignon kalfs- of varkenshaasje

fillet filet van vlees of vis

finnan haddock gerookte schelvis

fish vis

fish and chips gebakken vis met frites

dish cake viskoekje

flan vla; ronde taart met vruchten

flapjack (appel)flap

flounder bot

forcemeat farce, gehakt

fowl gevogelte

frankfurter knakworst

French bean slaboon

French bread stokbrood

French dressing 1) slasaus van olie, azijn en tuinkruiden (GB) 2) romige slasaus met ketchup (US)

french fries patates frites

French toast wentelteefje

fresh vers

fricassée ragout, vleeshachee

fried gebakken in een koekenpan of in de olie

fritter beignet, poffertje

frogs' legs kikkerbilletjes

frosting suikerglazuur

fruit vrucht

fry bakken

game wild

gammon gerookte ham

garfish geep (snoekachtige zeevis)

garlic knoflook

garnish garnituur

gherkin augurkje

giblets afval van gevogelte

ginger gember

goose gans

gooseberry kruisbes

grape druif

grapefruit pompelmoes

grated geraspt

gravy vleesjus
grayling vlagzalm
green bean slaboon
green pepper groene paprika
green salad sla
greens groenten
grilled geroosterd
grilse jonge zalm
grouse korhoen
gumbo 1) groente van Afrikaanse afkomst 2) creools gerecht van vlees, kip of vis, met okrazaden, uien, tomaten en kruiden
haddock gerookte schelvis
haggis hart, longen en lever van een schaap fijngehakt en in de maag gekookt met reuzel, havermeel en uien
hake stokvis
halibut heilbot
ham and eggs spiegeleieren met ham
hamburger hamburger
hare haas
haricot bean prinsessenboon, witte boon
hash 1) gehakt of fijngesneden vlees 2) hachee met aardappelen en groenten
hazelnut hazelnoot
heart hart
herb tuinkruid
herring haring
home-made eigengemaakt, van het huis
hominy grits brij van maisgrutten
honey honing
honeydew melon zoete meloen met geelgroen vruchtvlees
hors-d'oeuvre voorgerecht (Engeland)
horse-radish mierikswortel
hot 1) heet, warm 2) sterk gekruid
hot cross bun fijn broodje gevuld met rozijnen en kruisvormig bedekt met glazuur, wordt in de vastentijd gegeten (brioche)
hot dog hotdog, warme worst in een broodje

huckleberry blauwe bosbes
hush puppy beignet van maismeel en uien
ice cream ijs
iced gekoeld
Idaho baked potato soort bintje, ongeschild in de oven gepoft
Irish stew hutspot van vlees, aardappelen en uien
Italian dressing slasaus van olie, azijn en tuinkruiden
jellied in gelei
Jell-O gelatinedessert
jelly jam; gelei
Jerusalem artichoke aardpeer
John Dory zonnevis (zeevis)
jugged hare hazenpeper
juice sap
juniper berry jeneverbes
junket gestremde melk (wrongel), gesuikerd
curly kale boerenkool
kedgeree stukjes vis met rijst, eieren, boter; wordt vaak als warm gerecht aan het ontbijt geserveerd

kidney nier
kipper bokking
lamb lamsvlees
Lancashire hot pot schotel in de oven van ragout van lamsvlees en nieren met uien, kruiderijen en aardappelen
larded gelardeerd
lean mager
leek prei
leg bout
lemon citroen
lemon sole scharretong
lentil linze
lettuce kropsla, veldsla
lima bean tuinboon
lime limoen, kleine groene citroen
liver lever
loaf brood
lobster kreeft
loin lendenstuk
Long Island duck eend van Long Island, in de VS zeer goed bekendstaande soort
low-calorie laag caloriegehalte

lox gerookte zalm
macaroon bitterkoekje
mackerel makreel
maize mais
mandarin mandarijntje
maple syrup ahornstroop
marinated gemarineerd
marjoram marjolein
marmalade marmelade van sinaasappelen of andere citrusvruchten
marrow beenmerg
marrow bone mergpijp
marshmallow Amerikaans snoepgoed; worden vaak aan warme chocola en allerlei soorten desserts toegevoegd
marzipan marsepein
mashed potatoes aardappelpuree
meal maaltijd
meat vlees
meat ball gehaktbal
meat loaf gehaktbrood
meat pâté vleespastei
medium (done) net gaar
melon meloen

melted gesmolten
Melton Mowbray pie pastei bestaande uit gehakt vlees en kruiden
meringue schuimgebak, schuimpje
milk melk
mince fijnhakken
mince pie pasteitje met krenten, rozijnen, fijngehakte gekonfijte vruchten en appelen (met of zonder vlees)
minced fijngehakt
minced meat fijngehakt vlees
mint munt (kruid)
minute steak kort gebakken biefstuk
mixed gemengd
mixed grill aan een stokje geregen, geroosterde stukjes vlees
molasses melasse, stroop
morel morille, zeer gewaardeerde paddenstoelsoort
mousse 1) dessert van geklopte eieren en slagroom

2) luchtig pasteitje
mulberry moerbei
mullet harder (vis gelijkend op een karper)
mulligatawny soup zeer sterk gekruide soep van Indische afkomst met wortels, uien, en kip met kerrie
mushroom paddenstoel
muskmelon meloen
mussel mossel
mustard mosterd
mutton schapenvlees
noodle noedel
nut noot
oatmeal (porridge) havermoutpap
oil olie
okra zaad van de okra wordt gebruikt om soepen en ragoutsausen aan te dikken
olive olijf
onion ui
orange sinaasappel
ox tongue ossentong
oxtail ossenstaart
oyster oester

pancake pannenkoek
Parmesan (cheese) Parmezaanse kaas
parsley peterselie
parsnip pastinaak, witte peen
partridge patrijs
pastry banket, gebakje, taartje
pasty pastei
pea doperwt
peach perzik
peanut olienoot, pinda
peanut butter pindakaas
pear peer
pearl barley parelgerst
pepper peper
peppermint pepermunt
perch baars
persimmon dadelpruim
pheasant fazant
pickerel jonge snoek
pickle 1) groente of gekonfijte vrucht in pekelzuur 2) augurkje (US)
pickled in pekel bewaard
pie pastei, vaak met een deksel van bladerdeeg, ge-

vuld met vlees, groenten of
vruchten
pig varken
pigeon duif
pike snoek
pineapple ananas
plaice schol
plain naturel, zonder iets
erin
plate bord, schaal
plum pruim
plum pudding speciaal
kerstgebak, soms geflam-
beerd
poached gepocheerd
popcorn gepofte maiskor-
rels
popover klein, luchtig
broodje
pork varkensvlees
porridge havermoutpap
porterhouse steak biefstuk
van de haas
pot roast met groenten ge-
smoord rundvlees
potato aardappel
potato chips 1) patates frites (GB) 2) aardappelchips,

(US)
potato in its jacket aardappel in de schil gekookt en
opgediend
potted shrimps garnalen in
gesmolten boter, koud op-
gediend in een vorm
poultry gevogelte, pluim-
vee
prawn grote garnaal
prune gedroogde pruim
ptarmigan sneeuwhoen
pudding soepel of stevig
beslag van meel en eieren,
gegarneerd met vlees, vis,
groenten of vruchten, in de
oven gebakken of gaarge-
stoomd; nagerecht
pumpernickel zwart roggebrood
pumpkin pompoen
quail kwartel
quince kweepeer
rabbit konijn
radish radijs
rainbow trout regenboogfo-
rel
raisin rozijn

rare ongaar

raspberry framboos

raw rauw

red mullet soort harder (zeevis)

red (sweet) pepper rode paprika

redcurrant rode bes

relish kruiderij gemaakt van fijngesneden groente in azijn

rhubarb rabarber

rib (of beef) ribstuk (van het rund)

ribe-eye steak entrecote

rice rijst

rissole vlees- of viskroket

river trout rivierforel

roast braadstuk

roasted gebraden

Rock Cornish hen piepkuiken

roe viskuit

roll broodje

rollmop herring rolmops, gemarineerde haringfilet

round steak runderschijf

Rubens sandwich cornedbeef op een toastje, met zuurkool, kaas en slasaus; warm opgediend

rump steak biefstuk

rusk beschuit

rye bread roggebrood

saddle lendenstuk

saffron saffraan

sage salie

salad sla

salad bar verschillende soorten salades, tomaten, prinsessenbonen

salad cream slasaus, licht gezoet

salad dressing slasaus

salmon zalm

salmon trout zalmforel

salt zout

salted gezouten

sardine sardien

sauce saus

sauerkraut zuurkool

sausage worst

sauté(ed) snel in boter, olie of vet gebakken

scallop 1) kamschelp 2) kalfslapje

scampi steurgarnaal

scone zacht broodje, warm geserveerd, met boter en jam

Scotch broth runder- of schapenbouillon met groenten

Scotch woodcock toast met roerei en ansjovis

sea bass zeebaars

sea kale zeekool

seafood zeebanket

(in) season (in het) seizoen

seasoning kruiderij

service bediening

service charge bedieningstarief

service included inclusief bediening

service not included exclusief bediening

set menu menu van de dag

shad elft (zeevis)

shallot sjalot

shellfish schelp- en schaaldieren

sherbet sorbet

shoulder schouderstuk

shredded wheat gesponnen tarwe, wordt bij het ontbijt gegeten

shrimp garnaal

silverside (of beef) onderste deel van runderschenkel

sirloin steak lendenstuk (van het rund)

skewer vleespen

slice snee(tje), plak

sliced in plakken gesneden

sloppy Joe gehakt vlees in scherpe tomatensaus, geserveerd in een broodje

smelt spiering

smoked gerookt

snack hapje, snack

sole tong (vis)

soup soep

sour zuur

soused herring gepekelde haring

spare rib krabbetje

spice kruiderij

spinach spinazie

spiny lobster langoest

(on a) spit (aan het) spit

sponge cake Moskovisch gebak

sprat sprot

squash mergpompoen

starter voorgerecht

steak and kidney pie pastei in bladerdeeg van niertjes en rundvlees

steamed gekookt

stew stoofschotel

Stilton (cheese) een van de beste Engelse kazen, wit of blauw geaderd

strawberry aardbei

string bean slaboon

stuffed gevuld

stuffing vulling

suck(l)ing pig speenvarken

sugar suiker

sugarless zonder suiker

sundae roomijs met vruchten, noten, slagroom en siroop

supper avondmaaltijd

swede knolraap

sweet 1) zoet 2) dessert

sweet corn zoete mais

sweet potato bataat, knol van een oorspronkelijk tropisch gewas, rijk aan zetmeel en suiker

sweetbread zwezerik

Swiss cheese emmentaler kaas

Swiss roll opgerold gebak met jam ertussen (koninginnenbrood)

Swiss steak met groenten en kruiderijen gestoofde runderlappen

T-bone steak lendenstuk van het rund met een T-vormig bot erin

table d'hôte open tafel in een hotel

tangerine mandarijntje

tarragon dragon

tart (vruchten)taart

tenderloin filet van vlees

Thousand Island dressing slasaus, bestaande uit mayonaise met piment, noten, olijven, selderie, uien, peterselie en eieren

thyme tijm

toad-in-the-hole rundvlees

(of worstjes) in beslag gedoopt en in de oven gebakken

toast geroosterd brood

toasted getoast

cheese toast met gesmolten kaas

tomato tomaat

tongue tong (vlees)

tournedos ossenhaas in dikke plakken

treacle melasse, stroop

trifle cake met amandelen en gelei, in sherry (of brandewijn) gedrenkt, opgediend met vla of slagroom

tripe pens

trout forel

truffle truffel (paddenstoel)

tuna, tunny tonijn

turbot tarbot

turkey kalkoen

turnip raap, knol

turnover flap

turtle schildpad

underdone ongaar

vanilla vanille

veal kalfsvlees

veal bird blinde vink

veal escalope kalfsoester

vegetable groente

vegetable marrow mergpompoen, courgette

venison wildbraad

vichyssoise preisoep, koud geserveerd

vinegar azijn

Virginia baked ham ham in de oven geroosterd, in inkepingen in het vel worden stukjes ananas, kersen en kruidnagels gestoken waarna de ham met het vruchtensap geglaceerd wordt

wafer wafeltje

waffle warme wafel met boter, stroop of honing

walnut walnoot

water ice sorbet

watercress waterkers

watermelon watermeloen

well-done gaar

Welsh rabbit/rarebit gesmolten kaas op geroosterd brood

whelk kinkhoorn (wulk)

whipped cream slagroom
whitebait witvis
wine list wijnkaart
woodcock (hout)snip
Worcestershire sauce zoet-
zure saus bestaande uit
soja en vele andere ingredi-
enten
York ham zeer goed bekendstaande ham, opge-
diend in dunne plakken
Yorkshire pudding knapperig gebakken deeg, geser-
veerd met rosbief
zucchini mergpompoen,
courgette
zwieback beschuit

Dranken

ale donker, zoetachtig bier,
onder hoge temperatuur
gegist
bitter ale bitter bier, nogal
zwaar
brown ale gebotteld, zoetachtig donker bier
light ale gebotteld licht bier

mild ale donker bier van
het vat met een zeer uitge-
sproken smaak
pale ale gebotteld licht bier
applejack Amerikaanse ap-
pelbrandewijn
Athol Brose haver vermengd met kokend water,
honing en whisky
Bacardi cocktail cocktail
van rum en gin met grena-
dinesiroop en limoensap
barley water frisdrank gemaakt van parelgerst met
citroensmaak
barley wine donker bier
met hoog alcoholgehalte
beer bier
bottled beer gebotteld bier
draft, **draught beer** getapt
bier, bier van het vat
bitters kruidenaperitieven,
de spijsvertering bevorde-
rende alcoholische dranken
black velvet champagne
met toevoeging van stout
(vaak ter begeleiding van
oesters)

bloody Mary cocktail van wodka, tomatensap en kruiderijen

bourbon Amerikaanse whisky, hoofdzakelijk van mais gestookt

brandy 1) verzamelnaam voor brandewijnsoorten gemaakt van druiven en andere vruchten 2) cognac

brandy Alexander cocktail van brandewijn, crème de cacao en room

British wines wijnen in Engeland gegist; gemaakt van geïmporteerde druiven (of van geïmporteerd druivensap)

cherry brandy kersenlikeur

chocolate chocolademelk

cider cider

cider cup mengsel van cider, kruiderijen, suiker en ijs

claret rode bordeauxwijn

cobbler longdrink gemaakt van vruchten, waaraan men wijn of andere alcohol toevoegt

coffee koffie

coffee with cream koffie met room

black coffee koffie zonder melk

caffeine-free coffee cafeïnevrije koffie

white coffee half koffie, half melk; koffie verkeerd

cordial hartversterking

cream room

cup verfrissende drank gemaakt van gekoelde wijn, sodawater en een likeur of andere sterkedrank met een schijfje citroen of sinaasappel

daiquiri cocktail van rum, suiker, limoensap

double dubbele portie

Drambuie likeur gemaakt van whisky en honing

dry martini 1) droge vermout (GB) 2) cocktail van droge vermout en gin (US)

egg-nog alcoholische drank op basis van rum of andere

sterkedrank, vermengd met geklopt eigeel en suiker

gin and it gin met Italiaanse vermout

gin-fizz gin met citroensap, sodawater en suiker

ginger ale frisdrank met gembersmaak

gingerbeer gemberbier

grasshopper cocktail van crème de menthe, crème de cacao en room

Guinness (stout) donker zoetsmakend bier met een hoog mout- en hopgehalte

half pint ongeveer 3 dl

highball alcoholische drank, zoals whisky, vermengd met water, sodawater of *ginger ale*

iced gekoeld, ijskoud

Irish coffee koffie met suiker en slagroom, waaraan men een scheut Ierse whisky toevoegt

Irish Mist Ierse likeur van whisky en honing

Irish whiskey Ierse whisky,

minder scherp dan Schotse whisky, bevat naast gerst ook rogge, haver en tarwe

juice sap

lager licht bier, koud geserveerd

lemon squash kwast

lemonade limonade

lime juice limoensap

liqueur likeur

liquor sterkedrank

longdrink sterkedrank met tonic, sodawater of gewoon water en ijsblokjes

madeira madera

Manhattan cocktail van Amerikaanse whisky en vermout met angostura

milk melk

mineral water mineraalwater

mulled wine bisschopswijn; warme, gekruide wijn

neat onvermengd, puur, zonder water of ijs

old-fashioned cocktail van whisky, angostura, sinaasappelschijfje, suiker en maraskijnkersen

on the rocks met ijsblokjes

Ovaltine ovomaltine

Pimm's cup(s) sterkedrank met vruchtensap, eventueel aangelengd met sodawater

Pimm's cup(s) No. 1 met gin

Pimm's cup(s) No. 2 met whisky

Pimm's cup(s) No. 3 met rum

Pimm's cup(s) No. 4 met brandewijn

pink champagne roze champagne

pink lady cocktail van eiwit, calvados, citroensap, grenadine en gin

pint ongeveer 6 dl

porter donker, bitter bier

quart 1,14 l (US 0,95 l)

root beer gezoete frisdrank met aromat uit plantenwortels en kruiden

rye (whiskey) whisky uit rogge gestookt; zwaarder en scherper van smaak dan

bourbon

scotch (whisky) Schotse whisky, een uit gerst en mais (grain whisky) gestookte sterkedrank, vaak vermengd met malt whisky, uitsluitend uit gemoute gerst gestookt

screwdriver wodka met sinaasappelsap

shandy *bitter ale* vermengd met limonade of met *gingerbeer*

short drink sterkedrank, onverdund gedronken

shot scheut sterkedrank

sloe gin-fizz sleepruimlikeur (vrucht van de sleedoorn) met citroensap en sodawater

soda water sodawater, spuitwater

soft drink frisdrank

spirits spiritualiën, gedistilleerde dranken

stinger cognac en crème de menthe

stout donker bier met veel

hop gebrouwen
straight sterkedrank onverdund gedronken, puur
tea thee
toddy grog
Tom Collins longdrink van
gin, citroensap, spuitwater
en suiker
tonic (water) tonic, spuitwater met kininesmaak
vodka wodka
whisky sour whisky, citroensap, suiker en soda-
water
wine wijn
dessert wine zoete wijn
dry wine droge wijn
red wine rode wijn
sparkling wine mousseren-
de wijn
sweet wine zoete (dessert)
wijn
white wine witte wijn

Engelse onregelmatige werkwoorden

De onderstaande lijst geeft de Engelse onregelmatige werkwoorden aan. De samengestelde werkwoorden of werkwoorden met een voorvoegsel worden als de grondwerkwoorden vervoegd, bijvoorbeeld: withdraw wordt vervoegd als draw en rebuild als build.

Onbepaalde wijs	*Onvoltooid verleden tijd*	*Verleden deelwoord*	
arise	arose	arisen	*opstaan*
awake	awoke	awoken	*ontwaken*
be	was	been	*zijn*
bear	bore	borne	*dragen*
beat	beat	beaten	*slaan*
become	became	become	*worden*
begin	began	begun	*aanvangen*
bend	bent	bent	*buigen*
bet	bet	bet	*wedden*
bid	bade/bid	bidden/bid	*verzoeken*
bind	bound	bound	*binden*
bite	bit	bitten	*bijten*
bleed	bled	bled	*bloeden*
blow	blew	blown	*blazen*
break	broke	broken	*breken*
breed	bred	bred	*fokken*
bring	brought	brought	*brengen*
build	built	built	*bouwen*

burn	burnt/burned	burnt/burned	*branden*
burst	burst	burst	*barsten*
buy	bought	bought	*kopen*
can*	could		*kunnen*
cast	cast	cast	*werpen*
catch	caught	caught	*vangen*
choose	chose	chosen	*kiezen*
cling	clung	clung	*vastklemmen*
clothe	clothed/clad	clothed/clad	*kleden*
come	came	come	*komen*
cost	cost	cost	*kosten*
creep	crept	crept	*kruipen*
cut	cut	cut	*snijden*
deal	dealt	dealt	*delen*
dig	dug	dug	*graven*
do (he does)	did	done	*doen*
draw	drew	drawn	*trekken*
dream	dreamt/dreamed	dreamt/dreamed	*dromen*
drink	drank	drunk	*drinken*
drive	drove	driven	*rijden*
dwell	dwelt	dwelt	*vertoeven*
eat	ate	eaten	*eten*
fall	fell	fallen	*vallen*
feed	fed	fed	*voeden*
feel	felt	felt	*voelen*
fight	fought	fought	*vechten*
find	found	found	*vinden*
flee	fled	fled	*vluchten*

fling	flung	flung	*werpen*
fly	flew	flown	*vliegen*
forsake	forsook	forsaken	*verzaken*
freeze	froze	frozen	*vriezen*
get	got (ten)	got	*krijgen*
give	gave	given	*geven*
go	went	gone	*gaan*
grind	ground	ground	*malen*
grow	grew	grown	*groeien*
hang	hung	hung	*(op)hangen*
have	had	had	*hebben*
hear	heard	heard	*horen*
hew	hewed	hewed/hewn	*hakken*
hide	hid	hidden	*verstoppen*
hit	hit	hit	*slaan*
hold	held	held	*houden*
hurt	hurt	hurt	*pijn doen*
keep	kept	kept	*houden*
kneel	knelt	knelt	*knielen*
knit	knitted/knit	knitted/knit	*breien*
know	knew	known	*weten*
lay	laid	laid	*leggen*
lead	led	led	*leiden*
lean	leant/leaned	leant/leaned	*leunen*
leap	leapt/leaped	leapt/leaped	*springen*
learn	learnt/learned	learnt/learned	*leren*
leave	left	left	*verlaten*
lend	lent	lent	*lenen*

let	let	let	*laten*
lie	lay	lain	*liggen*
light	lit/lighted	lit/lighted	*aansteken*
lose	lost	lost	*verloren*
make	made	made	*maken*
may	might		*mogen, kunnen*
mean	meant	meant	*bedoelen*
meet	met	met	*ontmoeten*
mow	mowed	mowed/mown	*maaien*
must			*moeten*
ought (to)			*moeten*
pay	paid	paid	*betalen*
put	put	put	*zetten*
read	read	read	*lezen*
rid	rid		*zich ontdoen (van)*
ride	rode	ridden	*rijden*
ring	rang	rung	*bellen*
rise	rose	risen	*opstaan*
run	ran	run	*rennen*
saw	sawed	sawn	*zagen*
say	said	said	*zeggen*
see	saw	seen	*zien*
seek	sought	sought	*zoeken*
sell	sold	sold	*verkopen*
send	sent	sent	*verzenden*
set	set	set	*zetten*
sew	sewed	sewed/sewn	*naaien*

shake	shook	shaken	*schudden*
shall*	should		*zullen*
shed	shed	shed	*vergieten*
shine	shone	shone	*blinken*
shoot	shot	shot	*schieten*
show	showed	shown	*tonen*
shrink	shrank	shrunk	*krimpen*
shut	shut	shut	*sluiten*
sing	sang	sung	*zingen*
sink	sank	sunk	*zinken*
sit	sat	sat	*zitten*
sleep	slept	slept	*slapen*
slide	slid	slid	*glijden*
sling	slung	slung	*slingeren*
slink	slunk	slunk	*sluipen*
slit	slit	slit	*opensnijden*
smell	smelled/smelt	smelled/smelt	*ruiken*
sow	sowed	sown/sowed	*naaien*
speak	spoke	spoken	*spreken*
speed	sped/speeded	sped/speeded	*zich haasten*
spell	spelt/spelled	spelt/spelled	*spellen*
spend	spent	spent	*uitgeven*
spill	spilt/spilled	spilt/spilled	*morsen*
spin	spun	spun	*spinnen*
spit	spat	spat	*spugen*
split	split	split	*splijten*
spoil	spoilt/spoiled	spoilt/spoiled	*bederven*
spread	spread	spread	*spreiden*

spring	sprang	sprung	*ontspringen*
stand	stood	stood	*staan*
steal	stole	stolen	*stelen*
stick	stuck	stuck	*kleven*
sting	stung	stung	*steken*
stink	stank/stunk	stunk/stink	*stinken*
strew	strewed	strewed/strewn	*strooien*
stride	strode	stridden	*strijden*
strike	struck	struck/stricken	*slaan*
string	strung	strung	*rijgen*
strive	strove	striven	*streven*
swear	swore	sworn	*zweren*
sweep	swept	swept	*vegen*
swell	swelled	swollen	*wellen*
swim	swam	swum	*zwemmen*
swing	swung	swung	*slingeren*
take	took	taken	*nemen*
teach	taught	taught	*onderwijzen*
tear	tore	torn	*scheuren*
tell	told	told	*vertellen*
think	thought	thought	*denken*
throw	threw	thrown	*werpen*
thrust	thrust	thrust	*durven*
tread	trod	trodden	*treden*
wake	woke/waked	woken/waked	*wekken*
wear	wore	worn	*dragen*
weave	wove	woven	*weven*
weep	wept	wept	*huilen*

will*	would		*zullen*
win	won	won	*winnen*
wind	wound	wound	*opwinden*
wring	wrung	wrung	*wringen*
write	wrote	written	*schrijven*

Telwoorden

Hoofdtelwoorden

1	one	25	twenty-five
2	two	30	thirty
3	three	40	forty
4	four	50	fifty
5	five	60	sixty
6	six	70	seventy
7	seven	80	eighty
8	eight	90	ninety
9	nine	100	a/one hundred
10	ten	230	two hundred and thirty
11	eleven	1000	a/one thousand
12	twelve	10.000	ten thousand
13	thirteen	100.000	a/one hundred thousand
14	fourteen		
15	fifteen	1.000.000	a/one million
16	sixteen		
17	seventeen		
18	eighteen		
19	nineteen		
20	twenty		
21	twenty-one		
22	twenty-two		
23	twenty-three		
24	twenty-four		

Rangtelwoorden

1st	first	27th	twenty-seventh
2nd	second	28th	twenty-eighth
3rd	third	29th	twenty-ninth
4th	fourth	30th	thirtieth
5th	fifth	40th	fortieth
6th	sixth	50th	fiftieth
7th	seventh	60th	sixtieth
8th	eighth	70th	seventieth
9th	ninth	80th	eightieth
10th	tenth	90th	ninetieth
11th	eleventh	100th	hundredth
12th	twelfth	230th	two hundred and
13th	thirteenth		thirtieth
14th	fourteenth	1,000th	thousandth
15th	fifteenth		
16th	sixteenth		
17th	seventeenth		
18th	eighteenth		
19th	nineteenth		
20th	twentieth		
21st	twenty-first		
22nd	twenty-second		
23rd	twenty-third		
24th	twenty-fourth		
25th	twenty-fifth		
26th	twenty-sixth		

Tijd

De Engelsen en Amerikanen gebruiken het twaalf-uren-systeem. De uitdrukking a.m. (ante meridiem) duidt op de uren tussen middernacht en 12 uur 's middags; p.m. (post meridiem) op de uren tussen 12 uur 's middags en middernacht. Engeland gaat momenteel geleidelijk over op het continentale systeem.

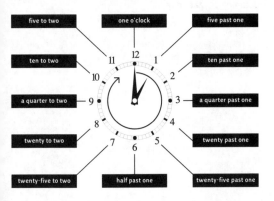

I'll come at seven a.m.   Ik kom om 7 uur 's morgens.
I'll come at two p.m.   Ik kom om 2 uur 's middags.
I'll come at eight p.m.   Ik kom om 8 uur 's avonds.

Dagen van de week

Sunday	zondag
Monday	maandag
Tuesday	dinsdag
Wednesday	woensdag
Thursday	donderdag
Friday	vrijdag
Saturday	zaterdag

Enkele nuttige zinnen
Some Basic Phrases

Alstublieft. *Please.*

Hartelijk dank. *Thank you very much.*

Niets te danken. *Don't mention it.*

Goedemorgen. *Good morning.*

Goedemiddag. *Good afternoon.*

Goedenavond. *Good evening.*

Goedenacht. *Good night.*

Tot ziens. *Goodbye.*

Tot straks. *See you later.*

Waar is/Waar zijn ...? *Where is/Where are ...?*

Hoe noemt u dit? *What do you call this?*

Wat betekent dat? *What does that mean?*

Spreekt u Engels? *Do you speak English?*

Spreekt u Duits? *Do you speak German?*

Spreekt u Frans? *Do you speak French?*

Spreekt u Spaans? *Do you speak Spanish?*

Spreekt u Italiaans? *Do you speak Italian?*

Kunt u wat langzamer spreken, alstublieft? *Could you
    speak more slowly, please?*

Ik begrijp het niet. *I don't understand.*

Mag ik ... hebben? *Can I have ...?*

Kunt u mij ... tonen? *Can you show me ...?*

Kunt u mij zeggen ...? *Can you tell me ...?*

Kunt u me helpen? *Can you help me, please?*

Ik wil graag ... *I'd like ...*

Wij willen graag ... *We'd like ...*
Geeft u me ..., alstublieft. *Please give me ...*
Brengt u me ..., alstublieft. *Please bring me ...*
Ik heb honger. *I'm hungry.*
Ik heb dorst. *I'm thirsty.*
Ik ben verdwaald. *I'm lost.*
Vlug! *Hurry up!*
Er is/Er zijn ... *There is/There are ...*
Er is geen/Er zijn geen ... *There isn't/There aren't ...*

Aankomst *Arrival*

Uw paspoort, alstublieft. *Your passport, please.*
Hebt u iets aan te geven? *Have you anything to declare?*
Nee, helemaal niets. *No, nothing at all.*
Kunt u me met mijn bagage helpen, alstublieft? *Can you help me with my luggage, please?*
Waar is de bus naar het centrum? *Where's the bus to the town centre, please?*
Hierlangs, alstublieft. *This way, please.*
Waar kan ik een taxi krijgen? *Where can I get a taxi?*
Wat kost het naar ...? *What's the fare to ...?*
Breng me naar dit adres, alstublieft. *Take me to this address, please.*
Ik heb haast. *I'm in a hurry.*

Hotel *Hotel*

Mijn naam is ... *My name is ...*

Hebt u gereserveerd? *Have you a reservation?*

Ik wil graag een kamer met bad. *I'd like a room with a bath.*

Hoeveel kost het per nacht? *What's the price per night?*

Mag ik de kamer zien? *May I see the room?*

Wat is mijn kamernummer? *What's my room number, please?*

Er is geen warm water. *There's no hot water.*

Mag ik de directeur spreken, alstublieft? *May I see the manager, please?*

Heeft er iemand voor mij opgebeld? *Has anyone telephoned for me?*

Is er post voor mij? *Is there any mail for me?*

Mag ik de rekening, alstublieft? *May I have my bill (check), please?*

Uit eten *Eating out*

Hebt u een vast menu? *Do you have a fixed-price menu?*

Mag ik de menukaart zien? *May I see the menu?*

Kunt u ons een asbak brengen, alstublieft? *May we have an ashtray, please?*

Waar is het toilet? *Where's the toilet, please?*

Ik wil graag een voorgerecht. *I'd like an hors d'oeuvre (starter).*

Hebt u soep? *Have you any soup?*

Ik wil graag vis. *I'd like some fish.*

Wat voor vis hebt u? *What kind of fish do you have?*

Ik wil graag een biefstuk. *I'd like a steak.*

Wat voor groenten hebt u? *What vegetables have you got?*

Niets meer, dank u. *Nothing more, thanks.*

Wat wilt u drinken? *What would you like to drink?*

Een pils, alstublieft. *Can I have a beer, please.*

Ik wil graag een fles wijn. *I'd like a bottle of wine.*

Mag ik de rekening, alstublieft? *May I have the bill (check), please?*

Is de bediening inbegrepen? *Is service included?*

Dank u, het was een uitstekende maaltijd. *Thank you, that was a very good meal.*

Reizen *Travelling*

Waar is het station? *Where's the railway station, please?*

Waar is het loket? *Where's the ticket office, please?*

Ik wil graag een kaartje naar ... *I'd like a ticket to ...*

Eerste of tweede klas? *First or second class?*

Eerste klas, alstublieft. *First class, please.*

Enkele reis of retour? *Single or return (one-way or round trip)?*

Moet ik overstappen? *Do I have to change trains?*

Van welk perron vertrekt de trein naar ...? *What platform does the train for ... leave from?*

Waar is het dichtstbijzijnde metrostation? *Where's the*

nearest underground (subway) station?
Waar is het busstation? *Where's the bus station, please?*
Hoe laat vertrekt de eerste bus naar ...? *When's the first bus to ...?*
Wilt u me bij de volgende halte laten uitstappen? *Please let me off at the next stop.*

Ontspanning *Relaxing*

Wat draait er in de bioscoop? *What's on at the cinema (movies)?*
Hoe laat begint de film? *What time does the film begin?*
Zijn er nog plaatsen vrij voor vanavond? *Are there any tickets for tonight?*
Waar kunnen we gaan dansen? *Where can we go dancing?*

Ontmoetingen *Meeting people*

Dag mevrouw/juffrouw/mijnheer. *How do you do.*
Hoe maakt u het? *How are you?*
Uitstekend, dank u. En u? *Very well, thank you. And you?*
Mag ik u ... voorstellen? *May I introduce ...?*
Mijn naam is ... *My name is ...*
Prettig kennis met u te maken. *I'm very pleased to meet you.*
Hoelang bent u al hier? *How long have you been here?*
Het was mij een genoegen. *It was nice meeting you.*
Stoort het u als ik rook? *Do you mind if I smoke?*

Hebt u een vuurtje, alstublieft? *Do you have a light, please?*

Mag ik u iets te drinken aanbieden? *May I get you a drink?*

Mag ik u vanavond voor het eten uitnodigen? *May I invite you for dinner tonight?*

Waar spreken we af? *Where shall we meet?*

Winkels en diensten *Shops, stores and services*

Waar is de dichtstbijzijnde bank? *Where's the nearest bank, please?*

Waar kan ik reischeques inwisselen? *Where can I cash some travellers' cheques?*

Kunt u me wat kleingeld geven, alstublieft? *Can you give me some small change, please?*

Waar is de dichtstbijzijnde apotheek? *Where's the nearest chemist's (pharmacy)?*

Hoe kom ik daar? *How do I get there?*

Is het te lopen? *Is it within walking distance?*

Kunt u mij helpen, alstublieft? *Can you help me, please?*

Hoeveel kost dit? En dat? *How much is this? And that?*

Het is niet precies wat ik zoek. *It's not quite what I want.*

Het bevalt me. *I like it.*

Kunt u mij iets tegen zonnebrand aanbevelen? *Can you recommend something for sunburn?*

Knippen, alstublieft. *I'd like a haircut, please.*

De weg vragen *Street directions*

Kunt u mij op de kaart aanwijzen waar ik ben? *Can you
show me on the map where I am?*
U bent op de verkeerde weg. *You are on the wrong road.*
Rij/Ga rechtuit. *Go/Walk straight ahead.*
Het is aan de linkerkant/aan de rechterkant. *It's on the left/
on the right.*

Spoedgevallen *Emergencies*

Roep vlug een dokter. *Call a doctor quickly.*
Roep een ambulance. *Call an ambulance.*
Roep de politie, alstublieft. *Please call the police.*

Maten en temperatuur

Meters en voeten

Het middelste cijfer geeft zowel meters als voeten aan,
bijvoorbeeld 1 meter = 3,281 voet en 1 voet = 0,30 m.

Meters		Voeten
0.30	1	3.281
0.61	2	6.563
0.91	3	9.843
1.22	4	13.124
1.52	5	16.403
1.83	6	19.686
2.13	7	22.967
2.44	8	26.248
2.74	9	29.529
3.05	10	32.810
3.66	12	39.372
4.27	14	45.934
6.10	20	65.620
7.62	25	82.023
15.24	50	164.046
22.86	75	246.069
30.48	100	328.092

Temperatuur

Voor het omrekenen van Celsius in Fahrenheit, moet u het aantal graden Celsius met 1,8 vermenigvuldigen en er dan 32 bij optellen.

Voor het omrekenen van Fahrenheit in Celsius, moet u 32 van het aantal graden Fahrenheit aftrekken en dan delen door 1,8.